smart
age

Ross Welford

Ce să nu faci dacă devii invizibil

Traducere din engleză
de
Antonia Gîrmacea

CORINT BOOKS

Redactor: Cătălin Strat
Tehnoredactor: Liviu Rusu

Ross Welford
WHAT NOT TO DO IF YOU TURN INVISIBLE
Text copyright © Ross Welford 2016
Translation © Corint 2020 translated under licence from HarperCollins
Publishers Ltd
Ross Welford asserts the moral right to be identified as the author of
the works.

Cover design © HarperCollinsPublishers 2016.
Cover Illustration © Tom Clohosy Cole

Toate drepturile asupra acestei ediții sunt rezervate
Editurii CORINT BOOKS. CORINT JUNIOR este marcă înregistrată.

Corint Junior este un imprint al Grupului Editorial Corint.
Strada Mihai Eminescu nr. 54A, Sector 1, București, 010517
www.corintjunior.ro

ISBN 978-606-793-760-2

Descrierea CIP a Bibliotecii Naționale a României
WELFORD, ROSS
  Ce să nu faci dacă devii invizibil / Ross Welford ; trad. din engleză
de Antonia Gîrmacea. - București : Corint Books, 2020
   ISBN 978-606-793-760-2

I. Gîrmacea, Antonia (trad.)

821.111

Pentru Mama, cu dragoste

Partea întâi

Chiar înainte să adorm, îmi puteam vedea corpul. Eram vizibilă şi ştiam cine eram.

Asta a fost înainte.

Nu știu ce mă trezește de fapt: lumina ultravioletă a tuburilor de la solar sau Lady, care își împinge castronul cu mâncare pe lângă ușa dintre hol și garaj.

Luminile purpurii sunt atât de puternice, încât, și când strâng din ochi, tot mă orbesc.

Am dormit până acum?

De ce nu a sunat alarma temporizatorului?

De cât timp mă aflu aici?

Totuși, o singură chestie importantă răzbate din învălmășeala asta de gânduri, și anume că mi-e foarte sete. Limba nici măcar nu mi se lipește de cerul gurii, ci mai degrabă se rostogolește în spațiul dintre maxilare. Reușesc să adun puțină salivă, măcar cât e nevoie ca totul să funcționeze.

Am ridicat capacul de la solar și mi-am aruncat picioarele la marginea patului. Apa — sudoare, ar spune Buni — băltește pe locul în care am stat culcată. Luminile încă mă orbesc, strâng tare din ochi, însă, în mod ciudat, acest lucru nu face ca totul să se întunece — deși din spatele retinei țâșnesc pete și sclipiri de lumină.

Cu o mână dibuiesc întrerupătorul de lângă solar și sting luminile.

E puțin mai bine, însă tot mă simt groaznic. Am o durere de cap care îmi zvâcnește în țeastă și stau așezată o vreme.

Ar fi trebuit să verific mai întâi temporizatorul. Mă uit și văd cum afișajul electronic de pe peretele garajului se schimbă de la 11:04 la 11:05 a.m.

O. Doamne. Dumnezeule!

Am stat sub luminile acestea cam o oră și jumătate. Salutare arsurilor solare! Piele palidă, păr roșu (în fine, castaniu), acnee galopantă și arsuri grave. Ce combinație!

Privesc fix înainte, lăsând ca ochii să se obișnuiască încet cu aspectul sumbru și prăfuit al garajului. Iată covorul vechi și sucit de pe hol, bicicleta pe care o aveam când eram mică și pe care încă nu am aruncat-o, cele câteva cutii de carton pline cu haine pentru dus la biserică și picăturile de ploaie care se preling pe singura fereastră îngustă a ușii care dă spre grădina din spate.

Cred că au trecut douăzeci sau chiar treizeci de secunde de când m-am trezit.

Apoi sună telefonul. Mă uit cum zace pe podeaua garajului și văd că este Afurisitul de Elliot Boyd — evident, nu acesta este numele său complet. Rar am chef să vorbesc cu el, așa că mă aplec și pun telefonul pe silențios și las să intre mesageria vocală.

Este un moment de care nu voi scăpa niciodată.

Un moment atât de bizar și atât de înspăimântător, că mi-e foarte greu să-l descriu, dar îmi voi da toată silința să o fac.

Cum să spun, la început, nu mi-am dat seama că am devenit complet invizibilă.

Acum știu.

Capitolul unu

Acțiunea de a te apleca, de a-ți ridica telefonul, de a găsi și de a apăsa butonul „silențios", de a te holba apoi la ecran în timp ce acesta îți vibrează în mână, ca pe urmă să se oprească… toate aceste gesturi sunt atât de *normale* și de obișnuite, încât mă fac să cred că pur și simplu creierul meu umple spațiile goale cu chestiile care lipsesc.

Cum ar fi mâinile și degetele mele.

E ca și cum te-ai uita la un desen animat. Toată lumea știe că un desen animat — de fapt, orice film — este format dintr-o înșiruire de imagini statice. Când te uiți la ele repede, una după cealaltă, creierul tău umple spațiile goale, ca nimic să nu pară sacadat.

Cred că ochii și creierul meu fac același lucru în timpul celor două sau trei secunde în care îmi închid telefonul. Creierul și ochii pur și simplu „văd" mâna, pentru că se *așteaptă* să o vadă acolo.

Însă nu pentru mult timp.

Clipesc și îmi îndrept privirea spre telefonul de pe podea. Apoi, mă uit la mână. Chiar o țin în fața ochilor și o întorc pe cealaltă parte.

Nu e acolo.

OK, opreşte-te un pic. Ia încearcă să-ţi ţii mâna în faţa ochilor. Aştept.

Este acolo, nu-i aşa? Mâna ta? Bineînţeles că e.

Acum, întoarce-o şi examinează partea cealaltă. Chiar asta făceam eu acum câteva secunde, doar că mâna mea nu era — nu este — acolo.

În acest moment, nu-mi este teamă. Mai degrabă sunt confuză.

E ciudat, cred. *Mi-a tulburat solarul minţile?* Sunt încă adormită, sau visez, sau am vreo halucinaţie?

Mă uit în jos, la picioare. Nici ele nu se mai văd, deşi eu le pot atinge. Pot să-mi ating faţa. Pot să ating şi pot să simt orice parte a corpului meu, dar pur şi simplu nu pot să-l văd.

Nu ştiu cât timp stau acolo, doar holbându-mă încontinuu la ceea ce ar trebui să fie corpul meu. Trec câteva secunde, însă nu mai mult de un minut. Recapitulez totul în minte: s-a mai întâmplat aşa ceva vreodată? Este acest lucru normal? Mi se pare mie sau am fost orbită temporar de razele ultraviolete prea puternice? Însă pot vedea celelalte lucruri din jur — doar corpul nu mi-l văd.

Acum mi-e frică şi respir din ce în ce mai repede. Mă ridic şi mă îndrept spre chiuveta din colţul garajului, unde se află o oglindă.

E clipa în care scot un ţipăt. Unul mic — mai mult o icnitură, de fapt.

Dacă poţi, imaginează-ţi că stai în faţa unei oglinzi şi nu vezi nimic. Faţa nu ţi se reflectă. Tot ce vezi este camera din spatele tău. Sau, în cazul acesta, vezi doar garajul.

După ce am icnit, mi-am dat seama ce se întâmplă. Scutur din cap şi chiar chicotesc uşor. Îmi spun:

Bine, acum sigur visezi. Şi, uau, visul acesta este intens! Chiar pare real! Ştii tu cum unele vise sunt cu adevărat vise — chiar când le visezi? Nu acesta! Acesta este la fel de real ca un vis pe care l-am avut şi încep să cred că e chiar amuzant. Cu toate acestea, trec prin lista de verificare. Visez aceste lucruri cu adevărat? Verific, clipesc, mă ciupesc, spunându-mi: *Trezeşte-te, Ethel, e doar un vis.*

Însă, când ajung la capăt, mă aflu tot aici în garaj. Acest vis este unul încăpăţânat! Aşa că repet totul iar şi iar.

Nu, nu e un vis.

În mod clar, nu e un vis. Zâmbetul îmi piere imediat de pe faţă.

Închid ochii cât pot de tare şi nu se întâmplă nimic. De fapt, *simt* cum pleoapele mi se strâng, *dar încă pot să văd.* Pot vedea ce e prin garaj, deşi ştiu că am ochii strâns închişi– înşurubaţi, de fapt.

Îmi acopăr ochii cu mâinile şi încă pot vedea totul.

În stomac simt un ghiont de frică, de spaimă şi de teroare, o combinaţie oribilă care vine dintr-odată. Pe neaşteptate, vomit în chiuvetă, însă nu pot vedea ce iese. Aud stropii. În gură simt gustul vomei fierbinţi. Apoi, într-o secundă sau două, văd cum totul se materializează: fulgii de cereale pe care i-am mâncat mai înainte, pe jumătate digeraţi.

Dau drumul la robinet, să se scurgă totul. Trec mâna prin jetul de apă, iar apa capătă forma mâinii. Mă holbez fascinată la mâna pe care o ridic plină de apă spre gura însetată şi sunt întâmpinată de un balon de apă. Îl sorb şi mă uit din nou în oglindă: timp de o secundă, buzele mele sunt aproape vizibile în locul unde au intrat în contact cu apa și pot să deslușesc lichidul care se prelinge pe gât. Apoi dispare.

Sunt mistuită de o teroare care e mai intensă decât orice am simțit vreodată.

Stând în fața oglinzii, ținându-mă strâns cu mâinile mele invizibile de marginile chiuvetei și cu creierul practic pulsând din cauza efortului de a procesa această... această... *ciudățenie*, fac ceva ce oricare altă persoană ar face.

Ce ai face și tu.

Țip după ajutor.

„Buni! BUNI! *BUNI!*"

UN AVERTISMENT

Îţi voi spune cum am ajuns să fiu invizibilă şi, de asemenea, să descopăr o grămadă de alte chestii.

Dar, dacă voi face acest lucru, vei avea nevoie de ceva ce profesorul meu, domnul Parker, numeşte „poveste". Lucrurile care au făcut ca eu să fiu invizibilă.

Stai pe aici în următoarele câteva capitole. Voi istorisi totul pe scurt, apoi ne vom întoarce împreună în garaj, unde eu sunt invizibilă.

Însă, primul lucru pe care ar trebui să-l fac înainte de a continua este să te avertizez: nu sunt un copil „rebel".

Spun asta fiindcă s-ar putea să crezi că aş putea fi unul dintre acei copii insolenţi care mereu intră în bucluc şi care sunt „neobrăzaţi" în faţa adulţilor.

Adică, dacă nu consideri că, devenind invizibilă, am intrat în bucluc.

În ceea ce priveşte momentul în care am insultat-o pe doamna Abercrombie, acela a fost un accident, după cum am spus de mii de ori. Intenţionasem să îi spun că e o „harpie" — ceea ce e nepoliticos, recunosc, dar nu la fel de nepoliticos precum cuvântul pe care l-am folosit şi care rimează cu acesta[1]. Am avut MARI probleme din cauza asta cu Buni. Până şi în ziua de azi doamna Abercrombie crede că sunt o fată nepoliticoasă, deşi acest lucru s-a întâmplat acum mai bine de trei ani, iar eu i-am şi scris o scrisoare, pentru a-mi cere iertare, pe cea mai bună hârtie de corespondenţă a lui Buni.

---

1. Harpie, scorpie.

(Ştiu că încă este furioasă din cauză că Geoffrey, câinele ei, mereu mă mârâie. Geoffrey îi mârâie pe toţi, dar doamna Abercrombie mereu spune „Încetează, Geoffrey" — mai puţin când acesta mârâie la mine.)

În fine, de obicei, stau tăcută în spatele clasei, văzându-mi de treaba mea, ocupându-mă de ale mele. Un fel de la-la-la, nu mă deranjaţi şi nu vă voi deranja nici eu.

Dar tu ştii ce spun adulţii, în acel stil pe care-l au pentru a părea mai deştepţi. „Ah, vezi tu, mereu cei tăcuţi sunt de vină, nu-i aşa?"

Asta sunt eu. O „tăcută". Atât de tăcută, încât sunt aproape invizibilă.

Ceva ce, dacă stai bine să te gândeşti, este destul de amuzant.

Capitolul doi

Cât de în urmă vrei să merg cu povestea?

Dac-ar fi să mă întrebi, totul a început cu nebunia aceea cu pizza. Chestia aia m-a supărat atât de tare, încât mi-am cam pierdut puțin din minte, apoi am ajuns să pierd și mai mult.

Uite cum s-a întâmplat totul.

Jarrow Knight — cine altcineva? — a strigat „Se livrează pizza!" când am intrat în clasă și aproape toată lumea a râs. Nu râsul de tip LOL, ci mai degrabă un chicotit sugrumat. Majoritatea colegilor de clasă nu sunt *de fapt* nemiloși.

La început, nu m-am prins. Nu aveam nicio idee că avea vreo legătură cu mine. De fapt, credeam că am intrat în mijlocul unei glume, am zâmbit și am râs puțin alături de ei ca atunci când faci ceva ca să nu te simți pe dinafară.

Privind în urmă, acel gest ar fi părut ciudat.

Apoi, după câteva zile, Jarrow, fratele ei și câțiva colegi treceau pe lângă mine în timp ce vorbeam cu fetele lângă laboratoarele de chimie, iar Jarrow a spus destul de tare: „Ai comandat cumva o pizza cu sos picant, Jez?"

și au bătut palma în timp ce Kirsten și Katie își studiau picioarele.

Te-ai prins? Încă mă doare amintirea. (Vor urma multă durere și multe amintiri, așa că am face bine să ne obișnuim.)

Livrarea de pizza este o referire la fața mea.

Față de pizza = acnee. Adică pete, și coșuri, și bube, și toate chestiile umflate. Te-ai prins și tu, nu? Referirea, nu acneea.

Se presupune că fața mea arată ca o pizza. Amuzant. De fapt, nu se aseamănă. Nu e chiar așa de rău.

O fată de doisprezece ani cu acnee? Știu, e cam devreme. Chiar și doctorul Kemp a spus că mă aflu „la capătul inferior al spectrului", dar nu este o ciudățenie. Nu, cuvântul „ciudățenie" îl vom rezerva pentru acneea în sine, care este „în capătul extrem al spectrului". Aceste vorbe se traduc din limba doctorilor de familie cu: „O, Doamne, ai probleme *mari*."

Te voi scuti de detalii. Poate mănânci în timp ce citești, iar detaliile nu sunt foarte plăcute.

În fine, acest lucru s-a întâmplat acum trei luni. Iar, odată cu insulta „Față de pizza", am realizat o serie de lucruri:

1. Strategia mea de a ține capul jos la școală a fost întâmpinată cu un succes limitat. Toți o cunosc pe „Fata cu acnee". Până în acel moment, majoritatea insultelor i-au fost destinate lui Elliot Boyd, ceea ce îmi convenea. Însă acum și *eu* eram o țintă.

2. Cred cu sinceritate că unii oameni bănuiesc faptul că acneea se ia. Adică, eu nu sunt o întristată care-și petrece toată ziua singură, înconjurată de oameni

care o tachinează. E doar că toată treaba asta cu „prietenii cei mai buni" ia mai mult decât m-am așteptat și mă-ntreb dacă acneea este cauza. Buni îmi spune: „Fii tu însăți!", ceea ce pare a fi un sfat bun. Presupun că *este* un sfat bun, dacă ai o idee cât de mică despre cine ești — iar eu am. Sau cel puțin aveam înainte de momentul în care totul a luat-o razna. Buni mai spune: „Dacă vrei un prieten bun, trebuie să fii la rândul tău o prietenă bună." Ea e plină de înțelepciuni de acest fel. Uneori cred că le colecționează. Problema e că am o mare lipsă de oameni în jurul meu cu care să mă împrietenesc.

3. Jarrow Knights este un coșmar total. Acest lucru nu este tocmai o revelație, dar alături de fratele său geamăn formează o pereche veninoasă.

4. *Trebuie* neapărat să fac *ceva* cu tenul meu.

Acneea mea s-a declanșat acum un an, cu un coș mic și solitar care mi-a apărut pe frunte. Îmi place să cred că acel coș a fost trimis în recunoaștere de Armata Acneei. S-a raportat apoi la Cartierul General al Coșurilor și, după o săptămână, un întreg regiment de pete și de puncte negre și-au așezat tabăra pe fața mea, iar nimic din ce-am făcut n-a izbutit să-i facă să se retragă.

Apoi, Armata Acneei a început să colonizeze alte părți ale corpului. Gâtul meu a găzduit un mic pluton de furuncule, care sunt de fapt mari, lucioase și dureroase. Pieptul meu are o divizie de puncte negre mici care, ocazional, se dezvoltă în puncte albe cu puroi în ele și, în două luni, o forță armată de expediție mi-a anexat picioarele.

Și, ce e mai rău, e faptul ca Buni nu mă ia deloc în serios, iar acest lucru mă înnebunește.

— Pete, draga mea? Săracuța de tine. Și eu aveam pete, la fel ca mama ta. E doar o etapă a vieții. Vei scăpa de ea când vei crește.

Chiar înainte de incidentul cu pizza, generala a devenit *clar* mai puțin distractivă decât școala primară. Este doar o coincidență, dar, când s-au desfășurat toate acestea, Flora McStay — care era probabil cea mai bună prietenă a mea — s-a mutat la Singapore, iar Kirsten Olen a fost transferată în altă clasă și a început să-și petreacă timpul cu gemenii Knight.

Despre care vom povesti mai multe mai târziu.

Ideea e că aveam nevoie de un plan pentru a scăpa de acnee și așa au ajuns în viața mea solarul și leacurile chinezești.

Și nu, a deveni invizibilă nu a făcut niciodată parte din planul meu. Acest lucru ar fi clar la „capătul extrem al spectrului".

Și, în caz că era nevoie să precizez, nu aveam în plan nici să mă apropii de Elliot Boyd mai mult decât era strict necesar.

Capitolul trei

Deci eu încă îți spun povestea vieții mele și tu te afli aici, ceea ce e bine.

Elliot Boyd, deci? „Miresmelliot" Boyd, cum este poreclit, deoarece cineva a făcut gluma aceasta odată, iar de atunci stă agățată de el, la fel ca mirosul.

Copilul pe care nimeni nu-l place.

E din cauza înălțimii lui? A greutății lui? A părului? A accentului?

Sau, de fapt, din cauza mirosului?

Ar putea fi oricare dintre aceste motive și toate în același timp. Este mare ca un urs, la fel de înalt ca unii dintre profesori, are o ditamai burta și o bărbie pe care a crescut un puf de păr blond, încât îmi imaginez că el crede că acesta ascunde faptul că sub el se mai află o bărbie.

În ceea ce privește mirosul, ca să fiu sinceră, el nu pare să miroasă *chiar* atât de rău, deși eu merg până în pânzele albe ca să nu testez părerea majorității, și anume că e străin de săpun și de deodorant, prin faptul că îl evit.

Cred că este felul său de a fi care îi enervează pe ceilalți. Prea sigur pe el, agresiv, arogant, zgomotos și — cuvântul

23

meu favorit — „înfumurat". Acesta este cuvântul folosit de domnul Parker, iar el este foarte priceput la cuvinte.

De fapt, știi ce? Cred că totul se datorează faptului că este din Londra. Sincer. Ceilalți s-au montat împotriva lui din prima zi, deoarece a început să-i ia peste picior pe cei de la Newcastle United. (El este fan Arsenal sau, cel puțin, așa susține.) Aici, dacă nu ai o scuză foarte bună, ții cu Newcastle. Poate cu Sunderland sau cu Middlesbrough. Dar în niciun caz nu ții cu o echipă londoneză — nici măcar dacă, după cum reiese mai târziu, ești, de fapt, din Londra.

Boyd a fost transferat în clasa noastră în prima zi dintr-a șaptea. Nimeni nu știa cine e, așa că te-ai fi gândit că ar fi stat cu capul plecat o vreme, dar nu. Eu *cred* că el s-a gândit că a fost amuzant ceea ce a făcut în prima zi — știi tu, curajos și puțin nărăvaș, dar nu a lăsat impresia asta.

Pe lângă faptul că ne predă fizică, domnul Parker, dirigintele nostru, se ocupă de catalog și de alte chestii de genul ăsta. A bătut din palme și și-a dres vocea.

— Bine ați venit, norocoșilor, în cel mai de seamă *edificiu al erudiției*! Am încredere că ați avut o vacanță liniștită! Splendid.

Domnul Parker vorbește așa foarte mult. Odinioară, a fost actor și poartă o eșarfă care, în mod incredibil, îi stă grozav.

— Avem un nou coleg în clasă! Tocmai din Londra cea însorită... Mulțumesc, domnule Knight, huiduitul este pentru *mitocani*... Aplauze, vă rog, pentru domnul Elliot Boyd.

Acum, în acest moment, clasa — care a mai făcut chestia asta de rutină de vreo câteva ori cu noii colegi — ar aplauda la semnalul domnului Parker, iar noul coleg ar arăta timid, și ar zâmbi puțin, și s-ar înroși, și asta ar fi tot.

Elliot Boyd, însă, imediat s-a ridicat în două picioare, și-a ridicat mâinile în aer într-un gest triumfător și a rostit cu voce tare „Ar-se-nal! Ar-se-nal!", gest care a oprit instantaneu orice aplauze. Ca să înrăutățească lucrurile și mai mult, a adăugat, cu cel mai bun accent londonez:

— Ce-i, bă? N-ați auzitără niciodată dă o echipă dă fotbal adevărată?

Uau! m-am gândit eu atunci. *Uite așa devii nepopular instantaneu, Elliot Boyd!*

Din acel moment, cel puțin o jumătate din clasă a hotărât că-l urăște.

Însă acest lucru nu a părut să-l supere sau să-l facă mai puțin agresiv. Elliot Boyd era ca unul dintre acei câini zdrențuroși mari care se dau la câinii mai mici din parc și-i sperie.

Chiar mai rău, a început să stea pe lângă vestiarul meu după ore, ca și cum ar fi trebuit să fim automat prieteni doar pentru că aveam o porțiune de drum comună de la școală spre casă.

Nicio șansă.

Aș fi continuat să-l ignor, însă el urma să devină parte din ce s-a întâmplat și cum am ajuns eu să devin invizibilă.

LUCRURI PE CARE LE-AM ÎNCERCAT
ÎMPOTRIVA ACNEEI

1. Săpun și apă la greu. Aceasta a fost prima sugestie a lui Buni. „La mine a mers", a spus ea. Și a trebuit să mă opresc din a-i spune: „Da, dar asta a fost în Epoca Întunecată a secolului al XX-lea." Mai mult, tratamentul cu nelipsita apă și cu nelipsitul săpun provine de la idea că oamenii au coșuri din cauză că nu-și curăță coșurile. Iar acest lucru nu este adevărat.

2. Demachiante și șervețele umede. Dar astea nu fac decât un lucru: coșurile mele strălucesc ca balizele de pe suprafața unei fețe *foarte curate*. Câteodată mă gândesc dacă acestea nu înrăutățesc situația.

3. Eliminarea grăsimilor. Aceea a fost o lună oribilă. Teoria aceasta se bazează pe faptul că pielea mea este, uneori, destul de grasă. (Și *iată* acolo o subestimare pe care poți s-o înrămezi și agăța pe perete.) Așadar, dacă nu mănânc unt sau brânză, sau lapte, sau chestii prăjite, sau dressing pentru salată, sau, după cum a reieșit, orice lucru delicios, fața mea nu va fi grasă. Nu a funcționat. *Și* mi-a fost foame.

4. Usturoiul și mierea de albine. În fiecare dimineață, taie mărunt trei căței de usturoi și amestecă-i cu o lingură mare de miere lichidă. Scârbos. Și ineficient.

5. Cremă pentru coșuri. Aceasta înseamnă ca seara să mă ung pe față cu cremă. În mod ciudat, este o

cremă destul de grasă, care te gândeşti că ar înră-
utăţi situaţia, însă nu s-a întâmplat aşa ceva. Nici
nu a îmbunătăţit-o.

6. Nelipsitul aer proaspăt. O altă reţetă a lui Buni. Se
potriveşte cu nelipsita apă şi cu nelipsitul săpun.
Singura care a beneficiat de acest lucru a fost Lady,
care a ieşit mai mult la plimbare o lună întreagă,
până când mi-am dat seama că aspectul feţei mele
nu s-a schimbat. Îmi pare rău, Lady!

7. Homeopatia. Sunt în jur de cinci medicamente
homeopate în Holland & Barrett care pretind că
funcţionează în cazul acneei. Niciunul dintre ele
nu a funcţionat în cazul meu.

8. Ceaiul de urzici are un gust la fel de rău precum
sună. Poate chiar mai rău.

9. Vitamina B5. O găseşti peste tot pe internet drept
„leacul miraculos". Următorul.

10. Antibioticele. Aceasta a fost recomandarea pe
care a făcut-o, în sfârşit, doctorul Kemp la a doua
vizită, după ce i-am arătat lista de mai sus. O pas-
tilă de Septrin în fiecare zi pentru marele rezultat
de... nicio schimbare de niciun fel.

11. Ultima soluţie: Dr. Chang Tenul Lui Aşa Curat.
Un produs cumpărat de pe internet. Buni a spus
că arată dubios şi a refuzat să mi-l cumpere, aşa că
a trebuit să recurg la un subterfugiu. Dr. Chang,
la fel ca Elliot Boyd, joacă un rol important în
cum am ajuns invizibilă.

Capitolul patru

Buni îmi spune ca mama a avut acnee când a fost de vârsta mea şi totuşi a crescut şi s-a făcut „o domnişoară foarte frumoasă".

A fost. În fotografia din camera mea are părul blond, uşor roşcat, şi nişte ochi mari şi puţin trişti. Câteodată mă face să cred că ea ştia că avea să moară de tânără, dar atunci mă uit la celalalte poze în care râde şi cred că, de fapt, nu a fost tristă deloc. Doar — nu ştiu — puţin... depresivă?

Abia dacă mi-o amintesc, în caz că vă întrebaţi dacă sunt supărată din acest motiv. A murit când aveam trei ani. Cancer.

Tata ne părăsise deja când s-a întamplat. Plecat. Dispărut.

— Şi ce bine c-am scăpat de el, a fost verdictul lui Buni.

Abia dacă suportă să-i rostească numele (care e Richard, deşi pentru mine arată mai mult ca un Rick), iar singura poză pe care o am cu el este o fotografie destul de neclară făcută la scurt timp după naşterea mea, cu mama ţinându-mă în braţe şi cu tata lângă ea, zâmbind. E slab şi cu barbă, cu părul mai lung decât cel al mamei şi cu ochelari cu lentile întunecate, ca un soi de vedetă rock.

— A apărut beat la spital, a spus Buni în timpul unei conversații (foarte) ocazionale despre subiect. Era starea lui obișnuită.

Mama și tata nu erau căsătoriți când m-am născut, dar s-au cununat mai târziu. Am primit numele de familie al mamei, Leatherhead, care este același cu cel al lui Buni. Se află pe certificatul meu de naștere:

Ziua nașterii: 29 iulie
Locul nașterii: Spitalul St. Mary's, Londra
Numele mamei: Lisa Anne Leatherhead
Ocupație: profesoară
Numele tatălui: Richard Michael Malcolm
Ocupație: student

Și așa mai departe.

Vă voi face un rezumat. E cam tot ce am. Buni nu prea e dispusă să vorbească despre chestia asta, deoarece cred că o întristează prea mult.

Buni s-a mutat la Londra când era mică și a crescut acolo. S-a despărțit de bunicul meu cândva în anii '80. El locuiește acum în Scoția cu a doua soție (Morag? Nu-mi aduc aminte.). Mama avea douăzeci și trei de ani când m-a avut pe mine. Ea și tata nu și-au plănuit o familie, mi-a spus Buni. S-a întâmplat să ajung și eu pe lume.

Tata a dispărut când eram mică. Nu era un caz de dispariție care să implice poliția sau ceva de genul. Nu era niciun mister. El doar „a plecat de la fața locului" și s-a dat de urma lui recent în Australia, după spusele lui Buni.

Ultima oară când am discutat despre el a fost acum câteva săptămâni.

Eu și Buni luam mereu ceaiul când veneam de la școală, în fiecare zi, de la vârsta de șapte ani. Știu: majoritatea copiilor de șapte ani beau suc sau lapte, dar nu și eu. Ceai și prăjituri sau biscuiți. Și niciuna dintre cănile mari pe care le preferați voi: totul se servește într-un ceainic, cu cești și farfurii de ceai și cu o zaharniță, chiar dacă niciuna dintre noi nu își bea ceaiul cu zahăr. Este doar de decor. Nu prea mi-a plăcut ceaiul la început. Era prea fierbinte. Acum însă îmi place.

La școală, la lecția de educație civică a domnului Parker, am purtat o discuție despre cariere. Eu stăteam în spatele clasei, tăcută ca de obicei, când s-a ajuns la profesiile părinților noștri și cum uneori copiii urmează aceleași cariere ca și ei. Tot ce știam despre tata era că a fost „student", conform certificatului meu de naștere.

Am plănuit cum să aduc subiectul în discuție o zi sau două. În timp ce turna ceaiul, am întrebat-o pe Buni de ce tata a dispărut, ca o întrebare pregătitoare pentru a afla ce a studiat.

În loc să-mi răspundă direct, aceasta a zis:

— Tatăl tău a dus o viață foarte agitată, Ethel.

Am dat din cap, fără să înțeleg ce înseamnă.

— A băut mult. Și-a asumat prea multe riscuri. Cred că-și dorea să trăiască fără responsabilități.

— De ce?

— Chiar nu știu, draga mea. Presupun că e din cauza unui caracter slab. Era neputincios și iresponsabil. Unii bărbați nu sunt pregătiți să facă față încercărilor paternității, a spus Buni. Ochelarii îi alunecaseră pe nas și se uita la mine pe deasupra ramei în timp ce îmi vorbea.

— Cred că tatăl tău a fost unul dintre acești bărbați.

Era aproape cel mai drăguț lucru pe care l-a spus despre el. Rareori îl menționa fără a folosi cuvintele „beat" și „copilăros". Umerii ei mereu se încordau și buzele i se încrețeau, iar tu îți puteai da mereu seama că ar prefera să discute despre orice în afară de tatăl meu.

Nu am reușit să discutăm despre ce studia, deoarece Buni a schimbat subiectul, spunându-mi cum azi-dimineață a certat un tânăr care stătea cu picioarele pe scaunele din metrou.

În fine, acum am rămas numai eu și Buni, în locul unde s-a născut ea, pe coasta vântoasă de nord-est, într-un oraș numit Whitley Bay. Însă, după spusele ei, noi nu locuim în Whitley Bay — locuim de fapt în Monkseaton, o zonă puțin mai elegantă, despre care majoritatea oamenilor ar spune că începe la cel puțin trei sau patru străzi la vest de noi. Eu tot consider zona ca fiind Whitley Bay. Așa că noi locuim fericite în aceeași casă, însă aparent în orașe diferite.

În fine, eu *spun* că locuim numai noi două. Mai e și străbunica, mama lui Buni. Ea nu stă cu noi prea mult. Are aproape 100 de ani și e „dusă cu pluta", spune Buni, dar nu cu răutate. Acum câțiva ani a făcut un atac vascular cerebral, adică i-a sângerat creierul. Au apărut „complicații" și nu și-a revenit complet niciodată.

Străbunica locuiește într-o casă de bătrâni din Tynemouth, cam la trei kilometri distanță. Nu vorbește prea mult. Ultima oară când am vizitat-o, coșurile mele erau atât de urâte, încât și-a ridicat mâna de sub șal și mi-a mângâiat fața. Apoi, a deschis gura ca să îmi spună ceva, dar nu a ieșit niciun cuvânt.

Uneori, mă gândesc ce s-ar fi întâmplat dacă ar fi *spus* ceva. Ar fi schimbat ce s-a întâmplat în continuare?

Capitolul cinci

Era cu mine. Din nou. Pentru a treia oară în această săptămână.

Acest lucru s-a întâmplat cu trei zile înainte să devin invizibilă, aşa că aproape ne întoarcem la subiect.

— Eş' bine, Ethăl? a spus. Nu mergi ş' tu acasă? Merg cu tine, ă?

Nu e ca şi cum mi-a dat de ales, apărând exact când trânteam uşa vestiarului, de parcă ar fi stat la pândă.

(Apropo, am căutat cuvântul „înfumurat" în dicţionar. Înseamnă „plin de sine", iar aceasta este o descriere bună a lui Elliot Boyd. Sunt multe alte lucruri care mă enervează. „Iethăl" este unul din ele, sau „Ethăl", cum îmi spune el. Ştiu că aşa e accentul lui, dar, cum eu m-am pricopsit cu un nume de acum o sută de ani, ar fi drăguţ dacă ar fi măcar pronunţat cum trebuie.)

Aşadar, am mers spre casă, cu Elliot Boyd vorbind într-una despre subiectul său preferat: farul din Whitley Bay. Măcar era o schimbare faţă de obsesia de luna trecută, în care a încercat să-mi arate trucuri cu un pachet de cărţi.

Farul este acolo la capătul plajei. Nu face nimic în afară de a apărea pe cărţile poştale. Nici măcar nu se luminează, iar acest fapt îl deranjează foarte tare pe Elliot Boyt. (Şi din câte îmi dau seama, numai pe el.)

Am aflat, fără măcar să vreau să ştiu:

1. A fost contruit în anul 1800 şi ceva, dar în locul acela a existat un far de practic o eternitate.

2. Odată a fost cel mai strălucitor far din Marea Britanie. Presupun că acest lucru este *oarecum* interesant.

3. Poţi să ajungi în vârf intrând pe o uşă din spate care nu este încuiată niciodată.

E ceva uşor înduioşător în entuziasmul său. Acest lucru se datorează probabil faptului că nu e de pe aici. Ştii tu, pentru toţi ceilalţi, e doar un far dezafectat de la capătul plajei. Pur şi simplu... există.

Însă pentru Elliot Boyd este un mod de a-i face pe ceilalţi să-l placă. Am o presimţire că el doar se preface că nu-i pasă de ceea ce cred ceilalţi, însă, în secret, îi pasă şi speră că, dacă se interesează de o chestie locală, se va face agreat.

Bineînţeles, mă pot înşela.

Poate fi:

a) doar un tocilar plicticos. Sau

b) încearcă să ascundă ceva în spatele trăncănelii lui constante. Am observat că niciodată nu vorbeşte despre el sau despre părinţii săi. Mereu vorbeşte despre vreun *lucru*.

S-ar putea să mă înşel. E doar o bănuială. O voi pune în curând la încercare: îl voi întreba ceva despre familia sa şi voi vedea cum reacţionează.

În fine, nu i-am mai dat atenţie şi l-am lăsat să bată câmpii, deoarece ne apropiam de un magazin din dreapta drumului pe care am pus ochii de câteva săptămâni.

Strada Whitley este un şir lung de cafenele pe jumătate goale, magazine de caritate, saloane de manichiură („destul de multe", după spusele lui Buni) şi două saloane de bronzat unul lângă celălalt, Bronz de Geordie şi Salonul de bronzat Whitley Bay, care câştigă premiul pentru numele cel mai lipsit de imaginaţie de pe stradă.

Eu mă uitam la fereastra salonului Bronz de Geordie. Avea un afiş mare scris de mână, pe care se putea citi *LICHIDARE DE STOC*, iar dacă magazinele ar putea zâmbi, cu siguranţă concurenţa de alături ar fi purtat un surâs îngâmfat.

Nu mă lasă inima să îi spun lui Elliot Boyd să tacă din gură / să plece / să nu mă mai piseze cu farul şi ce şi-a pus în minte să facă, dar îmi doream să o mai lase baltă.

Cui îi pasă?

— Sincer, Ethăl, n-ar fi chiar aşa dă greu! Ne adunăm câţiva, facem un site cu camping şi d-astea. Îi spunem „Aprinde lumina" — ştii tu, ca în cântecul ăla?

A început să cânte. În plină stradă şi nici măcar în şoaptă.

— *Aprinde lumina, Am nevoie de dragostea ta! La la la ceva ceva... dragoste în seara asta!*

Oamenii s-au întors ca să se holbeze la el.

— E un monument, nu-i aşa? Ar trebui să strălucească — o rază a lumii. Dacă nu, ce rost mai are să fie acolo?

Şi tot aşa turuia. Acum câteva zile făcuse un proiect la şoală numit „Informaţii despre far". Nimeni nu i-a dat prea mare atenţie. Opinia generală era că Ellior este / a fost nebun.

Majoritatea luminilor erau stinse în interiorul salonului Bronz de Geordie, însă la recepţie stătea o doamnă care citea o revistă.

— Eu intru aici, i-am spus în timp ce mă îndreptam spre salon. Nu e nevoie să aştepţi.

— A, eu sunt bine, merci, Eth. Te-aştept aici. E… ştii tu… un loc dă fete.

Ştiam la ce se referă. Saloanele de bronzat, la fel ca cele de manichiură şi coaforul, nu sunt habitatul natural al adolescenţilor.

În cazul meu, a vorbi cu un străin este unul dintre lucrurile pe care Buni le consideră a fi foarte importante. Ea nu a spus niciodată că vede timiditatea ca fiind „comună", deoarece nu e *chiar aşa* de nebună, dar în mod cert crede că e ceva ce „nu trebuie îngăduit".

— Oricine peste vârsta de zece ani, mi-a spus la a zecea zi de naştere, ar fi trebuit să înveţe până acum să ţină capul sus şi să vorbească clar. Dacă tu faci acest lucru, atunci eşti egalul oricui.

Aşadar, mi-am îndreptat spatele şi am împins uşa, care a declanşat un clopoţel când am păşit înăuntru, făcând-o pe fata de la recepţie să-şi ridice ochii din revistă.

Avea extensii de păr blond intens şi mesteca gumă. Era îmbrăcată cu o tunică oarecum albă care se închidea cu nasturi într-o parte, cum e cea pe care o poartă stomatologul, iar culoarea acesteia făcea ca pielea bronzată să pară şi mai închisă.

Am zâmbit şi m-am apropiat de biroul ei.

— Bună, am zis.

(Întâmplător, Buni mereu recomandă să folosesc „Ce mai faci?" când mă întâlnesc pentru prima dată cu cineva, dar ea are şaizeci şi ceva de ani, iar eu nu.)

Conform ecusonului prins de tunică, numele ei era Linda. Linda a dat din cap în semn de salut şi, o secundă, s-a oprit din mestecat.

— Văd că vă vindeţi din aparate, am continuat.

A dat din cap aprobator.

— Aşa-i.

A urmat o scurtă conversaţie, în timpul căreia am reuşit să învăţ că trei cabine de bronzat erau de vânzare, deoarece Bronz de Geordie a dus o „luptă de preţuri" cu salonul de vizavi şi a pierdut. Bronz de Geordie a dat faliment sau, în fine, ceva de genul.

Cabinele ar putea fi ale mele pentru „două mii fiecare". Două mii de lire.

— Am înţeles, i-am zis. Mulţumesc.

M-am întors să plec.

— Stai puţin, scumpete, a spus Linda. E cumva pentru tine?

— Păi... da?

— Este pentru...?

Apoi a făcut un gest circular cu mâna în jurul feţei mele, care însemna „Este pentru coşurile mele?"

Am dat din cap afirmativ, gândindu-mă în tot acest timp. *Ce tupeu!*

A schiţat un surâs şi abia atunci am observant că, sub stratul gros de machiaj şi de bronz, obrajii ei erau ciupiţi precum coaja unui grapefruit.

Cicatrici de la acnee.

— O, scumpete. Ai păţit-o rău, nu? Şi eu am avut acelaşi lucru când eram de vârsta ta.

S-a oprit, apoi s-a uitat din nou, dându-şi capul într-o parte, şi a adăugat:

— Dacă nu te superi... nu chiar aşa de rău.

O, da, mulțumesc. Mi-a făcut semn să o urmez în spatele magazinului, unde a tras în jos un cearceaf ce acoperea un solar și a ridicat capacul.

Cred că ai mai văzut un solar până acum, nu-i așa? Stai culcat pe el și apoi dai în jos capacul și ești încapsulat într-un fel de toaster gigant pentru sandvișuri. Tuburi strălucitoare cu lumină ultravioletă se aprind deasupra și sub tine și... cam asta-i tot.

— E uzat și vechi, a spus Linda, frecând o zgârietură de pe capac. Însă încă funcționează. Numai că nu avem voie să îl mai folosim în scop comercial. Noi regulamente. Nici măcar nu putem să-l vindem. Mâine îl voi duce la groapa de gunoi.

Pe scurt, mi l-a dat pe gratis (Știu, ce tare!), iar cinci minute mai târziu, eu și Elliot Boyd îl căram în sus pe strada Whitley, ținându-l fiecare de un capăt.

La jumătatea drumului, ne-am oprit pentru o pauză. El gâfâia mult mai mult decât mine.

— În viața mea nu m-am bronzat, a spus. Nici măcar în străinătate n-am fost.

Dacă îmi făcea apropouri că ar vrea să vină la mine să-l folosească, atunci aveam să mă prefac că nu înțelesesem. Nici măcar el nu ar fi atât de grosolan, să mă întrebe direct.

— Mă gândeam, văzând că te-ajut să-l aduci acasă, dacă aș putea să trec și eu pe la tine să-l folosesc din când în când.

Mmmm. Subtil. M-am găsit în postura de a nu avea cum să-l refuz. Ar fi fost cam nepoliticos, iar el era atât de mulțumit, turuind în continuare — sugerând când să vină în vizită și zicând cât de bronzat va fi — iar eu am blocat totul, trăgând cabina după mine pe trotuar.

După cincisprezece minute de asudat, am făcut loc în garaj. Am aranjat solarul în picioare şi l-am acoperit cu cearceaful. Era camuflat de dulapul vechi, de un teanc de cutii şi de alte vechituri din garaj destinate târgului de la biserică.

Buni şi Lady erau plecate. Şi nu e ca şi cum noi am folosi garajul pentru ceva în afară de depozitare.

De fapt, ţinând cont de faptul că Buni abia dacă intră în garaj, am crezut că voi putea scăpa fără să-i spun ceva. Ultimul lucru pe care îl voiam era ca ea să-mi interzică să folosesc solarul, fie pentru că e „comun" sau nesigur, fie că foloseşte prea multă electricitate, fie... nu ştiu. Buni e ciudată uneori. Cu ea nu ştii la ce să te aştepţi.

Boyd era roşu la faţă şi transpirat.

— O să ai un bronz frumos, a spus.

Făcea şi el conversaţie într-un fel şi a fost frumos din partea lui să mă ajute să-l car, aşa că i-am spus:

— Da. Umm... mulţumesc pentru... ştii tu...

S-a aşternut una din acele tăceri incomode înainte să vorbesc:

— Deci, umm... ar fi bine să... ştii... umm...

Iar el a spus:

— OK, umm.. eu o să... ştii... umm... Ne vedem.

Asta a fost tot. A plecat.

Până când Buni a intrat pe uşa din faţă, eu am încercat să nu vărs în timp ce m-am forţat să consum doza zilnică de Dr. Chang Tenul Lui Aşa Curat (trecusesă trei săptămâni fără niciun semn de îmbunătăţire).

— Salut, Buni! am spus când a intrat în bucătărie.

Buni s-a uitat la mine cu o expresie care ar fi putut fi uşor suspicioasă. Oare eram prea entuziasmată?

Sau poate mă gândeam prea mult.

Mai târziu, mi-am adus aminte de faţa rotundă şi transpirată a lui Elliot Boyd şi mi s-a părut că am stat foarte aproape de el, iar el nu mirosea.

Capitolul șase

A doua zi, sâmbătă, bineînțeles că muream de nerăbdare să încerc solarul, însă nu puteam face acest lucru, deoarece străbunica mea împlinea o sută de ani și s-a făcut o petrecere la azil.

Spun „petrecere" ca și cum avea să fie un chef nebun, dar bineînțeles că nu a fost așa, ținând cont că eu și Buni eram ultimele rude pe care le avea străbunica. A avut tort, câțiva invitați de la biserică, ceilalți bătrâni din azil, personalul din Priory View și cam atât.

Străbunica locuiește în acest azil de când mă știu. Se pare că, pe vremea când Buni s-a întors în nord-estul Angliei, străbunica încă locuia singură într-o casă mare și veche din Culvercot. Străbunicul murise de câțiva ani, apoi străbunica a căzut în bucătărie. (Bunica mereu spune că „a avut o căzătură", ceea ce cred că e ciudat. Eu niciodată nu „am o căzătură". Dacă se întâmplă să cad, pur și simplu „cad".)

Casa a fost vândută și transformată într-un complex de apartamente, iar străbunica s-a mutat aici. Azilul are vedere spre plajă și spre ruinele mănăstirii de pe faleză.

Este foarte multă linişte şi *foarte* cald. De îndată ce treci de uşa mare de la intrare, briza marină rece de afară este înlocuită de o pală de aer cald şi sufocant care reuşeşte să miroasă atât a curăţenie, cât şi a mizerie. Mirosurile curate sunt cele de dezinfectant, lichid de lustruit lemnul şi odorizant de cameră. Mirosurile mai puţin curate sunt cele de mâncare de şcoală şi alte lucruri pe care nu le pot identifica şi probabil nici nu vreau.

De-a lungul coridorului acoperit de un covor gros se află camera străbunicii. Uşa este pe jumătate deschisă. De dinăuntru, pot să aud asistenta veselă vorbindu-i tare cu un accent Geordie.

— Aişi eşti, Lizzie, drăguţo. Ai mosafiri acum, drăguţa mea sărbătorî. Sî nu ti astâmpiri, da? Stau cu ochii pi tine!

Asistenta ne-a făcut din ochi în timp ce a părăsit camera şi, din nou, m-am simţit derutată, fiindcă nu înţelegeam de ce-i vorbesc aşa. Am vrut să urmăresc asistenta şi să-i spun: „Are o sută de ani! De ce-i vorbiţi de parcă ar avea şase?"

Dar, bineînţeles, nu fac acest lucru.

Numele străbunicii mele este doamna Elizabeth C. Freeman. Buni a spus personalului că niciodată nu i s-a spus Lizzie şi că ar prefera să i se spună doamna Freeman, dar cred că ei s-au gândit că bunica era snoabă.

Ştiu că n-ar trebui să-mi displacă să merg în vizită la străbunica, dar nu-mi place. Nu e vina ei. Străbunica e o bătrânică drăguţă şi nevinovată. Nu. Ceea ce îmi displace are legătură cu *mine*. Urăsc faptul că văd vizita ca pe o corvoadă, pentru că mă plictisesc, pentru că mă simt incomod.

Ceea ce e mai rău e că ziua ar fi trebuit să fie specială. O sută de ani? E destul de grozav. Mi-aş fi dorit să mă simt mai încântată de acest lucru.

Apoi Buni a început să vorbească. Aproape întotdeauna este un monolog, deoarece străbunica răspunde foarte rar, preferând să se uite pe fereastră şi să dea din cap, uneori schiţând şi un surâs. Câteodată chiar şi adoarme. Arăta minusculă în fotoliul acela mare, proptită cu perne, cu părul ei alb şi rar iţindu-se dintr-o pătură de lână.

— Deci, mama, cum te mai simţi? Ai fost azi la plimbare? E o vreme furtunoasă azi, nu-i aşa Ethel?

— Da, foarte vântoasă.

De obicei, nu trebuie să zic multe. Doar stau pe scaunul de lângă fereastră, privind valurile şi urmărind cum trec minutele pe ceasul de lângă patul ei. Mai ofer un comentariu din când în când şi, uneori, stau lângă străbunica şi o ţin de mâna ei subţire, ceea ce cred că-i place, deoarece răspunde cu o strângerere slabă.

În mare, aşa au decurs lucrurile şi de data aceasta, numai că la sfârşit s-a întâmplat ceva ciudat.

După câteva minute de vorbit, Buni a spus ceva despre încălzirea crenvurştilor şi a plecat să discute cu personalul de la bucătărie.

Atunci s-a întors străbunica la mine şi, pentru un moment, ochii ei înlăcrimaţi şi cenuşii au părut să se ascută, şi chiar se uita la mine cu atenţie. La început, credeam că se uită la coşurile mele şi mi-am schimbat poziţia, gata să mă îndepărtez, dar mi-a apucat mâna puţin mai tare şi am rămas aşezată. Atunci, mi-am dat seama că nu îmi studia tenul. În schimb, se uita fix în ochii mei şi m-am speriat rostind o propoziţie întreagă.

— Ce vârstă ai tu, dulceață?

(Dulceață este porecla pe care mi-a dat-o străbunica. E un termen de afecțiune tipic zonei Geordie. Presupun că străbunica e singura persoană în viață care-l folosește. Niciodată nu-mi spune Ethel. Numai dulceață.)

Scoate cuvintele ca un orăcăit slab — primele pe care străbunica ni le-a adresat toată dimineața.

— Am aproape treispreceze ani, străbunico.

A dat puțin din cap. Buni intrase în cameră, dar străbunica n-o văzuse.

— Tigroaica, a spus străbunica.

Doar atât: „tigroaica".

Apoi, cu un efort mare, a spus:

— Piis-cuța.

M-am aplecat puțin și am zis:

— Ce-ai spus?

Din nou, ceva mai clar:

— Tigroaica. Pisicuța.

A arătat în direcția mea cu degetul și a zâmbit slab.

M-am uitat la Buni și am văzut că fața i se *albise*. Adică, într-adevăr, culoarea i se scursese din obraji. Apoi, ca și cum s-ar fi dat de gol, a spus cu voce tare și foarte energică:

— Bine, petrecerea e gata să-nceapă. Hai să te pregătim, nu-i așa, mama? Le-am spus că nu vrem crenvurștii imediat...

Și tot așa. Un monolog lung și încărcat, care, *evident*, era menit să distragă atenția de la ce a spus străbunica.

Nu aveam nicio idee despre ce era vorba. Nicio idee. *Tigroaica*? A spus cumva „pisicuța"? Sau altceva? Chestia e că străbunica are o sută de ani și nu totul funcționează cum ar trebui, dar nu e de fapt *senilă*.

Și-a întors capul în direcția lui Buni. Ochii nu și-au pierdut din intensitate și, doar pentru un moment, era ca și cum te-ai fi uitat în ochii unei persoane având jumătate din vârsta ei.

— Treisprezece, a repetat.

Era ceva ce nu înțelegeam în toată această afacere, însă aș fi lăsat totul baltă dacă Buni nu ar fi devenit alertă și expeditivă.

— Da, nu-i așa că a crescut foarte repede, mamă? a spus Buni cu un râs ușor forțat. Ce repede se întâmplă toate, nu-i așa? Dumnezeule, uită-te la ceas! Am face bine să mergem în camera de zi. Oamenii ne așteaptă.

O MĂRTURISIRE

Deci mai e o problemă cu vizitele la străbunica, chiar
și cu cele făcute cu o ocazie fericită precum o zi de naș-
tere. Bătrânii mă întristează.

E ca și cum am început să cresc, dar ei au terminat acest
lucru acum mulți ani și se micșorează. Totul s-a terminat
pentru ei și cu ei, iar aceștia nu mai apucă să mai ia nicio
decizie, la fel precum copiii mici.

La azil, este un bărbat care e foarte bătrân și surd, iar
personalul trebuie să țipe ca să se facă auzit. Atât de
mult, încât toată lumea poate auzi, ceea ce este și amu-
zant, dar și trist.

— E, STANLEY! AI AVUT SCAUN AZI-DIMINEAȚĂ!
a țipat una dintre asistente odată. ASTA E BINE! AI
AȘTEPTAT TOATĂ SĂPTĂMÂNA, NU-I AȘA?

Bietul Stanley. Mi-a zâmbit când am trecut pe lângă
camera lui; ușa e mereu deschisă. (De fapt, majoritatea
ușilor sunt deschise și nu te poți abține să nu te uiți
înăuntru. E puțin ca și cum te-ai afla într-o grădină zo-
ologică prea călduroasă.) Când a zâmbit, dintr-odată
parcă a arătat cu șaptezeci de ani mai tânăr, iar acest
lucru m-a făcut și pe mine să zâmbesc, dar apoi m-am
întristat și m-am simțit din nou vinovată, fiindcă de ce
ar trebui să mă facă fericită faptul că arăta tânăr?

Ce e rău în a fi bătrân?

Capitolul șapte

Străbunica a fost scoasă din cameră într-un scaun cu rotile de către unul din membrii personalului, iar Buni s-a grăbit să meargă în urma ei. Am fost lăsată singură, uitându-mă la mare.

Ceva lipsea. *Cineva* lipsea.

Mama. Ar fi trebuit să fie aici. Patru generații de femei în familie și una dintre ele, mama mea, era uitată.

Cât îți mai aduci aminte de când erai foarte mic? Adică înainte să ai, să spunem, vârsta de patru ani?

Buni spune că abia își mai aduce aminte.

Mă gândesc la acest lucru astfel: memoria ta e ca un ulcior mare care se umple treptat. Când ai ajuns la vârsta lui Buni, memoria ta e deja aproape plină, așa că trebuie să scapi de lucruri pentru a face loc, iar lucrurile cele mai ușoare de care poți scăpa sunt cele mai vechi.

Pentru mine, însă, amintirile pe care le am de când eram mică sunt tot ce mi-a rămas de la mama. Plus o colecție mică de suveniruri, care e, de fapt, o cutie de carton cu capac.

Cel mai important lucru din interior este un tricou. Aceasta este ce văd mereu când deschid cutia, pentru că este cel mai mare obiect dinăuntru. Un tricou negru şi simplu. A fost al mamei şi încă miroase ca ea.

Când deschid cutia, care stă majoritatea timpului în dulapul meu, iau tricoul, îl duc la nas şi închid ochii. Încerc să îmi aduc aminte de mama şi încerc să nu fiu tristă.

Mirosul, la fel ca memoria mea, este foarte pal. E un amestec între un parfum cu mosc şi un detergent de rufe şi transpiraţie, însă transpiraţie *curată,* nu genul de miros de brânză pe care oamenii spun că-l are Elliot Boyd, dar pe care nu l-am mirosit niciodată. Este doar mirosul unei persoane. Persoana mea, mama mea. Cel mai mult se simte la subraţul tricoului, ceea ce sună scârbos, dar nu este. Într-o zi, mirosul va dispărea complet. Acest lucru mă sperie puţin.

Acolo se mai găseşte şi o felicitare de ziua mea, iar eu ştiu poezia pe de rost.

> *„Cu ocazia primei tale zile de naştere*
> *Pentru această pitică preţioasă,*
> *Această felicitare îţi urează*
> *Să fii fericită şi bucuroasă.“*

Apoi, cu litere ordonate şi rotunde, apare scris de mână următorul mesaj: *Pentru frumoasa mea, la mulţi ani pentru prima dată de la Mami xoxox*

Frumoasa mea era porecla pe care mi-a dat-o mama. Buni a spus că ea nu a vrut să o folosească, deoarece era ceva special pentru mine şi pentru mama, ceea ce e grozav. E ca şi cum am fi avut un secret, eu şi mama, un lucru pe care numai noi îl împărţim.

Lucrul frumos la această felicitare este că a luat puțin din mirosul tricoului, așa că, pe lângă faptul că miroase a hârtie, miroase și a mama.

Mă gândeam la acest lucru pe când stăteam în camera străbunicii, dar bunica mi-a întrerupt gândurile.

— Vii, Ethel, sau ai de gând să visezi cu ochii deschiși? Și de ce ai fața atât de lungă? E o petrecere!

Voi sări peste petrecere, deoarece a fost la fel de palpitantă cum te aștepți... în afară de un alt lucru ciudat care s-a-ntâmplat spre final.

PETRECEREA STRĂBUNICII

Invitați:
În jur de douăzeci de oameni. În afară de mine şi de asistenta Chastity, toată lumea era maturizată bine sau antică.

Ce am purtat:
O rochie mov cu flori şi o coroniță asortată pe cap. Buni credea că arăt minunată. Nu era aşa. Fetele care arată ca mine ar trebui să aibă voie să poarte numai blugi şi tricouri până ce toată perioada delicată şi plină de bube se termină de la sine. Prin urmare, arătam ca varianta dintr-un desen animat a unei fete urâte într-o rochie frumoasă.

Ce am spus:
— Bună, mulțumim că ați venit... Da, am aproape treisprezece ani acum... Nu, nu am dat examenul de capacitate... Nu [zâmbet timid şi fals], nu am prieten încă... (Pot să spun că în acest moment: de ce cred oamenii bătrâni că te pot întreba despre prieteni şi chestii de acest gen? Este vreun drept pe care-l dobândeşti când ajungi la şaptezeci de ani?)

Ce am făcut:
Am împărțit mâncarea. Buni m-a întrebat ce anume să servească, dar sugestia mea de bomboane Jelly Bellys şi Doritos a fost ignorată. În schimb, am avut măsline, prune învelite în bucăți de bacon (ce scârbos—a cui a fost ideea aceea?) şi sendvişuri mici cu castravete. Şansele ca eu să ciugulesc din această mâncare erau aproape zero.

Ce a spus străbunica:

Stătea în mijlocul camerei, zâmbind în gol şi dând din cap în timp ce oamenii veneau la ea şi o felicitau. M-am gândit că nu era „prezentă", că nu îşi dădea seama ce se întâmpla. După cum s-a dovedit, m-am înşelat în această privinţă.

Fotografiile:

Un fotograf de la *Whitley News Guardian* ne-a făcut o poză mie, lui Buni şi străbunicii lângă un tort mare. Avea o cameră digitală mică în loc de una mare cu un flash care face „şh!" Am fost puţin dezamăgită: dacă vei apărea în ziarul local, acest lucru trebuie să fie dramatic, ca un moment special, nu-i aşa? (Culmea ironiei: după cum se va dovedi, fotografia va avea consecinţe dramatice.)

Capitolul opt

În fine, doamna Abercrombie era la petrecere cu Geoffrey, terrierul ei de Yorkshire cu trei picioare, care mârâia prost dispus ca de obicei — iar eu am o nouă teorie despre acest lucru. Cred că e așa de țâfnos din cauză că nu poate să alerge. Îl ține întotdeauna la braț. M-aș fi enervat dacă aș fi fost mereu presată la pieptul enorm al doamnei Abercrombie.

Buni arăta bine.

— Ca scoasă din tablou, a spus reverendul Henry Robinson.

De fiecare dată când ceilalți i se adresau, Buni sorbea din paharul ei de apă minerală și zâmbea blând, ceea ce era cam punctul până în care se manifesta bucuria ei. Rareori râde.

— Doamnele nu râd în hohote, Ethel. E destul de rău să vezi că bărbații fac asta. În cazul unei femei e dizgrațios.

(Eu am propria concepție, și nu are nimic de-a face cu „dizgrațiosul". Cred, în adâncul sufletului meu, că Buni e tristă dintr-un motiv anume. Nu din cauza mea sau din cauza străbunicii, ci din alt motiv. Ar putea fi din cauza mamei, însă eu cred că e mai mult de atât.)

Preotul a fost ultimul care a plecat. A interpretat „La mulţi ani!" la pian, apoi o melodie clasică pe care o ştia pe de rost, şi toată toată lumea a aplaudat. Bătrânul Stanley a aplaudat *foarte* entuziasmat şi a strigat „Bravo! Bravo!" până când una dintre asistente l-a calmat ca pe un copil neastâmpărat, ceea ce am crezut că a fost uşor răutăcios.

Buni părea fâstâcită imediat după plecarea reverendului Robinson şi, într-un final, am rămas eu, Buni şi străbunica, în timp ce asistentele făceau curat.

Dumnezeule, uită-te la ceas, mamă! A fost un adevărat chef!

„Chef", care înseamnă petrecere, este un cuvânt tipic pentru Buni, deşi era doar unu după-amiază. Cred că, pe măsură ce îmbătrâneşti, petrecerile au loc din ce în ce mai devreme.

Sincer, dacă nu aş fi suspectat deja că ceva e în neregulă, jocul de actriţă de mâna a doua al lui Buni nu mi-ar fi atras atenţia. De-abia aştepta să plece de aici.

În fine, remarca „uită-te la ceas" părea să aibă un efect asupra străbunicii, ca şi cum cineva ar fi stins lumina. Privirea distantă s-a întors pe chipul ei, alături de datul din cap constant, şi aşa s-au încheiat lucrurile.

În mare.

În timp ce mă aplecam să o sărut pe obrazul ei zbârcit, străbunica mi-a şoptit în ureche:

— Să te întorci, dulceaţă.

— O, da, am spus. Ne vom întoarce în curând.

Ochii străbunicii s-au mișcat spre Buni, care era pe jumătate afară, iar modul în care s-a uitat la ea mi-a dat de înțeles imediat la ce se referea.

Întoarce-te fără ea, a vrut să-mi spună.

Acesta este lucrul ciudat la care m-am referit. Acesta și toată chestia cu tigroaica.

Ce se întâmpla, de fapt? Și, orice ar fi fost, de ce era Buni așa de îngrijorată?

Capitolul nouă

Am condus spre casă. Trei kilometri în care am putut s-o întreb be Buni:

„Ce-a vrut să spună străbunica atunci cu «tigroaica» şi «pisicuţa», Buni?"

Numai că nu am putut spune nimic, fiindcă, din momentul în care am fost singure în maşină, Buni a turuit aproape în permanenţă, ceea ce ar fi putut fi o încercare deliberată de a mă opri din a pune întrebările pe care nu mă putem abţine să nu i le pun.

Reverendul Henry Robinson a spus, doamna Abercrombie a dres, crenvurştii nu erau destul de bine încălziţi, deşi i-am rugat, ce frumos vorbea fata aceea din străinătate (Chastity), desenul de pe covor („Eu cred că spiralele de pe covor sunt *puţin* comune") şi aşa mai departe... şi tot aşa.

Sincer, nici nu cred că s-a oprit să respire.

Ştiam că nu aveam nicio şansă să mai folosesc solarul în ziua aceea. Aveam nevoie de o perioadă în care Buni să lipsească mult timp de acasă, iar acest lucru nu avea să se întâmple deloc până în ziua următoare, când Buni avea să fie ocupată cu biserica şi cu unul dintre comitetele ei.

Atunci aş avea toată dimineaţa le dispoziţie. Aşadar, chiar dacă eram puţin confuză cu privire la ce se întâmplase cu străbunica şi cu Buni, eram nerăbdătoare, deoarece în curând aveam să încerc cea mai nouă strategie de îndepărtare a acneei.

Apropo, solarele fac parte în mod cert din acea categorie de lucruri pe care Buni le-ar descrie ca fiind „destul de comune". Sunt multe lucruri pe care Buni le consideră a fi „destul de comune":

- Solarele, după cum am spus deja. Orice tip de bronz artificial, de fapt.
- Covoarele cu spirale, se pare. Dar numai „puţin".
- Tatuajele, precum şi piercingurile făcute în alte locuri decât urechile.
- Găurile în urechi dacă ai mai puţin de şaisprezece ani.
- Să îţi numeşti copiii după locuri, iar acest lucru include în mod cert: Jarrow şi Jesmond Knight. Brooklyn Beckham nu este inclus, deoarece Buni l-a întâlnit odată pe David Beckham la un eveniment de caritate şi se pare că el a fost un „adevărat gentleman". Şi mirosea frumos.
- Câinii de lux. De fapt, orice vine ataşat cu acest cuvânt. Adică: blugi, bucătării, genţi şi aşa mai departe.
- Majoritatea oamenilor care apar la televizor.
- Coşurile care atârnă.
- Iar dacă tu te gândeşti să-ţi dai ochii peste cap la cât de ridicol sună această listă, atunci află acest lucru: datul ochilor peste cap este de asemenea un lucru comun.

Îţi spun eu. Aş putea continua la nesfârşit. Lista ar putea umple toată cartea şi nici măcar nu am ajuns la lucrurile care nu sunt „oarecum comune", ci mai degrabă „îngrozitor de comune". Iată primele trei lucruri „îngrozitor de comune":

- Mâncatul în plină stradă.
- Toate serialele de după-amiază, și oamenii care se uită la televizor după-amiaza, și toate programele care nu se difuzează pe BBC, mai ales canalele Sky.
- Fotbalul (deși nu David Beckham, din motivele precizate mai sus).

Aceste lucruri „comune", apropo, nu sunt comune ca și cum ar însemmna „frecvente". Sunt comune în sensul că „le lipsește rafinamentul" și nu trebuie confundate cu termenul „vulgar". Cu acest cuvânt, de obicei Buni nu are nicio problemă, deși distincția poate fi neclară.

Eurovisionul este vulgar, spune Buni, însă acesta îi place. *X-Factor* este comun, așa că nu îl lasă în lista de programe.

Fotbalul, după cum am zis, este comun. Rugby-ul este vulgar.

Mai vrei să auzi una? OK. Peștele și cartofii prăjiți la pachet = vulgar, deci acceptabil, ceea ce e o ușurare pentru mine, deoarece ador această mâncare. Hamburgherii la pachet și cartofii prăjiți (sau, mai rău, *cartofii pai*) = comuni. Iar Burger King e *mult* mai comun decât McDonald's.

Știu. E greu de navigat prin aceste situații.

„A da aer" este modul în care se referă Buni la gârâit. Ea spune că acesta este atât vulgar, cât și „îngrozitor de comun", așa că Dumnezeu știe ce va crede despre ce va urma. Dacă ești ca Buni și gârâitul te oripilează complet, atunci ar trebui să sari peste următorul capitol.

Capitolul zece

Duminică dimineață. Zi de solar.

Buni e plecată la biserică. Uneori o însoțesc, dar i-am spus că mă doare burta (ceea ce era adevărat), iar ea nu a părut să fie deranjată deloc. Era foarte nerăbdătoare să meargă la biserică și să mă lase acasă cu Lady.

Buni va fi plecată toată ziua. Apropo, aceasta este o mare schimbare în micul nostru cămin. Cam acum un an, a început să aibă încredere în mine și să mă lase singură în casă, uneori chiar în timpul serii. La început am avut emoții, dar în curând a început să-mi placă.

După biserică, se ducea direct la cafea cu grupul de studiu al Bibliei, apoi lua prânzul acasă la doamna Abercrombie și pornea spre întâlnirea anuală a unui eveniment de caritate pe care îl susținea. Câteodată, mă întrebam de unde are atâta energie.

Mă îndopasem cu Dr. Chang Tenul Lui Așa Curat și probabil exagerasem, ceea ce era cauza stomacului deranjat. Băutura — vine sub formă de pudră pe care o diluezi pentru a obține un soi de „ceai" rece —, care are un miros de ciupercă și un gust exact cum mi-am imaginat că l-ar avea viermii. Este dezgustător, însă doctorul Xi

Chang („un practicant remarcabil al medicinei tradiționale chinezești", conform site-ului oficial) susține că este eficient împotriva acneei severe și are niște poze impresionante făcute înainte și după tratament pentru a dovedi acest lucru.

Efectul acestui ceai a fost că m-am trezit dimineață cu un stomac balonat. Serios, burta mea era umflată ca un balon și am apăsat-o cu degetul mijlociu ca să aud un zgomot ca un ghiorț.

Acum, deși era rușinos, trebuie să îți spun, așa că te rog „să îmi scuzi indiscreția", după cum ar spune Buni. Aș putea folosi tot felul de cuvinte pentru a evita acest lucru: expresii precum „eructație" sau „a elimina gaze din stomac", dar *de fapt* nimeni, în afară de profesori și de doctori, nu spune asta, așa că asta e. Imediat după ce m-am trezit, am scos cel mai mare râgâit din lume, care, dacă nu ai fi știut altceva, ai fi jurat că era mirosul unui animal în stare de putrefacție. Un sconcs probabil, chiar dacă nu am mirosit în viața mea un sconcs, având în vedere că nu sunt originari din Marea Britanie. Știu doar că duhnesc.

Și partea cea mai ciudată este că nu avea gust de nimic. (Mulțumesc, Doamne!)

Uite, știu că toți glumim despre gaze și așa mai departe. (Toți în afară de Buni, bineînțeles — e nevoie să mă mai repet? Poate că nu. În viitor, doar presupun acest lucru, da? Îl voi menționa când este relevant.) În fine, majoritatea dintre noi cred că acest lucru este destul de amuzant.

Asta nu era așa.

Mirosea atât de urât, încât era cam... înfricoșător, cred. Cu siguranță, complet neasemănător cu orice...

pârț pe care l-am mirosit vreodată și chiar mai rău decât cel pe care Cory Muscroft l-a făcut la ședința pe școală a tuturor claselor a șaptea, iar oamenii *încă* își mai amintesc. Dacă aș fi știut ceea ce avea să urmeze, aș fi interpretat acest lucru ca pe un avertisment. Dar, bineînțeles, nu știm de aceste lucruri decât după eveniment.

În fine, după încă o noapte plină de mici râgâituri, burta mea era mai puțin umflată și mă aflam în garajul în care miroase a colb și a covoare vechi. Tremuram puțin pe podeaua de beton, deoarece eram în chiloți, cu picioarele goale, gândind așa: *Aceasta nu e o experiență la solar/un tratament la spa.* Așadar, am intrat în casă să îmi iau telefonul.

Pe Spotify am găsit niște muzică electronică și piese lente de trance din anii nouăzeci, care păreau la fel ca melodiile pe care le pun în saloane, și mi-am pus căștile în urechi. M-am așezat pe solar dezbrăcată, iar acesta avea lumini albe și mov de la becurile ultraviolete. Am pus alarma la 10 minute — e mai bine să începi ușor —, apoi am coborât capacul, astfel încât era la numai câțiva centimetri distanță de nasul meu.

Am închis ochii, muzica era un duduit moale, tuburile cu ultraviolete străluceau prin genele mele invizibile și Lady împungea cu nasul vasul cu mâncare.

Aici a început povestea — mai știi?

Capitolul unsprezece

— Buni? Mă poți auzi? Sunt *invizibilă*.

Vorbesc la telefon în garaj, stând pe marginea solarului. Aveam dreptate. Înainte să apăs pe numărul lui Buni, mă gândeam dacă părea ridicol să sun pe cineva și să spun că sunt invizibilă.

Pare. Foarte mult.

Totuși încerc.

Sunt invizibilă, Buni.

Apoi, încep să plâng în hotohe. Se așterne o pauză lungă. O pauză foarte lungă. Se aude un zumzet de conversație pe fundal.

— Nu cred că te-am auzit bine, dragă. Nu pot să vorbesc momentan, dar îmi dau seama că ești supărată. Ce s-a întâmplat, draga mea?

Respir adânc.

— Sunt invizibilă. Am dispărut. Eram pe un solar, și am adormit, și acum m-am trezit și nu mă mai pot vedea.

— Bine, dragă. Foarte amuzant. Sincer, acum nu e un moment prea bun. Doamna Abercrombie e pe punctul de a citi procesul-verbal al ultimei întâlniri, așa că trebuie să-nchid. Vezi că ai niște șuncă rece în frigider, iar Lady trebuie scoasă la plimbare. Trebuie să închid. Ne vedem mai târziu.

Clac.

Înghițindu-mi suspinele, pun repede pe mine chiloții, blugii și un tricou. Sunt fermecată până la tăcere pe măsură ce mă îmbrac și văd cum hainele mele iau conturul corpului invizibil. Cumva, gestul banal de a mă îmbrăca mă mai liniștește puțin (doar puțin — încă fierb în sinea mea, precum o oală de lapte în clocot), iar eu respir mai bine și măcar m-am oprit din plâns.

În drum spre bucătărie, mă zăresc în oglinda înaltă din hol. Ei bine, zic că „mă zăresc". Ceea ce văd, de fapt, e o pereche de blugi și tricoul meu roșu preferat mergând singure. Ar fi fost amuzant, ca și cum aș vedea efecte speciale în realitate, dacă nu eram eu îmbrăcată cu aceste haine, iar eu îmi trag din nou răsuflarea și înghit în sec, ca să nu mă apuce plânsul din nou.

În bucătărie, Lady își ridică încet capul din coșul ei. Se îndreaptă către mine și miroase locul unde-ar fi trebuit să fie picioarele mele. Mă aplec și o mângâi.

— Bună, fetițo! îi spun automat, iar ea se uită în sus.

Nu știu dacă cineva chiar poate desluși expresia facială a câinelui, dar jur că Lady arată speriată și derutată. Mă aplec să o liniștesc, dar acest lucru pare a avea efectul opus. O gâdil la urechi, pentru că știu că-i place, dar, în loc să mă lingă și să mă facă să râd, ceea ce se întâmpla mereu, își bagă coada între picioare și, cu un schelălăit ușor, iese afară din bucătărie, direct în curte. Mă uit cum ușa se trântește în urma ei și simt cum îmi cade fața.

Încerc să o sun pe Buni din nou.

Apelul meu se duce direct în căsuța vocală.

Nu îi las un mesaj.

Acum, prin cap îmi sună un fel de monolog continuu care recapitulează fiecare soluție.

Încă nu am renunțat complet la ideea că visez. Poate aceasta este doar o stare de vis persistent pe care interpretările obișnuite nu o pot desluși? Tot mă ciupesc în timp ce dau din cap — fac toate aceste lucruri.

Bineînțeles, nimic nu funcționează, așa că încerc o soluție puțin extremă. Stând acolo în bucătărie, îmi dau o palmă peste obraz. Ușor, la început, apoi mai puternic, apoi destul de puternic și, la final, pentru a termina totul, îmi dau o lovitură cu palma dreaptă pe obrazul stâng, o palmă care este pe cât de zgomotoasă, pe atât de dureroasă, și simt cum ochii mi se umplu și mai tare de lacrimi.

Fac un fel de listă cu obiective.

Măcar atâta știu.

1. Sunt singură acasă și sunt invizibilă.

2. În mod *sigur* nu visez (Ciupește-te, dă-ți palme! Verifică din nou.)

3. Buni nu răspunde la telefon, probabil din cauză că ea crede că eu mă prostesc pe acasă sau, cel mai posibil, din cauză că și-a pus telefonul pe silențios, pentru ca acesta să nu sune în timpul întâlnirii cu doamna Abercrombie.

4. Aș putea să trec pe acolo. (Unde? Nici măcar nu știu sigur unde se află. În holul bisericii, probabil. Ei bine, asta e în Culvercot pentru început, iar eu ce voi face? Doar voi hoinări prin holul bisericii și voi anunța că sunt invizibilă? Nu.)

5. Am un prieten în care pot avea încredere. În trecut ar fi fost Kristen Olen, dar mai recent? Nu, nu mai pot avea încredere în ea.

6. Mi-e atât de sete, încât mă doare în gât.

Mai întâi mă voi ocupa de lucrul cel mai uşor de rezolvat. Pe lângă acest lucru, eu voi avea altceva la care să mă gândesc.

Încep prin a pregăti ceaiul. Acesta este răspunsul lui Buni cam pentru orice. Mi-a spus demult că prepararea ceaiului — să aştept ca ceainicul să fiarbă, aranjând cănile pe masă şi aşa mai departe — e la fel de eficientă ca atunci când cineva bea alcool ca să-şi potolească nervii.

Apoi îmi sună telefonul.

E Buni. Daaaaa!

— Am ieşit de la şedinţă, Ethel. Am văzut că iar m-ai sunat. Ce mai e acum?

Tonul ei e energetic, fără a se prosti.

— Ţi-am spus Buni. Am devenit invizibilă.

Apoi, îi spun totul fără inhibiţii: acneea, faţa de pizza, solarul, adormitul, trezirea cu nouăzeci de minute mai târziu într-o baltă de transpiaţie, privitul în oglindă, ţipetele de ajutor... Totul se reduce la momentul de faţă. Stând aici, bând ceai, povestindu-i lui Buni ce s-a întâmplat azi.

Cuvintele ies puţin trunchiate, însă sunt sigură ce acest proiect nu e irealizabil.

Termin prin a spune:

— În concluzie, de asta te-am sunat. Trebuie să mă ajuţi.

O vreme Buni nu zice nimic.

Capitolul doisprezece

Atunci, îmi dau seama că nu mă crede.

De ce ar face acest lucru? Sună complet nebunesc. Buni nu mă crede, pentru că nu mă vede, iar dacă nu poate vedea că sunt, de fapt, invizibilă, de ce, Doamne, m-ar crede *pe mine*?

E nebunesc. „Aberant" chiar, pentru a folosi una din expresiile favorite ale lui Buni.

Aștept. I-am spus totul. I-am spus adevărul și numai adevărul. Tot ce pot face este să aștept să văd ce îmi spune.

Buni îmi zice:

— Ethel, draga mea. E greu când crești. Te afli la o răscruce dificilă în viață...

Biiiine, mă gândesc. *Nu-mi place unde vrei să ajungi, dar continuă...*

— Cred că, într-un anumit moment al vieții noastre, mulți ne simțim invizibili, Ethel. Ca și cum toți ne ignoră, pur și simplu. Știu că și eu am făcut la fel la vârsta ta. Am făcut tot posibilul să mă integrez, dar uneori efortul meu cel mai mare nu a fost suficient...

E din ce în ce mai rău. Poate *exista* ceva mai rău decât un răspuns plin de înțelegere care pur și simplu e pe lângă?

Sunt frapată, stând pe loc şi ascultând-o pe Buni trăncănind despre „a te simţi ca şi cum eşti invizibil", în timp ce privesc ceaşca de ceai cum se apropie şi se îndepărtează de buze.

Apoi, mă uit în jos şi icnesc îngrozită. Iată ceaiul pe care tocmai l-am băut, plutind ca o umflătură diformă unde se află stomacul meu.

Suspinul meu o face pe Buni să se oprească.

— Ce este, dragă?

— Ceaiul m-meu! Îl văd!

Imediat ce am spus acest lucru mi-am dat seama cât de nebuneşte sună.

— Poftim, Ethel?

— O, ăăă… nimic. Scuze. Ăăă… n-am auzit ce ziceai.

— Ascultă, îmi pare rău că te simţi aşa, dar vom avea o discuţie despre acest subiect după-amiază, când mă întorc. Urmează raportul casierului, iar Arthur Tudgey este bolnav, aşa ca eu trebuie să-l prezint. Trebuie să mă întorc.

Gata. M-am săturat.

— Nu, Buni. Tu nu mă asculţi. *Chiar am dispărut.* Nu mă refer într-un mod imaginar. Adică, eu chiar am dispărut. *Chiar*, chiar — nu metaforic. Corpul meu nu mai e vizibil. Faţa mea, părul meu, mâinile mele, picioarele mele — sunt *de fapt* invizibile. Dacă m-ai putea vedea, ei bine… nu m-ai putea vedea.

Apoi, mă izbeşte o idee.

— FaceTime! Buni, hai să vorbim pe FaceTime şi atunci vei vedea!

Nu sunt nici măcar sigură că Buni ştie să folosească FaceTime, dar oricum par isterică.

Încerc să explic totul cât de bine pot, dar totul îmi iese greșit, iar tonul vocii ei s-a schimbat din compătimitor și îngrijorat într-unul puțin dur, puțin aspru.

— Ethel. Cred că ai mers prea departe, draga mea. Vorbim mai târziu. La revedere.

De data aceasta eu închid telefonul.

Capitolul treisprezece

Aminteşte-ţi ultima dată când ai fost de unul singur. Cât de singur erai de fapt?

Era cineva prin apropiere? Un părinte? Un profesor? Un prieten? Dacă ai intrat în bucluc, ai fi putut suna pe cineva să te-ajute?

Bine, nu sunt eu chiar Miss Popularitate la şcoală, dar nu e ca şi cum oamenii chiar m-ar *displăcea*. Mă rog, cel puţin aşa cred.

— Nu e nimic rău în a fi *tăcută şi rezervată*, a spus Buni când a citit acele cuvinte odată într-un raport de la şcoală (iar până atunci nu crezusem niciodată că era ceva rău sau că cineva ar putea crede acest lucru).

— Mai bine să-ţi ţii pliscul şi să creadă ceilalţi că eşti proastă, decât să deschizi gura şi să înlături orice îndoială, a adăugat Buni în felul ei caracteristic.

Buni mereu a fost — să folosesc o expresie de care e ataşată ea însăşi — „foarte la locul ei".

Îi place să spună că o englezoaică civilizată şi educată ştie cum să se comporte în orice situaţie.

Sincer, ea are cărţi despre lucruri de acest fel. Cărţi cu titluri precum *Manierele moderne în secolul XX*. Sunt amuzante, însă majoritatea par să fi fost scrise pe vremea lui Buni, aşa că nu sunt chiar atât de bătrâne. Acestea includ lucruri de genul:

Care este metoda corectă de adresare când te întâlneşti pentru prima dată cu o ducesă divorţată?

Sau:

Cât bacşiş se lasă personalului de serviciu după o şedere la casa de vacanţă a unui prieten?

Dacă nu ai cunoaşte-o pe Buni, sunt sigură că acest lucru ar fi făcut-o să pară înţepată şi formală — insistenţa de a redacta scrisori de mulţumire până în trei zile, de exemplu, sau de a cere mereu permisiunea înainte de a te adresa unui adult folosindu-i prenumele. De fapt, este vorba de a fi politicos cu oamenii, iar acesta este un lucru drăguţ — doar că Buni duce chestia asta mai departe decât orice persoană pe care am cunoscut-o eu vreodată.

Odată, mi-a dat o lecţie de strâns mâinile.

Da, strâns mâinile.

— Uff, un eglefin mort, Ethel. Un eglefin!

Aceasta a fost descrierea lui Buni pentru o strângere slabă de mână.

— Trebuie să apuci mai cu forţă. Au! Nu chiar aşa de tare! Iar eu sunt aici, Ethel! Aici! Uită-te în ochii mei când dai mâna. Şi te bucuri să mă vezi? Ei bine, spune-i feţei. Şi... ce spui?"

— Bună?

— Bună? *Bună?* Unde Doamne Dumnezeule crezi că te afli? *California?* Când cineva întâlneşte pe cineva pentru prima dată spune: „Ce mai faci?" Acum arată-mi o strângere de mână scurtă şi puternică, un zâmbet, contact vizual şi „Ce mai faci?"

(Chiar am încercat acest lucru când l-am întâlnit pe domnul Parker pentru prima dată. Am putut să văd că el a fost mulțumit, dar și ușor *tulburat*, ca și cum ar fi fost prima dată când un elev l-a întâmpinat așa — ceea ce s-ar fi putut întâmpla. Domnul Parker a fost foarte amabil cu mine de atunci și Buni crede că acest lucru e o dovadă că metoda ei funcționează, dar eu cred că e doar pentru că domnul Parker mă place destul de mult.)

Prin urmare, Buni nu e chiar așa bătrână, dar e de modă veche, cel puțin în cazul îmbrăcămintii. E mândră de faptul că niciodată nu a cumpărat o pereche de blugi, chiar când ea era mult mai tânără și atrăgătoare. Însă dezgustul ei față de blugi nu e un protest la adresa lumii moderne. Motivul pentru care urăște blugii este, după cum afirmă ea, că aceștia nu stau bine.

— Îi porți prea strâmți și sunt indecenți; îi porți prea largi și arăți ca un rapper.

Crede-mă: când Buni rostește cuvântul „rapper" e ca și cum ar exersa o limbă străină. Poți să auzi ghilimele care încadrează cuvântul.

A fi în stare să vorbești cu oricine, din orice mediu, este un talent măreț, dacă îl ai. Dar, chiar dacă eu l-aș avea, nu mi-ar fi de niciun folos acum. Nu am pe nimeni căruia să-i pot vorbi despre toată treaba asta cu invizibilitatea.

Buni? Am încercat.

Pot să intru pe Instagram și să-i spun Florei McStay, care s-a mutat la Singapore:

Bună, ghici ce? Am devenit invizibilă azi! Sunt în poza de lângă copac.

Amuzant.

Sunt de una singură. Nu e un sentiment bun.

DECI ce-ai face TU? Hai, nu e o întrebare capcană. Sincer.

Ce ai face tu?

Ceea ce *eu* am decis este că am nevoie să ajung la spital, repede. Prin urmare, am nevoie de o ambulanță. Este, la urma urmei, o urgență.

Tastez 112.

Capitolul paisprezece

— Spitalul de urgenţă. Cu ce vă pot ajuta?

— O ambulanţă, vă rog, spun cu o voce tremurândă. Nu am mai sunat niciodată la urgenţă. Îţi pot spune că e destul de stresant.

— Imediat vă fac legătura.

Aştept.

— Serviciul de ambulanţă North Tyneside. Îmi puteţi da numele şi numărul de telefon, vă rog?

La capătul celălalt e o tânără cu un accent Geordie. Pare amabilă, iar eu mă relaxez puţin.

— Mă numesc Ethel Lethearhead. 07877 654 344.

— Mulţumesc. Ce urgenţă aveţi, vă rog? Ar fi trebuit să-mi învăţ lecţia de când i-am spus bunicii. Părea ridicol când i-am spus ei. Nu va suna mai puţin ridicol când îi voi spune operatoarei de la Urgenţă că am devenit invizibilă.

— Eu... nu prea pot spune. Doar am nevoie urgentă de o ambulanţă.

— Îmi pare rău, ăăă... Ethel, nu-i aşa? Trebuie să aflu ce urgenţă ai înainte de a trimite o ambulanţă.

— Nu pot să-ţi spun. E doar... foarte urgent, BINE? Am intrat în bucluc.

Operatoarea încă pare amabilă. Este blândă.

— Ascultă aici, dragă, nu te pot ajuta dacă nu-mi spui ce ai. Suni de acasă?

— Da.

— Şi te-ai rănit?

— Păi… nu sunt chiar *rănită*. E doar…

— BINE, floricico. Calmează-te. Te doare ceva?

— Nu.

— Atunci eşti tu sau altcineva în pericol imediat sau sunteţi răniţi?

Oftez uşor.

— Nu. Doar că…

— Şi este cineva acolo cu tine? Eşti ameninţată în vreun fel?

— Nu.

Ştiu unde vom ajunge.

— Atunci, Ethel, poţi suna la alt număr în cazurile în care ai nevoie de asistenţă medicală şi nu este o urgenţă. Ai un pix cu tine, dragă?

Mai am puţin şi îmi dau lacrimile, iar dacă aş fi gândit limpede, aş fi putut să prevăd consecinţele scăpării mele, însă în momentul de faţă nu eram tocmai cu capul pe umeri.

— Am ajuns invizibilă şi mi-e foarte frică şi *am nevoie de o ambulanţă acum!*

În acel moment tonul operatoarei se schimbă din amabil şi blând în plictisit şi încordat.

— Ai devenit invizibilă? Am înţeles. Ascultă, draga mea, m-am săturat. Tu ştii că apelurile astea sunt înregistrate şi depistabile? Voi înregistra acest apel ca fiind unul fals, iar dacă mai suni o dată voi informa poliţia. Acum închide telefonul şi fă loc urgenţelor adevărate. Invizibilă? Pe bune, copiii de azi! Ne faceţi să ne urcăm pe pereţi!Şi cu asta se încheie apelul — odată cu speranţele mele de a găsi o soluţie uşoară la această problemă.

Capitolul cincisprezece

Două ore mai târziu sunt tot invizibilă.

Am făcut un duş lung şi fierbinte, gândindu-mă că aş putea spăla invizibilitatea — ştii tu, ca pe un strat de murdărie sau ceva de genul? Am frecat şi am frecat până în punctul în care mi s-a iritat pielea, însă cu toate acestea săpunul făcea spume pe o suprafaţă care arăta a nimic, iar când m-am clătit tot nu s-a văzut nimic în afară de nişte urme de tălpi ude pe podeaua din baie.

Din acel moment cutreieram prin casă, gândindu-mă ce să fac, cum să rezolv această problemă şi de ce nu fac niciun progres.

Plânsul a încetat. Acesta nu mă va duce nicăieri şi, pe lângă asta, m-am săturat de plâns. Însă nu mă deranjează să recunosc că sunt total, şi complet, şi sută la sută

ÎNSPĂIMÂNTATĂ.

Înspăimântată la pătrat. La cub.

Cam din cinci în cinci minute mă ridic şi verific în oglindă.

Apoi mă întorc la laptop şi caut din nou pe internet articole care includ cuvintele „invizibil" sau „invizibilitate".

Majoritatea articolelor pe care încerc să le citesc sunt incredibil de complicate, implicând cunoştinţe de matematică, fizică, biologie şi chimie, lucruri care depăşesc ceea ce facem noi la şcoală. Cu toate acestea, se pare că oamenii au încercat să obţină timp de decenii ceea ce mie tocmai mi s-a întâmplat.

Pe YouTube găsesc un clip cu James Bond şi cu o maşină invizibilă.

— Camuflaj adaptabil, 007, spune Q, mergând pe lângă Aston Martinul lui Bond.

Camerele mici de supraveghere aflate pe fiecare parte proiectează pe partea opusă imaginile pe care le înregistrează pe o suprafaţă polimerică. La prima vedere, e ca şi cum ar fi invizibil.

Apoi, apasă pe un buton şi maşina devine invizibilă.

Ştii ce? Până acum, aş fi spus că e o prostie. Clipul în sine a apărut pe o listă de pe internet numită „Top 10 tâmpenii din filmele cu Bond".

Dar acum? Acum nu mai sunt atât de sigură.

Dacă mi se poate întâmpla mie, de ce nu şi unei maşini?

Ceea ce *am* reuşit să descifrez este faptul că există două feluri prin care ceva poate deveni invizibil.

Eşti pregătit?

Voi prezenta pe scurt.

Mai întâi, trebuie să înţelegi cum vedem noi obiectele. Lucrurile sunt vizibile pentru că razele soarelui se izbesc de ele şi pătrund în ochii noştri. Aşadar, dacă un copac se află în faţa ta, lumina îl loveşte şi aceasta se reflectă în spatele ochiului tău şi, după nişte procese deştepte ce se petrec în creierul tău, tu vezi un copac.

Prin urmare, primul lucru pe care-l faci pentru ca ceva să devină invizibil este să-l acoperi cu un „dispozitiv de camuflare". Acesta face ca lumina să se curbeze în jurul copacului şi să-şi continue drumul, ca şi cum ai băga un deget într-un jet de apă de la robinet: jetul de apă se curbează în jurul degetului şi curge mai jos într-un singur şuvoi.

Mulţi oameni de ştiinţă spun că sunt foarte aproape de a dezvolta „dispozitive de camuflare", mai ales pentru scopuri militare. Presupun că se referă la tancuri invizibile sau chiar la vapoare sau avioane, sau chiar şi la soldaţi, ceea ce de fapt ar fi destul de grozav.

Mai eşti atent?

BINE. A doua metodă este de a face ca lumina să treacă direct *prin* obiect. Aşa funcţionează sticla şi, dacă te-ai izbit vreodată de o uşă de sticlă în timp ce mergeai, cum mi s-a întâmplat mie o dată la Metrocentre, atunci vei şti cât de eficientă este.

Dacă te uiţi direct, sticla este invizibilă.

Aşa funcţionează şi razele X. Razele X au un anumit tip de lumină, care poate trece prin anumite substanţe, dar nu prin altele. Acestea vor trece prin pielea ta, dar nu prin oase, astfel încât doctorii pot vedea interiorul corpului.

Aşadar, trebuie să fie prima metodă cea care m-a făcut să fiu invizibilă. Lumina trece prin mine, încât, deşi sunt aici, pare ca şi cum n-aş fi.

Nu că m-ar ajuta mult faptul că ştiu acest lucru.

Recapitulez în minte ordinea evenimentelor: m-am urcat pe solar, am setat alarma, am adormit, am fost trezită de Lady, care îşi împingea vasul şi...

Lady. Unde e?

Ultima oară am văzut-o ieşind prin uşa din spate. Stând pe loc, uitându-mă în acea direcţie, strig după ea, apoi fluier, apoi strig din nou.

E ca şi cum... Nu am suficiente lucruri de care să mă îngrijorez acum fără să am pe cap şi un câine pierdut?

Mă gândesc la epidemia de afişe cu câini dispăruţi de pe stâlpii de iluminat şi mi se face rău. Toată lumea vorbeşte despre ele.

Erau înainte unul sau două afişe pe an lipite cu bandă adezivă pe stâlpi: câine dispărut, pisică dispărută, i-aţi văzut? Lucruri de acest gen.

Chiar recent se pare că a apărut cam un afiş pe lună. Buni a menţionat acest lucru alaltăieri, spunându-mi să stau cu ochii pe Lady când o scot afară.

— Nu se ştie niciodată, Ethel! a spus. Sunt oameni ciudaţi pe lumea asta.

Dacă cineva a furat-o pe Lady? Lady e atât de prietenoasă, încât ar merge cu oricine.

Trebuie să o găsesc şi, pentru a face acest lucru, trebuie să ies afară, probabil pe plajă, căci acolo m-aş duce *eu* dacă aş fi câine.

E un risc. E un risc uriaş, de fapt, dar, uneori, singura alternativă a unui risc este să nu faci nimic, iar acest lucru nu este o opţiune în momentul de faţă.

Trebuie să ies afară în timp ce sunt invizibilă.

Capitolul şaisprezece

Mai adaug haine deasupra celor pe care le port deja. Şosete şi adidaşi, un pulover cu guler care-mi acoperă gâtul invizibil, un hanorac cu mâneci lungi şi deja arăt mai puţin ciudat — cam ca manechinele acelea fără cap din magazin, dacă acest lucru poate fi considerat a fi „mai puţin ciudat".

În sertarul de jos, am o pereche de mănuşi, ceea ce înseamnă că mai am de rezolvat numai problema capului.

În garaj, am o cutie de plastic plină cu costume vechi. Înăuntru găsesc o perucă sclipicioasă de la o serbare şcolară la care am participat şi o mască de plastic cu faţa unui clovn imprimată pe ea. Urăsc clovnii, dar totuşi nu e de lepădat. Cu gluga ploverului pe cap arăt ca... ce?

Arăt ca un copil ciudat care s-a decis să se plimbe prin cartier purtând o mască de clovn. Ciudat, cu siguranţă, dar nu *complet* nebunesc.

Sunt aproape de uşa din faţă în această costumaţie când telefonul mă anunţă că am primit un mesaj.

De la: număr necunoscut.
Bună, Ethel: E momentul potrivit să-mi fac corp de plajă?
Nu-ţi voi sta în cale. Ajung în 2 min. Elliot

Şi iată, într-un singur SMS, motivul pentru care Elliot Boyd mă scoate din minţi. Insistent, arogant, agresiv şi o duzină de cuvinte care înseamnă „un ghimpe în coastă" îmi trec prin cap în timp ce tastez un răspuns.

NU. Nu e un moment bun. Sunt pe cale să ies.
Încearcă mai târziu. Ethel

De ce oare în loc să zic „sunt pe cale să ies" n-am zis „am ieşit"? Dacă aş fi făcut asta, m-aş fi putut preface că nu sunt în casă când sună soneria.

Ceea ce se şi întâmplă — la doar câteva secunde după ce apăs Trimite.

Sunt în hol. Îi văd conturul corpului prin uşa de sticlă de la intrare, chiar îi *aud* telefonul când primeşte mesajul meu şi apoi îşi îndeasă degetele prin cutia poştală şi strigă prin deschizătură.

— Bine, Eth! Bravo, te-am prins! Deschide uşa, nu?
Mai am încotro?
Deschid uşa.

Capitolul şaptesprezece

Amândoi icnim când vedem ce poartă celălalt.

— Hopa! îmi spune. Nu mi-ai spus niciodată că trebuie să vin în ţinută formală. Ce se întâmplă *aici*?

— Dar *tu* ce zici? îi spun.

Sunt eu într-o ţinută ciudată, cu o perucă sclipicioasă, mască şi mănuşi — dar Boyd? Arată ca şi cum s-ar duce în Florida: pantaloni scurţi lăbărţaţi, o cămaşă hawaiană imprimată cu rechini, ochelari de soare (inutili azi) şi o şapcă aşezată pe părul lui creţ. Ţine în mână o geantă de plajă şi văd că aceasta conţine un prosop şi diverse loţiuni de plajă.

Ne holbăm unul la celălalt în pragul uşii preţ de câteva secunde bune.

Dacă nu mă simţeam complet tulburată de ceea ce se întâmplă sub hainele mele, aş fi spus ceva isteţ precum: „Scuze, dar nu primesc sfaturi vestimentare de la cineva care a fost dat afară din Disneyland pentru infracţiuni împotriva modei.“

Dar nu zic nimic.

În schimb îi spun:

— O, o chestie sponsorizată. Trebuie să stau îmbrăcată așa toată ziua pentru a strânge bani pentru... äăă...

Repede, Ethel. Gândește-te la ceva. Așteaptă să termini propoziția.

— ...pentru chestia aceea a ta cu farul.

De ce? De ce am spus asta? Mă simt ca și cum aș fi avut o dublură care-mi țipă în cap: „De ce ai spus asta, prostănaco? Acum el crede că ție îți pasă de obsesia sa cretină cu farul. *Toanto!* De ce nu ai spus foamete sau cercetări în domeniul cancerului sau încălzirea globală? Sau orice altceva?"

Tot ce-i pot face vocii din capul meu este să răspund cu o altă voce: „Știu! Îmi pare rău! Pur și simplu nu gândesc limpede. Am destul de multe pe cap în acest moment, în caz că nu ai observat."

În tot acest timp Boyd vorbea.

— ...Minunat! Merci mult! Ținută formală sponsorizată? Genială idee! Toată ziua? Ce tare! În fine, tocmai am primit mesajul tău. Scuze, trebuia să te anunț mai devreme. Ești pe cale să ieși, nu-i așa? Când te întorci? Te-aș putea aștepta sau, știi tu, să mă conduc singur afară?

Nu. În niciun caz. În schimb, îi vorbesc despre Lady.

— Am văzut-o mergând până în spatele curții, îi spun. Credeam că merge să-și facă nevoile.

Acesta nu e tocmai adevărul complet. Ceea ce credeam eu de fapt era că Lady s-a speriat total de invizibilitatea mea și a zbughit-o.

Este o gaură în gardul din fundul curții, una prin care un câine s-ar putea strecura fără nicio problemă. De fapt, Lady a mai făcut asta mai demult, când era mică, iar noi intenționam să o reparăm, dar nu am apucat niciodată, deoarece niciodată nu a mai încercat să scape.

Numai că... atunci când ne uităm, nu mai e în grădină.

Și așa mă trezesc strigând-o pe Lady pe plajă, îmbrăcată în costumul meu ridicol de clovn cu mănuși, alături de Elliot Boyd, în ținuta sa comică de plajă.

Whitley Sands e pe departe traseul meu favorit când o scot pe Lady la plimbare, iar noi îl străbatem cel puțin de câteva ori pe săptămână. Îi arunc mingea în mare și ea sare peste valuri pentru a o aduce înapoi și se scutură, de obicei, udându-mă în același timp, deși nu mă deranjează acest lucru.

E cald sub mască. Mă asigur că Boyd e puțin înaintea mea și o ridic pentru a permite brizei să îmi răcorească fața, spoi strig pentru a cinzecea oară:

— La-dy!

Încerc să par normală și fericită. Ai pierdut vreodată vreun câine? E important să nu pari furioasă când strigi după el, indiferent ce simți în interiorul tău. Ce câine s-ar întoarce la un stăpân furios?

Sunt mulți câini pe aici, dar nicio urmă de Lady.

În curând, ajungem la capătul plajei și ne aflăm lângă digul care face legătura dintre țărm și insula pe care se conturează farul alb și imens.

— Hai! Vii? strigă Boyd.

Să urc în vârful farului e ultimul lucru pe care vreau să-l fac.

— Vino, repetă. Trebuie să-ți arăt ceva, acum că faci și tu parte din proiect. Nu va dura mult. Pe lângă asta vei vedea toată plaja de-aici și-ți vei zări și câinele.

De îndată ce traversăm digul și ajungem pe insula propriu-zisă, suntem singurii oameni acolo. În timpul vacanţelor şcolare e mai aglomerat, dar acum cafeneaua e închisă şi singurul lucru deschis e micul muzeu cu magazinul său de suveniruri, de unde îţi cumperi biletul pentru a urca în vârful farului.

Acolo se află câteva trepte ce duc spre intrare şi o cărare care duce prin spate, locul spre care se îndreaptă Boyd. Două pubele mari ce aparţin cafenelei flanchează o uşă ruginită, pe care acesta o deschide cu degetele înainte să-mi facă semn să intru.

Ne aflăm într-o cameră întunecată ca o peşteră din partea de jos a farului. Înăuntru, se zăresc câţiva vizitatori care se uită la o machetă mare a unei bărci de salvare şi la câteva fotografii de pe perete, iar paşii noştri răsună. O doamnă se întoarce şi îşi arcuieşte sprâncenele, apoi îi dă un ghiont prietenului ei, care se holbează şi el la noi. Presupun că, fiind îmbrăcaţi aşa cum suntem, merităm cel puţin o privire, dar numai atât primim.

— Hai, spune Boyd zâmbind. Îmi dau seama că e foarte entuziasmat.

— Nu am arătat nimănui asta niciodată!

Scările înguste se întind de-a lungul pereţilor circulari, iar noi urcăm spre camera de lumină din vârf, ţinându-ne de balustrada ruginită.

Trei sute douăzeci de trepte mai încolo (nu eu le-am numărat — Boyd mi-a spus) gâfâi ca un cal de curse. Boyd, dintr-un motiv oarecare, nu gâfâie, în ciuda greutăţii în plus pe care o cară. Probabil e doar entuziasmul.

În interiorul camerei circulare de lumină te simţi ca şi cum ai fi într-o seră uriaşă: de jur împrejur se află numai ferestre înalte. În centru, imaginează-ţi un tambur imens aşezat cu fundul în sus, de un metru şi jumătate înălţime, făcut din lentile de sticlă, aranjat în cercuri concentrice complexe, cu gura la un metru de podea. Aceasta este lampa farului.

— Vezi? spune Boyd, arătând spre maşinăria de sticlă, luminându-se la faţă. Se numeşte lentilă Fresnel. Aceasta reflectă şi multiplică lumina din interior, astfel încât nu ai nevoie de multă energie pentru a face să fie vizibilă de la mare distanţă. Numai că nu este nicio lumină acum în interiorul ei. Nu a mai fost de ani buni.

Vreau să zic că, BINE, e *oarecum* interesant, dar în mare sunt doar politicoasă.

Apoi mă duce spre o trapă situată în podea.

— Verifică scările, Eth. Vine cineva? Ridică trapa. Uite-aici!

Îl ascult şi îmi târăsc picioarele prin jurul camerei, între lentila uriaşă şi ferestre şi mă uit în josul trapei. Acolo găsesc un cablu electric de câţiva metri — încolăcit cu grijă — şi un bec mare la celălalt capăt, de mărimea şi forma a două sticle de doi litri de Cola.

— Am adus toate acestea aici acum o lună, îmi spune, emanând mândrie prin fiecare por. Este cel mai strălucitor bec pe care-l poate cumpăra cineva — de o mie de waţi. Când sunt gata voi pune lumina acolo.

Arată spre „gura" tamburului răsturnat.

— Apoi, voi întinde cablul pe fereastra aceasta, şi îl voi aprinde, şi: *Aprinde lumina! Aprinde lumina!*

Începe din nou să fredoneze cântecul acela.

Mă uit la el prin găurile pentru ochi ale măştii.

E nebun. Cine s-ar fi *gândit* la aşa ceva? Şi de ce?

Tot ce pot să spun este:

— Am înţeles.

Îi pică fața.

— Crezi că-s nebun, nu?

— Ăăă... nu. Doar că e un plan destul de... *ambițios*, Elliot.

— Nu vei spune nimănui, nu? Va fi un fel de operațiune secretă. Ca un „eveniment" — știi, anunțat înainte să se întâmple și apoi *bum*! Luminile se aprind! Un flash mob și un flash corespunzător!

Boyd se ridică în picioare și închide capacul de la trapă.

Îmi dau seama că l-am rănit fiind prea puțin entuziastă.

— Nu ți-e frică? îl întreb.

Se uită la mine confuz.

— Frică? De ce să-mi fie? Ce crimă aș fi comis? Pe cine aș fi rănit? Ai *putea* să mă acuzi de încălcarea proprietății, dar asta nu e nici măcar o infracțiune. N-aș fi distrus nimic și chiar voi fi folosit banii pe care îi vei strânge prin a te costuma ca o idioată pentru a le lăsa niște bani pentru electricitate, ca să nu fiu acuzat de furt!

Rânjetul de pe fața lui mă face și pe mine să zâmbesc.

— Ești sigur?

— Bineînțeles că sunt sigur! Tatăl meu e avocat.

Aceasta este prima dată când Boyd l-a menționat pe tatăl său. Sau pe mama sa, de altfel. De îndată ce îi ies cuvintele din gură, este ca și cum ar vrea să și le ia înapoi. Începe să spună altceva, dar îi întrerup.

— Avocat? Pare grozav. Ce practică?

Însă acesta nu răspunde. În schimb, se ridică în picioare și vocea sa își pierde din accentul londonez, ca și cum s-ar adresa instanței.

— Ei bine, „încălcarea proprietății" e definită prin dreptul cutumiar — spre deosebire de legea *scrisă* — ca o ofensă numită „prejudiciu", ceea ce este un act ilicit, dar nu supus procedurilor penale și, prin urmare...

— BINE, BINE, te cred.

— Îmi promiți că nu spui nimănui?

— Ce? Că tatăl tău e avocat? E un secret?

— Nu, prostuțo. Despre lumină — planul meu. Trebuie să fie ținut secret până la momentul potrivit.

— Promit.

— O, apropo, ăăă... la Londra prietenii mei îmi spuneau Boydy.

— Serios?

— Da, așa că... știi, dacă ți-ar plăcea... ăăă... ai vrea...

Lăsă cuvintele să atârne în aerul cald dintre noi.

Boydy. Un prieten?

Nu-mi dădusem seama că eram chiar atât de disperată.

LUCRURI INTERESANTE DESPRE FARURI
de Elliot Boyd

Cu mulțumiri lui Ethel Leatherhead, pentru că mi-a dat ocazia să spun de ce farurile sunt grozave.

(Am scris lista aceasta pentru un discurs pe care l-am ținut la școală la ora domnului Parker. A spus că celorlalți le-a plăcut foarte mult, ceea ce mă face să cred că farurile nu sunt o preocupare ciudată la urma urmei.)

Oamenii au construit faruri pentru a avertiza vapoarele de existența stâncilor periculoase pe vremea când oamenii aveau bărci. Primele faruri au fost practic doar focuri de tabără masive aprinse pe stânci!

Acum sunt 17 000 de faruri în toată lumea și în jur de 300 în Marea Britanie.

Farul din insula Pharos, localizat în apropiere de Alexandria, în Egipt, a fost una dintre minunile lumii antice și a fost construit în anul 270 î.Hr. A stat în picioare timp de 1 500 de ani și apoi s-a prăbușit în timpul unui cutremur. În anul 1994, câteva bucăți din far au fost găsite pe fundul oceanului!

În mai multe limbi, cuvântului „far" provine de la „Pharos", *phare* (franceză), *faro* (spaniolă și italiană), *farol* (portugheză), *far* (română), *fáros* (greacă)!

Intensitatea luminii unui far este măsurată în candele — o candelă însemnând intensitatea unei singure lumânări. Farurile moderne au raze cu lumină între 10 000 şi un milion de candele!

Unul dintre cele mai luminoase faruri din lume este farul Oak Island din Statele Unite: 2,5 milioane de candele!!!

În anul 1822, un fizician francez numit Augustin-Jean Fresnel a dezvoltat o lentilă care multiplică lumina sursei din interior, însemnând că aceasta poate fi văzută de la o distanţă mai mare. Aproape toate farurile folosesc acum lentila Fresnel.

Mult timp după inventarea electricităţii, majoritatea farurilor erau alimentate cu petrol. Farul St. Mary's din golful Whitley nu a trecut la electricitate decât în anul 1977. Acesta nu a mai fost activ din 1984, ceea ce eu cred că e un mare păcat!

Domnul Parker a scris pe prezentarea mea: 9 din 10. Bine documentată şi prezentată cu încredere. Foarte bine. Mai uşor cu semnele de exclamare.

Capitolul optsprezece

Una dintre ferestrele din camera de lumină este, de fapt, o ușă mică de sticlă ce conduce spre o platformă exterioară care încercuiește partea de sus a farului. Un panou, care arată oficial, spune *Pericol: Trecerea interzisă.*

— Hai, spune Elliot Boyd, la care încerc să mă obișnuiesc să mă refer ca Boydy. Trebuie să vezi asta.

Îl urmez prin deschizătură.

Stăm pe platforma îngustă, ținându-ne de balustrada de fier și privim deasupra coastei de nord-est, uitându-ne în sud spre alt far care este situat la gura râului Tyne, cam la trei kilometri distanță. Un pescăruș se întinde în fața noastră, agățându-se nemișcat în vânt.

Boydy și-a dat jos șapca lui ridicolă, iar vântul care-i suflă prin păr îl face să pară aproape chipeș, iar eu zâmbesc din spatele măștii mele de clovn stupide. Boyd? Chipeș? Ha!

Încă fierb de căldură sub cele două straturi de haine, mănuși, glugă și mască și mă decid să îmi dau jos gluga jachetei, expunându-mi peruca sclipicioasă.

O mișcare greșită.

Vântul se schimbă timp de câteva secunde dintr-o briză într-o rafală puternică, smulgându-mi peruca de pe cap. O prind chiar înainte de a zbura peste balustrada de fier. Trag de glugă, încercând cu disperare să o pun la loc pe cap, când Boydy se întoarce să-mi spună ceva și țipă.

— Ce… a… a… aaaa! Ce? O Doamne. Ooooo.

Ei bine. Presupun că *cineva* trebuia să afle *cumva*.

Capitolul nouăsprezece

Boydy s-a tras înapoi și pur și simplu se holbează clipind des. Gura i se deschide și se închide ca și cum ar fi un pește, iar din gât îi ies niște gemete.

Săracul puști chiar e terifiat. Pescărușul cârâie și zboară.

— E ÎN REGULĂ, încerc să-l asigur. Sunt eu. Sunt bine.

— Dar... dar... tu... capul tău... Ethel?

De unde să încep?

După zece minute cred că l-am convins că nu sunt nici o fantomă, nici vreun extraterestru venit din spațiu. I-am răspuns la întrebări, printre care și acestea:

1. Am dureri? (Nu, mai puțin o furnicătură ușoară care ar putea fi o arsură de la solar, însă nu îmi pot vedea pielea pentru a-mi da seama.)

2. Mai știe cineva? (Nu. El a primul. E superflatat, de asta pot să-mi dau seama.)

3. Este permanent? (Nu am nicio idee încă.)

4. Ce am de gând să fac în privința asta? (Din nou, nicio idee. Abordările inițiale la spital nu au decurs conform planului, iar acesta este de acord

cu mine că o abordare la poliție ar fi la fel de neproductivă.)

Îi spun toate acestea ca și cum s-ar fi întâmplat precum o conversație rațională pe care oricine ar purta-o pe balconul unui far. Ceva de genul:

— A, deci ești invizibilă? Grozav. Deci, spune-mi, ai dureri sau senzații de disconfort din cauza acestei stări neobișnuite, Ethel?

Nu, nu a decurs așa în *niciun fel*. Boydy era neliniștit, nedumerit, bâlbâindu-se și apropriindu-se de repetate ori pentru a-mi atinge capul invizibil și mâna. La un moment dat, mi-am îndepărtat masca și a tăcut din gură cam un minut, continuând să se holbeze cu gura căscată și să mă atingă din nou.

Trebuie să recunosc, totuși, acum că i-am zis, că ușurarea e imensă. Căram după mine acest secret de ore în șir și era obositor. Chiar dacă Boydy nu poate *face* nimic, în afară de a se holba la problema mea, acest lucru mă face să mă simt mai fericită.

Puțin.

Atunci, de ce încep să plâng? Scuze: de ce încep să plâng *din nou*? Să fiu sinceră, nu sunt o mare smiorcăită. Cred că las acest lucru în seama sufletelor mai sensibile, dar imensitatea problemei cu care mă confrunt ar fi făcut ca orice persoană să izbucnească în lacrimi, iar acest lucru face ca azi să plâng de două ori.

Mă aude plângând și bietul Boydy nu știe ce să facă.

— Hei, Eth. Va fi bine, îmi spune și își duce brațul în jurul meu cu stângăcie, însă pot să-mi dau seama că nu e tocmai în firea lui. Probabil nu a făcut acest lucru de prea multe ori. Apoi, se holbează la mine.

— Pot să-ți văd lacrimile. Arată spre obrajii mei. Aceasta e o parte din tine care e vizibilă.

Îmi șterg obrazul cu degetele și mă uit în jos. Într-adevăr, degetele îmi strălucesc. Forțez un zâmbet (De ce? Nimeni nu mă poate vedea.) Și așez la loc masca, ridicându-mi gluga cât se poate de sus. Îmi trag nasul și schițez un zâmbet.

— Cum arăt?

Boydy verifică unghiurile.

— Atât timp cât nu te uiți prea de aproape, e în regulă. E un spațiu invizibil acolo sus, dar e în umbră și nu se observă prea bine. Ține-ți capul în jos.

Dau din cap și mă-ntorc pentru a trece prin intrarea din sticlă, când acesta îmi vorbește:

— Deci, Ethăl, costumul de clovn nu era de fapt pentru, știi tu...

— Ce anume? Pentru a strânge bani? Of, îmi pare rău, Boydy. Nu.

Observ cum fața și pieptul îi cad cu un suspin și adaug:

— Dar îmi plac farurile. În fine, cel puțin acesta. Și sunt sigură că celelalte sunt la fel de grozave. Te ajut cu *Aprinde lumina*. Îți promit.

Zâmbește la spusele mele, dar atenția sa este acaparată de ceva de pe pământ. Se uită dincolo de mine, înspre plajă. Mă întorc să-i urmăresc privirea. Acolo, la capătul digului, se află un labrador negru și pot să-mi dau seama după cum merge că este Lady.

Și nu e singură. Două figuri identice merg alături de ea.

Avem o problemă și e una geamănă.

Nu ți-am spus prea multe despre gemeni, dar acum pare a fi o ocazie bună — dacă există vreo ocazie potrivită pentru a vorbi despre aceștia.

Jesmond și Jarrow Knight sunt notorii la școală și par a se desfăta în faima lor sinistră în timp ce abia reușesc să evite suspendarea.

Când unul, când celălalt e aproape totdeauna destinatarul unui avertisment scris. În momentul de față este Jesmond. A înjurat-o pe domnișoara Swan, profesoara de muzică, când ea a observat că miroase a fum de țigară. (Nu voi spune exact ce a zis, dar imaginează-ți cel mai urât lucru pe care i l-ai putea spune unui profesor, apoi țipă-l din toți rărunchii. De fapt, nu face asta. Dar asta a făcut el la intrarea din școală.)

Îți garantez că, după ce-i va expira avertismentul scris la finalul semestrului, va fi rândul lui Jarrow, sora sa, să facă ceva rău. Anul trecut, a fost trimisă acasă pentru că a dat foc părului Tarei Lockhard cu un arzător Bunsen, apoi tatăl ei trebuit să vină să discute cu doamna Khan și cu conducerea școlii.

Aproape toată lumea stă departe de gemeni, ceea ce este destul de ușor dacă-i vezi venind. Amândoi au părul blond deschis, până la umeri. Din spate, sunt identici și chiar din față se aseamănă, doar că Jarrow poartă ochelari și Jesmond nu.

Tommy Knight, tatăl lor, arată la fel ca ei, doar că are un început de chelie. L-am întâlnit o singură dată, când a cumpărat ceva de la un chioșc de care mă ocupam la bazarul de Crăciun al școlii. Părea timid și abia dacă-și ridica privirea din pământ. A cumpărat o cutie de săpunuri parfumate cu poze cu câini pe ele şi, când şi-a luat restul, a spus „mulţumesc", a avut o voce blândă şi politicoasă, ceea ce era opusul la ce mă aşteptasem.

Nu am văzut-o niciodată pe mama lor. Nici măcar nu ştiu dacă au una.

Casa lor e la colţul străzii noastre, cu vedere la o suprafaţă mare de iarbă numită Legătura, care duce spre faleză şi plajă. Este o locuinţă mare: o vilă structurată pe două etaje, cu pereţi albi şi stâlpi care susţin terasa din faţă, şi o grădină năpădită de buruieni la intrare. Este ca şi cum un fotbalist a murit în ea şi nimeni nu a observat. Adesea, trec prin faţa casei în drum spre şcoală şi spre casă.

Aşadar, aceasta este familia Knight — vecinii mei, mai mult sau mai puţin — şi iată-i pe ei: Jarrow şi Jesmond, la capătul plajei, unde nisipul cedează din suprafaţă pietrelor şi bălţilor.

Cu Lady, câinele meu.

Ceea ce înseamnă ca va trebui să cobor până acolo şi să-i înfrunt, în timp ce port o mască de clovn şi o perucă sclipicioasă.

Îmi spun: *Totul va fi bine, Ethel.*

Câteodată, cred că minciunile pe care ni le spunem noi sunt cele mai mari minciuni dintre toate.

Capitolul douăzeci

Trei oameni se află în camera de lumină când ne întoarcem, iar unul din ei ne aruncă o privire ciudată, gen: *Cum de ați fost afară când nu aveți voie?* Sau ar putea fi de vină doar hainele noastre. În orice caz, plecăm și coborâm pe scări.

Fugind înapoi spre dig, observ că fluxul a venit repede, umplând bălțile cu pietre și învăluind marginile din partea de jos a drumului de beton. Am făcut bine c-am plecat atunci. Toate intervalele fluxului sunt publicate pe afișe la capetele digului, însă oamenii tot sunt luați prin surprindere, iar copiii din Whitley Bay au crescut cu povești înfiorătoare despre niște persoane care au riscat să traverseze și au fost luate de ape.

Când ajungem pe plajă, Lady aleargă înspre mine, aparent mai puțin speriată de masca mea de clovn decât de *absența completă a unui cap* pe care l-a văzut înainte — și cine o poate învinui? Nu-i pot vedea pe gemeni în acest moment, însă vederea mea este limiată de mască — ar putea fi chiar aici, doar în spatele unui bolovan sau ceva de genul.

Nu am timp acum să mă îngrijorez de acest lucru.

Lady îmi miroase picioarele, se convinge că sunt eu şi se rostogoleşte pe spate ca să o gâdil pe burtă, ceea ce mă bucur să fac, deşi se simte ciudat prin mănuşi.

— Lady, nebunatico. Ce s-a întâmplat cu tine?

Încerc să o liniştesc, dar mi-e teamă că ar lua-o razna din nou.

Mă îndrept să o apuc de zgardă, dar nu este acolo. În schimb, fac o buclă cu lesa de rezervă pe care am adus-o cu mine şi i-o leg în jurul gâtului. În acelaşi timp, privesc prin ochii măştii de clovn pentru a afla unde sunt gemenii, sperând, bineînţeles, că s-au decis să plece. De asemenea sper că Boydy e aproape.

Am ghinion în ambele cazuri.

Gemenii se află în faţa mea.

Jarrow, fata, vorbeşte prima, clipind puternic din spatele ochelarilor.

— Acesta e câinele tău? Noi l-am găsit. Îl aduceam... Ce naiba?

Mi-am îndreptat privirea din direcţia lui Lady, iar Jarrow se holba la masca mea de clovn.

— O, e ăăă... o chestie de caritate, îi spun. Trebuie să o port ca să strâng bani.

— Stai puţin. Îţi recunosc vocea, spune Jesmond, băiatul. Tu eşti... ăăă... cum te cheamă din clasa noastră, nu-i aşa?

Ezit înainte de a le răspunde, iar pauza este suficientă pentru ca Jarrow să intervină.

— Ai dreptati, Jez. E „Faţă de pizza"! Ce mască şmecheră ai tu aici!

Cei doi chicotesc. Ambii vorbesc cu accent Geordie. Este un accent tipic pentru nord-estul Angliei şi, de obicei, are un ritm crescând şi coborând, care e

prietenos şi amuzant. Însă, uneori, în cazul unora, ac-
centul poate suna aspru şi agresiv — iar gemenii vor-
besc în acel fel, ca şi cum şi-ar scrâşni dinţii şi şi-ar
încorda gurile.

Jarrow se întoarce şi-i zice fratelui ei ceva ce eu nu
aud, iar amândoi chicotesc.

Dacă eram de una singură, m-aş fi întors şi aş fi ple-
cat cu Lady. Din experienţa mea, acesta e singurul lucru
pe care îl poţi face cu acest soi de oameni. Însă, până
acum, Boydy e lângă noi.

— Eşti bine, Eth?

E tot ce spune, dar e suficient să le schimbe dispoziţia
gemenilor într-una mai dificilă.

— Hey! E Grăsanul! Ce faci, Miresmelliot? spune
Jesmond.

Boydy ignoră insulta ca şi cum nu ar fi auzit-o.

— Bine, mulţumesc, Jez. O căutam pe Lady. Iar acum
am găsit-o.

— Mda. Mulţumită nouă. *Noi* am găsit-o. O înapo-
iam, nu-i aşa Jarrow? îl întrerup.

— Unde-i este zgarda?

Jarrow se uită direct la mine şi clipeşte intens.

— Nu purta nicio zgardă. Credeam că-i un câne
vagabond.

— Dar ai spus că o înapoiai, i-am zis. Unde o înapo-
iai? Mergeai în direcţia opusă.

— Stai puţin, spune Jarrow. Noi chiar stăm aici de
vorbă despre câinele ăsta cu Ronald McDonald? Dă-ţi
masca jos şi vorbim cum trebuie.

Se apropie de faţa mea, iar eu mă eschivez repede.

— Nu! Este… după cum am spus, o chestie de caritate.

— Păi şi pe noi ne interesază caritatea, nu-i aşa, Jez?

Cu o mişcare rapidă, Jarrow a smucit lesa lui Lady din mâna mea şi a dat-o fratelui ei, care a încolăcit-o în jurul pumnului.

Jesmond dă din cap aprobator.

Jarrow continuă cu un ton ameninţător în vocea ei subţire.

— Vezi tu, eu nu ştiu sigur că ăsta-i cîinele tău, nu? Ar trebui să-l ducem la poliţie ca un pe câine fără stăpân, iar tu ştii ce se întâmplă cu câinii vagabonzi, nu-i aşa?

Mă simt uşor victorioasă. Chiar dacă mi-e frică şi sunt vulnerabilă, tot pot să identific o ameninţare falsă când o aud. În alte circumstanţe, aş fi râs.

— N-aveţi decât, atunci, îi spun şi probabil chiar par puţin arogantă. E microcipată. Veţi fi probabil acuzaţi de furt.

Se năruiesc gemenii Knight în faţa acestei sfidări? Nicio şansă.

— Microcipată? spune Jarrow, aplecându-se la nivelui lui Lady. Vrei să spui cam în zona asta?

Pune mâna pe spatele gâtului lui Lady, exact în zona unde sunt implantate microcipurile.

— Adică, exact sub piele? Nu cred că asta va fi o problemă pentru noi, nu-i aşa Jez?

Jesmond dă din cap.

— Ultimul s-a vindecat destul de repede.Se întorc şi încep să se îndepărteze de noi, trăgând-o pe Lady de lesă şi lăsându-mă cu gura căscată şi cu un nod rău în stomac care nu spune nimic bun.

Am înţeles eu bine? Cu siguranţă nu.

— Staţi! le spun.

Se opresc şi se întorc rânjind.

Încerc să fac apel la partea lor bună, dacă au una.

— Daţi-ne înapoi câinele. Vă rog.

— Bunică-ta ar muri de bucurie dac-ar vedea-o din nou, nu-i aşa? spune Jesmond, iar eu dau din cap că da.

Acesta continuă:

— Probabil va crede că trebuie să dea o recompensă. Ştii tu — o recompensă pentru câinele pierdut, precum cele pe care le vezi pe stâlpi. De obicei e cel puţin cincizeci de lire.

Jarrow se apropie de noi.

— O încasăm acum, ce zici? Să o scutim pe bunica ta de necaz. Câţi bani ai la tine? Hai, să vedem.

Cu rezerve, scot o bancnotă de zece lire din buzunarul blugilor, pe care Buni mă face să o iau cu mine pentru urgenţe. Mă întreb: se pune această situaţie?

Problemă: mâna nu-mi încape în buzunarul blugilor cu mănuşi. Cel puţin nu la început. În condiţii normale, ţi-ai da jos pur şi simplu mănuşa pentru a-ţi duce mâna în buzunar, dar eu nu pot face asta fără să-mi dezvălui invizibilitatea.

Cu stângăcie (şi probabil ciudată la vedere în orice caz), îmi strecor mâna şi mănuşa în buzunarul unde se află banii mei de buzunar. Apuc bancnota şi apoi trag puternic pentru a-mi scoate afară mâna.

Într-adevăr mâna iese afară — drept din mănuşa care se prinde de buzunarul strâmt al blugilor.

Braţul meu aparent fără mână fluturǎ în aer preţ de câteva secunde înainte de a mă întoarce. Arată exact ca şi cum mi-aş fi smucit mâna.

Într-o clipită, însă, am redresat totul şi mă întorc la ei, oferindu-le banii cu o mână care, învelită într-o mănuşă, arată perfect normal.

Jarrow înşfacă bancnota din mâna mea. E pe cale să plece când fratele ei o opreşte. Încă se holbează la mâna mea.

— Ai văzut...? Ce era...?

Nu poate să-şi pună gândurile în cuvinte şi cine-l poate învinovăţi? Ceea ce eu cred de fapt că el vrea să zică este: „Ai văzut că mâna ei deodată nu mai era unde trebuia? Mâneca ei era singurul capăt? Mănuşa a rămas în buzunar, dar nu era nicio mână?"

Însă el este prea confuz ca să poată lega cuvintele. Lângă el, vorbeşte Jarrow.

— Stai puţin. Şi londonezul ăsta şmecher d-aici? Tu ce ai la tine? Ai bani?

Boydy a fost foarte tăcut. Tăcut? Mut. Pentru un tip masiv pare ciudat de lipsit de putere când vine vorba de a face faţă ăstora.

— Nimic.

Revenindu-şi din confuzie, Jesmond preia ceea ce se poate numi un jaf, însă fără violenţă.

— Nimic de tot? Umbli pe stradă fără niciun sfanţ pentru a-ţi cumpăra o plăcintă? Nu te cred. Să încerc să aflu?

Jesmond face un pas ameninţător înspre Boydy şi asta e tot ce e nevoie. Boydy scoate o bancnotă de cinci lire şi ceva mărunţiş din buzunar.

— Credeam eu, spune Jesmond. Şi cu asta vă mulţumesc foarte mult pentru recompensă. Destul de inutilă, bineînţeles, adaugă cu politeţe exagerată.

Apoi, aruncă lesa lui Lady pe pământ și pleacă amândoi în direcția de unde au venit, trecând înapoi peste dig.

Însă se comportă ciudat, vorbind de zor cu capetele împreunate. Îl văd pe Jesmond care-și ține mâna dreaptă în fața surorii sale. Sunt cam la zece metri depărtare când Jarrow se întoarce.

— Hei, față de pizza! Dac-aș fi în locul tău, mi-aș ține masca pe față. O mare îmbunătățire!

Capitolul douăzeci şi unu

Boydy este roşu de mânie. Colţurile gurii îi sunt îndreptate în jos într-o formă perfect curbată de nefericire, iar eu pot vedea imediat că este furios, nu numai pe gemeni, dar şi pe sine, pentru că nu a avut curajul să le ţină piept. Nu îl învinovăţesc, dar nu contează. Se învinovăţeşte el pentru amândoi.

Sunt pe cale să-i spun să nu se îngrijoreze, dar ceva pare diferit.

Începe la vârful degetelor, un fel de furnicătură dureroasă care se răspândeşte până la scalp. Până când eu şi Boydy ajungem mai departe de-a lungul plajei, pot simţi şiroaie de transpiraţie scurgându-se pe şira spinării, iar toată pielea sfârâie precum aspirina solubilă.

— Stai puţin, Boydy! Opreşte-te, strig după el. Mă simt ciudat.

Stomacul intră în convulsii, iar eu cad în genunchi râgâind şi vomitând pe nisip.

— Eşti bine, Eth? spune Boydy — o întrebare cam inutilă, deoarece în mod clar nu mi-e bine. Să sun pe cineva?

Apoi, senzaţia se opreşte aproape la fel de repede cum a început.

Mă ridic în picioare, scuipând restul de vomă.

Îmi dau jos mănușa, deoarece vreau să simt furnică-
turile pielii de pe față.

Și iat-o.

Mâna mea.

Îmi dau jos și cealaltă mănușă și mă uit de-a lungul
mânecii. Brațele mele sunt și ele acolo!

— Boydy! Boydy! Mi-am revenit! Uite!

Îmi dau jos masca și peruca.

Lady aleargă spre mine, ușurată, cred, să mă revadă.

Boydy se întoarce și mă privește zâmbind încet.

— O, da, spune în timp ce dă din cap. Este *mult* mai
puțin ciudat, Ethăl!

Capitolul douăzeci și doi

O oră mai târziu mă întorc acasă cu Lady și cu Boydy. Buni e încă plecată, însă trebuie să se întoarcă în curând. Eu și Boydy ne aflăm în garaj, uitându-ne la solar.

Boydy dă din cap.

— De ce te-ar face un solar invizibilă? Oamenii merg la solar tot timpul și acestea sunt destul de inofensive. Ce e deosebit la acesta?

Se gândește preț de o clipă.

— Am putea să o întrebăm pe doamna de la salon?

— Îmi pot imagina cum va decurge totul, îi spun cu un ton sarcastic. O, bună! Mai știi solarul acela pe care mi l-ai dat? Tocmai m-a făcut invizibilă. Pe lângă asta, spune-i și până la prânz va afla jumătate din Whitley Bay, iar apoi toată planeta. Adică, imaginează-ți: va apărea în ziare, la televizor, peste tot pe internet.

— Asta dacă nu cred c-ai luat-o razna. Vei fi celebră!

— Exact, Boydy. Exact. Iar eu nu vreau să fiu celebră.

— Serios?

Pare cu adevărat surprins.

— Da, serios! Dacă e să fiu celebră — și chiar nu văd ce e atrăgător la acest lucru —, vreau să fiu celebru pentru ceva ce am *făcut*, nu pentru că am avut un accident nefericit cu un solar, și să fiu urmărită de paparazzi. Mai ales, Buni ar urî acest lucru. Probabil ar crede că este comun.

Dar Boydy nu ascultă. Și-a încrețit nasul și adulmecă aerul.

— Fir-ar, Eth. Vine de la tine?

M-am gândit că am râgâit din întâmplare, dar e clar că nu.

— Scuze. Da, m-ai prins. E un râgâit, apropo, nu o… știi tu. Cred că e un efect secundar.

Ochii lui se măresc și adulmecă din nou, aproape înecându-se.

— Ce *e* asta? E… e inuman! Cred că e medicamentul meu naturist chinezesc. Am cam exagerat și își face de cap cu stomacul meu, așa că…

— Stai așa. Medicamentul tău naturist? De unde l-ai luat?

— De pe internet. E un tratament acneic…

Apoi, mă opresc pe măsură ce la amândoi ne pică fisa.

Capitolul douăzeci și trei

Când revin în bucătărie, iau cutia de Dr. Chang Tenul Lui Așa Curat. Pe ambalaj, văd o poză cu un fotomodel zâmbind și o fotografie minusculă cu un chinez într-un halat alb atârnând pe umeri. Tot textul de pe pachet este în chineză, cu excepția unul abțibild în engleză care spune: *Zilnic se administrează 5 grame dizolvate în apă.*

Asta e.

— Ai măsurat cantitatea? întreabă Boydy.

Dau din umeri. Mi-e rușine.

— Într-un fel.

— Deci, cinci grame de lichid înseamnă în jur de o linguriță, îmi spune.

— Aaa. Eu credeam că e o lingură.

— Nu, asta înseamnă în jur de cincisprezece grame. Și tu ai făcut asta o dată pe zi?

— Câteodată de mai multe ori.

Mormăi precum un copil care a fost prins furând din cutia cu biscuiți, numai că în loc să am firmituri în jurul gurii, roșesc de rușine.

— Deci... spune el ...o supradoză masivă cu o *chestie* neidentificată, fără etichetă și fără autorizație ar fi putut să te facă invizibilă în combinație cu o supradoză masivă de raze UV dubioase dintr-un solar abandonat?

— Ăăă, da, îi spun.

Așa pare.

Boydy îmi deschide laptopul, care se află pe blatul din bucătărie.

— În fine, care e site-ul de unde-ai făcut rost de medicamentul ăsta? mă întreabă, iar eu îi zic.

Tastează adresa.

Eroare 404. Ne pare rău, site-ul pe care l-ați accesat nu poate fi găsit.

Încearcă din nou, în caz că a greșit când a tastat, dar primește același mesaj.

Apoi, tastează „Dr. Chang Tenul Lui Așa Curat" în caseta de căutare. Apar numai trei rezultate, iar acestea duc la același mesaj care spune că site-ul nu mai poate fi găsit.

Mă apucă începuturile unei frici oribile și înfiorătoare, dar apoi aud o cheie în fața ușii, iar Lady se scoală s-o întâmpine pe Buni.

Repede, Boydy ia punga de hârtie cu pudră din cutia exterioară și strecoară cutia în buzunarul său.

— Aș putea să obțin traducerea cutiei, îmi spune deodată ce intră Buni în bucătărie.

În secunda în care-l vede pe Boydy, Buni își îndreaptă umerii și zâmbește.

Cred că e pur și simplu ușurată că eu cunosc pe cineva. Nu vin des oamenii la noi în zilele acestea. Ultimul musafir a fost Kirsten Olen, iar acest lucru s-a întâmplat acum mult timp.

Le fac cunoştinţă şi Boydy nu se încurcă. Adică, se ridică în picioare, îi dă mâna, se uită în ochii ei şi zâmbeşte. Aproape că ea l-ar fi putut învăţa.

— Vrei să stai la ceai, Elliot? îl întreabă, radiind de fericire că am adus pe cineva acasă care nu bombăne şi nu se uita în jos la pantofi.

— A, nu, vă mulţumesc, doamnă Leatherhead. Trebuie să plec. Mă bucur mult că v-am cunoscut.

Uau, îmi spun în gând, *aşadar, cunoaşte şi el regulile. E ca şi cum aş fi într-o societate secretă.*

Capitolul douăzeci și patru

Buni face ceaiul, iau eu încerc să mă comport ca și cum asta nu a fost cea mai ciudată zi din viața mea.

Radioul este pornit. Buni mereu ascultă Radio 3 sau Classic FM. (Câteodată, mă întreabă dacă știu compozitorii și dacă interpretează la orgă, iar eu, uneori, ghicesc, spun „Bach", și în jumătate dintre cazuri am dreptate. Ea uită că greșesc uneori, așa că are impresia complet falsă că știu multe lucruri despre muzica clasică.)

Ai avut vreodată sentimentul acela când cineva se poartă frumos cu tine și e vorbăreț, dar tu nu te poți deranja? Și nu poți să spui nimic, deoarece acest lucru ar fi nepoliticos și trebuie să te prefaci că ești atent prin a scoate sunetele potrivite? Știi tu, să-ți ridici sprâncenele și să spui „mmm!" sau ceva de genul.

Cam așa stau lucrurile acum cu Buni.

Pălăvrăgește despre… Păi, cam asta este ideea. Nu o ascult, așa că nu știu despre ce bate câmpii. Deslușesc „Reverendul Robinson" și ceva despre slujba pe care a ținut-o în dimineața aceea, apoi despre doamna

Abercrombie şi despre Comitetul Băncii de Alimente şi ceva care are legătură cu altceva şi...

— Eşti bine, Ethel?

— Mmm? Da, Buni, mulţumesc. Bine.

— Doar ce ţi-am vorbit de Geoffrey al doamnei Abercrombie şi nu ai spus nimic.

Se pare că — deoarece Buni îmi spune din nou, iar de data aceasta mă asigur că sunt atentă — terrierul de Yorkshire al doamnei Abercrombie, Geoffrey, s-a alăturat listei de câini dispăruţi.

Mă prefac că îmi pare rău, dar:

a) Sunt prea obosită ca să-mi pese.

b) Geoffrey, în ciuda faptului că are numai trei picioare, este odios şi se pare că i-a crescut tupeul, pentru a compensa lipsa piciorului drept din faţă.

Şi...

c) Evident am un singur lucru în minte.

Ştii cum am spus că am terminat-o cu plânsul?

Se pare că m-am înşelat.

Toate emoţiile mele bolborosite dau pe-afară şi începe să-mi curgă nasul la masa din bucătărie. Simt braţele bunicii în jurul meu, iar ea nici nu ştie ce se întâmplă.

— E în regulă, spune ea. Dar cum poate şti?

O îmbrăţişez la rândul meu; e o senzaţie plăcută. În acel moment, în timpul acelei îmbrăţişări, totul pare din nou bine, iar eu îmi permit să uit pentru puţin timp că totul e departe de a fi în regulă. Îmbrăţişările sunt bune pentru asta.

Îmi dau puterea pentru încă o încercare.

— Buni? încep să-i spun. Știi că am zis azi-dimineață că am devenit invizibilă...?

Sper că va asculta în timp ce descarc tot ce mă apasă.

Însă nu o face. În schimb, își trage scaunul lângă mine și continuă EXACT de unde a rămas: sentimentul că lumea uneori te ignoră, senzația că trebuie să țipi ca să te faci auzită, că oamenii se uită direct prin tine ca și cum ai fi invizibilă.

Și așa mai departe. Se poartă frumos cu mine și toate cele, dar acest lucru nu mă ajută.

Gura mea e plină de cuvinte pe care vreau să le rostesc:

— Nu, Buni. Vreau să spun că eu CHIAR am fost invizibilă.

Dar îmi înghit din nou vorbele.

— Sunt puțin obosită, Buni, îi zic. Cred că mă voi duce la culcare.

— Bine, draga mea, spune Buni. Îți voi aduce niște lapte cu cacao.

Urc pe scări și mă uit de repetate ori în oglinda din baia mare. Toate par să fi revenit la normal — adică, nu mai sunt părți ale corpului meu care sunt invizibile.

Pe lângă acest lucru, cred că acneea mea începe să dispară. Nu e chiar așa. Nu e doar imaginația mea.

Mă simt foarte singură, iar acest lucru mă face să mă gândesc la mama.

Nu am mai deschis cutia de pantofi cu lucrurile mamei de o veșnicie. Se află acolo pe raft alături de cărți și de jucării de pluș, iar o dau jos, o deschid și întind toate obiectele.

CE SE AFLĂ ÎN CUTIA CU LUCRURI
DE LA MAMA

- Tricoul de care ţi-am povestit. Îl miros adânc şi e ca magia: un miros calm şi liniştitor. Îl ţin în faţa mea, despăturit, şi încerc să mi-o imaginez pe mama cum umple materialul negru. E un tricou de damă mărimea 36, conform etichetei, aşa că mama nu era chiar aşa de mare. (Întind tricoul pe pat.)

- Urmează felicitarea. (Citesc poezia, deşi o ştiu pe de rost; doar că îmi place să-mi imaginez mâna ei ţinând stiloul cu care a scris cuvintele. Probabil a purtat ojă închisă la culoare, iar mâinile îi erau subţiri şi palide.)

- Înăuntru se află trei pisici de pluş cu biluţe în interior, toate diferite: una albă cu negru, una cu dungi şi una roz. De fapt, ar trebui să fie patru, deoarece am văzut setul întreg într-un magazin de jucării, iar cea albastră lipseşte. Dar eu am numai trei şi e în regulă. Niciodată nu le-am dat nume, în caz că mama ar fi făcut acest lucru, iar eu nu am vrut să aleg alte nume. (Le aşez pe tricou, într-o linie ordonată.)

- Un pachet mic de dulciuri Haribo. Puţin ciudat, bănuiesc, însă Buni spune că mamei îi plăceau, iar la înmormântarea ei toţi cei care au venit au primit un pachet. Eu nu îmi prea amintesc acest lucru, dar îmi place ideea de a mânca dulciuri la o înmormântare, deşi nu le-am mâncat pe ale mele, evident, motiv pentru care încă le mai am. (Aşez pachetul lângă pisici.)

- În cele din urmă, am un pliant care face reclamă unui concert pentru o cântăreață, Felina, care urma să participe la un festival de muzică pe cheiul din Newcastle. Numai că mama a dormit înainte ca acest concert să aibă loc. Îmi place să cred că îl aștepta tot așa de nerăbdătoare cum aștept eu Crăciunul.

Capitolul douăzeci și cinci

Am făcut de o grămadă de ori acest lucru — împrăștiatul obiectelor din cutia de pantofi. Le așez la fel și niciodată nu mă întristez.

Doar că, de data aceasta, mă întristez, și acest lucru mă ia prin surprindere, și mă întristez și mai tare. Pun repede lucrurile la loc în cutie și încep din nou să plâng, stând pe pat și ascultându-mi respirația.

Și aici s-ar fi putut încheia toată isprava cu invizibilitatea mea. Doar o zi ciudată care a venit și a plecat, cu nicio persoană care să poată spune că am zis adevărul, cu excepția unui băiat nepopular de la școală, cunoscut pentru faptul că tot timpul are gura slobodă, astfel încât nimeni nu l-ar fi crezut.

Aș fi putut să închei totul aici. Ar fi fost bine.

Însă nu aș fi descoperit cine sunt.

Partea a doua

Capitolul douăzeci și șase

Imediat ce se înâmplă lucruri, observ că se întâmplă destul de repede.

Primul lucru, însă, nu este chiar un „lucru".

Este Elliot Boyd. Ei bine, Elliot Boyd și Kristen Olen. Și eu.

Încep cu Boydy. S-a decis că suntem cei mai buni prieteni și, de câteva zile a început să vină pe la mine, foarte prietenos, așteptându-mă la coada din timpul prânzului de la cantină și când trebuie să mergem acasă — iar acest lucru a fost observat de alți oameni.

Nu vreau să fiu rea cu el, dar încă mă calcă pe nervi cu permanentul șiroi de conversație tip monolog, mereu despre el și ceva pe care îl interesează pe *el*. Singurul subiect despre care vrea să vorbească, în afară de far, este invizibilitatea, iar noi nu putem discuta despre acest lucru de față cu alți oameni, așa că suntem numai noi doi. Sunt forțată să-l tolerez pentru că împărțim un secret și a luat pachetul de Dr. Chang Tenul Lui Așa Curat, motiv pentru care sunt foarte supărată pe mine însămi.

Ultimele după-amiezi am așteptat în toaletele de pe coridorul unde se află vestiarele pentru a mă asigura că a plecat înainte de a merge pe jos acasă. Ieri a stat după mine timp de jumătate de oră cu o privire uşor tristă pe faţa sa rotundă, care aproape că m-a făcut să mă răzgândesc.

A venit ora prânzului, iar gemenii Knight nu sunt de găsit. Am văzut că la rând stă Kirsten Olen, împreună cu Aramynta Fell şi Katie Pelling, iar eu mă alătur lor ca să mă asigur că am cu cine sta în caz că Boydy îşi va face apariţia.

Fetele sunt în regulă. Nu e ca şi cum nu aş plăcea-o pe Kirsten Olen. Mai degrabă ne-am îndepărtat decât să ne certăm.

Aramynta este cea de care nu sunt sigură. Începe din momentul în care ne aşezăm la masă (eu având grijă să nu fie locuri libere lângă mine, pentru orice eventualitate).

Aramynta îmi aruncă un zâmbet cald care mă înfioară şi îşi închide misterios ochii pe jumătate.

O, Doamne, acest lucru nu va decurge bine. Pot să îmi dau seama din zâmbetul ei. E prea prietenos. *De ce m-am aşezat aici?*

— Gaşca şi eu am stat de vorbă...

O, te rog. „Gaşca" este formată din Aramynta Fell şi câteva fete care stau la masă, probabil incluzând-o acum şi pe Kirsten, ceea ce e dezamăgitor. Luate separat, sunt de treabă. Katie Pelling m-a lăsat odată să copiez tema de la chimie de la ea când am uitat-o acasă, ceea ce a fost foarte frumos din partea ei. Împreună, însă, sunt complet obositoare. Se pare că misiunea lor în viaţă este să ignore când se poate regulile şcolii referitoare la interzicerea machiajului, a bijuteriilor şi a fustelor scurte şi mereu intră în bucluc din această cauză.

Serios: Care este scopul?

În fine, Aramynta continuă:

— Am stat de vorbă şi credem că, ştii, tenul tău e mult mai frumos decât era înainte.

— Ăăă... merci?

Katie Pelling începe să se înece de râs. Când acest lucru se întâmplă, ştii că eşti la capătul receptor al *unui lucru*, chiar dacă nu ştii ce e. Încearcă să acopere gestul cu o tuse, dar îmi pot da seama.

„Îndepărtează-te", ar spune Buni. „Îndepărtează-te şi nu te coborî la nivelul lor."

Un sfat bun, dar dacă vrei să afli ce voiau să zică?

— Şi toate ne cam întrebam: sunteţi, ştii tu, *oficiali* — tu şi prietenul tău?

Katie Pelling renunţă să se mai abţină şi degajă un horcăit de râs — genul de râs care vine însoţit cu o porţie nedorită de muci, ceea ce le face pe celalte fete să râdă şi mai mult.

Aramynta e supărată pentru că i-au stricat farsa serioasă, dar păstrează o expresie de inocenţă pură.

— Prieten? îi spun, încreţindu-mi fruntea şi încercând să apar surprinsă, ca şi cum nu aş şti *exact* la ce se referă. Eu nu am prieten. Ştii asta, Aramynta.

Bine, îmi zic: *calmă, dar fermă.*

— Dar tu şi Elliot Boyd arătaţi aaatât de drăguţi împreună! Nu-i aşa? Kirsten! Nu sunt drăguţi împreună? Elliot şi Ethel. *Ethiot!*

Kirsten dă din cap aprobator, chinuindu-se să păstreze o expresie serioasă.

— Ce drăguţ! Îi „expediez" la *maxim*!

În timp ce spune acest lucru, inima mea se scufundă, deoarece îmi dau seama că-mi pierd cea mai veche prietenă.

— Ai face bine să ai grijă, Ethel. Fetele vor umbla după el.

— Nu are de ce să-și facă griji, spune Katie Pelling. Elliot e mare cât pentru toate!

Se îneacă de râs.

M-am săturat. Toate sentimentele pe care le-am ținut ascunse preț de câteva zile se ridică în pieptul meu și simt cum mă înroșesc de mânie.

— Acel... acel *ghemotoc nu* e prietenul meu! Nu e niciun fel de prieten. Nici măcar nu-mi place de el. Cui îi place? E ca un ghimpe în coastă. Îl urăsc. Se ține de mine ca un miros urât.

Ultimul comentariu e o lovitură sub centură. Deși Boydy este enervant, am stat suficient de aproape de el, încât să știu că porecla „Miresmelliot" nu e meritată. Totuși, cred că am zis-o cu suficientă convingere. În fața mea, Aramynta și Kirsten au ochii bulbucați.

Numai că nu se uită la mine, ci puțin după umărul meu. Fără a mă întoarce, mimez întrebarea „E acolo?" lui Kirsten, care dă din cap aproape imperceptibil.

Mă ridic cu tava mea. Din colțul ochiului, îl văd cu tava în mână, suficient de aproape ca să audă tot ce am zis.

Fără să mă apropii pentru a mă uita la chipul său, știu că arată trist și confuz, cum a fost alaltăieri lângă vestiare.

Mă urăsc.

Capitolul douăzeci și șapte

Există o amintire pe care o am de când eram mică: în-
mormântarea mamei.

Buni spune că înmormântarea mamei a fost un eve-
niment restrâns, dar în amintirea mea nu e așa. Cred
că este așa, deoarece tuturor ne place să ne gândim la
mamele și la tații noștri ca fiind persoane foarte impor-
tante, iar un eveniment restrâns nu ar fi corespuns cu
acea imagine, nu-i așa?

În fine, ne aflăm într-o biserică mare, însă în loc de
orgă avem muzică rock. Muzică rock zgomotoasă și zbu-
ciumată și mulți oameni care mănâncă Haribo.

(Apropo, acesta nu e un vis — cel puțin eu nu cred că
e. În mod clar, este o amintire, dar poate este amestecată
cu alte lucruri, deoarece nu ai în mod obișnuit muzică
rock la o înmormântare, deși *erau* jeleuri Haribo, așa că
nu știu sigur.)

Buni e cu mine și cred că e și străbunica, într-un
scaun cu rotile. Iar Buni e furioasă, dar nu pe mine.

Nu tristă: doar furioasă. Fața ei e rece și aspră, pre-
cum marea într-o zi de iarnă în Whitley Bay.

Aceasta e amintirea. E una ciudată, nu-i așa?

Nu e mult, dar ai puțină răbdare.

Nu vreau să te sperii sau ceva de genul, dar știai că atunci când vorbim de cenușa unei persoane decedate, aceasta nu e, de fapt, cenușă? E os mărunțit. Osul e cam tot ce rămâne după o incinerare, adică momentul când arzi corpul unui mort în loc să-l îngropi și primești cenușa ca să-l îngropi sau să-l arunci în mare sau ceva de genul. Este ceea ce se întâmplă cu majoritatea oamenilor în ziua de azi, spune Buni.

Cum de am ajuns aici? Știu că pare sinistru, dar voi termina în curând. Motivul este următorul: mama mea nu are mormânt.

Vezi tu, am urmărit filme și am citit cărți în care mor oameni, iar morții mereu au morminte. Persoana în viață — de obicei un soț, sau o prietenă, sau ceva de genul acesta — merge apoi la mormânt și vorbește cu persoana decedată și le povestește despre viața lor. Apoi, de obicei, așază niște flori acolo sau ating piatra funerară, iar momentul e înduioșător și trist și eu adesea plâng la acele scene.

Dar eu nu pot face acest lucru — să vizitez un mormânt —, deoarece mama a fost incinerată.

Nici măcar nu știu ce s-a întâmplat cu cenușa mamei, dacă stau să mă gândesc. Va trebui să o întreb pe Buni.

De ce îți povestesc acum toate acestea?

Cred că mă pedepsesc. Isprava cu Boydy m-a supărat și merit să mă simt rău gândindu-mă la mama.

Majoritatea oamenilor aflați în situația mea ar încerca să fie fericiți când își aduc aminte de mama lor. Nu și eu.

Cel puțin nu, dacă nu mă uit prin cutia de pantofi cu lucrurile mamei.

(Și chiar și-atunci, nu mă simt chiar *fericită*.)

Însă, acest sentiment de tristeţe şi de vinovăţie rămâne cu mine, iar acesta este unul dintre motivele pentru care ajung din nou invizibilă.

Sau, cel puţin inoportună.

Capitolul douăzeci și opt

A trecut mai mult de o săptămână, iar eu nu m-am întors să o văd din nou pe străbunica.

Ca să fiu sinceră, încep să cred că mi-am imaginat tot ce s-a întâmplat. Știi tu, străbunica făcându-mi semn în secret că ar vrea să vin singură. De ce ar face asta? În mintea mea, am derulat evenimentul de mai multe ori și era, de fapt, doar o privire.

Are o sută de ani. Ar putea fi cu ușurință nimic.

Însă instinctul meu îmi spune că nu. Instinctul meu îmi spune că e *ceva* — că străbunica vrea să-mi spună ceva ce trebuie să știu.

În drumul spre casă (evident, singură), observ încă un afiș cu un câine dispărut care a fost lipit pe stâlpul de animale dispărute. Este Geoffrey. Pe afiș, apare o poză cu el și un text:

DISPĂRUT
Terrier de Yorkshire, cu piciorul din față lipsă. Zgardă roșie
Răspunde la numele Geoffrey
Sunați-o pe doamna Q. Abercrombie

07974 377 337
RECOMPENSĂ

Acasă, ora ceaiului cu Buni e ciudată.

E *foarte* tăcută în ultima vreme. Eu, roasă de remușcarea mea că l-am rănit pe Boydy, iar Buni, preocupată de nu se știe ce, ne bem ceaiul practic în liniște.

Biscuiții sunt luați de la magazin. Nu *este* un lucru obișnuit.

Nu spun nimic.

Puțin mai târziu, îi trimit un SMS lui Boydy. Este probabil cel mai dificil lucru pe care am fost nevoită să-l scriu vreodată:

Salut. Scuze pentru ce s-a întâmplat ieri. Nu e ceea ce cred cu adevărat. Prieteni?

Cincisprezece cuvinte. Mă gândesc dacă vor fi de ajuns când primesc notificarea aproape imediat.

Prea târziu. Las-o baltă. „Ghemotoc"? Credeam că unele lucruri sunt peste limită. Se pare că nu.

Așadar, a auzit totul, inclusiv partea cu „ghemotoc". Nu e ca și cum l-am făcut gras, dar e cam tot pe-acolo. De ce am făcut asta?

În perioada în care ne-am cunoscut, Boydy nu a făcut nici măcar *o dată* vreo remarcă despre coșurile mele sau, dacă tot veni vorba, despre aspectul meu. O singură dată a spus că i se pare că părul meu arată bine,

125

apoi s-a înroşit atât de tare, încât eu cred că a regretat ce-a zis.

Nici eu nu am spus vreodată ceva despre dimensiunile lui.

Dar unele lucruri depăşesc o limită, indiferent de cât de supărat eşti. Să fac referinţe la greutatea lui Boydy, descopăr acum, e unul dintre acele lucruri. Suferinţa se vede din mesaj.

Odată mi-a spus că toată viaţa sa a fost „mare" şi că urăşte acest lucru. Tocmai am făcut lucrurile mai grele pentru el.

Să răneşti sentimentele oamenilor îşi merită locul pe lista lui Buni de lucruri „destul de comune". Dacă stai să te gândeşti, comentariile dureroase despre înfăţişarea cuiva sunt probabil „înfiorător de comune".

Doamna Hall a spus că va urca pe site-ul şcolii tema mea, dar nu e acolo sau cel puţin eu n-o găsesc. Dau click peste click pe site când văd anunţul pentru concursul de talente al şcolii, care e mâine, iar numele lui Boydy apare pe lista de concurenţi.

Lucru inevitabil, de fapt. Dacă ar fi cineva care ar refuza să permită absenţa talentului, să o impiedice să participe la un concurs de talente, acesta ar fi Elliot Boyd cel prea încrezător. Mi-a vorbit despre acest lucru într-unul dintre monologurile sale ţinute când mergeam spre casă, dar informaţia s-a cam pierdut în zgomotul general boydian.

A început să înveţe să cânte la chitară de exact o lună. Iar eu pot vedea din lista de participanţi cu care concurează că deja n-are nicio şansă.

- O trupă de thrash-metal din clasa a noua numită Mama Dragonilor, care a cântat odată la o întrunire şi e foarte zgomotoasă şi foarte bună.
- Savannah şi Clem Roeber, care merg la dansuri de societate pe muzica contemporană, cum vezi la televizor. Şi ei sunt buni.
- Nilesh Patel, care e în clasa a zecea şi care face stand-up comedy în toată legea, nu doar recită o listă lungă de bancuri luate dintr-o carte.

De fapt, toată lumea e foarte talentată. Va fi măcelărit. Săracul Boydy nu poate cânta la chitară pentru nişte caramele şi va fi huiduit pe scenă.

De fapt, el nu va fi huiduit, deoarece acest lucru nu va fi permis. Însă va fi urmărit într-o linişte deplină, aplaudat fără sinceritate şi batjocorit până la adânci bătrâneţi.

Iar eu îmi dau seama că:

a) nu vreau să i se întâmple lui acest lucru. Şi…

b) dacă pot cumva evita acest lucru, el mă va ierta, pentru că l-am insultat de faţă cu Aramynta Fell şi cu celelalte fete.

În acel moment, decid să devin invizibilă din nou.

Să încerc să-l salvez pe Boydy. Măcar atât pot să fac, ţinând cont de felul în care i-am rănit sentimentele.

Este ciudat, de asemenea, cât de repede se conturează în capul meu decizia asta. Este ca şi cum m-aş holba la ecranul de pe calculator şi apoi — *pac!* — totul devine clar. Acest lucru mă consolează. Trebuie să fie un plan bun dacă mi-a trecut prin minte aşa uşor.

Nu?

Vezi, ceea ce crezi tu e mai puţin prostesc decât pare.

Doar puţin.

Voi urca pe scenă în timp ce cântă. Voi fi invizibilă, reuşind cumva să nu mă duc la şcoală în ziua aceea şi voi petrece dimineaţa în solar. Îi voi şopti indicaţii în ureche şi voi ridica din mâinile sale chitara, creând astfel cea mai minunată iluzie:

Chitara plutitoare!

Eu chiar pot cânta puţin. Mai bine decât Boydy în orice caz, aşa că în timp ce chitara pluteşte, voi zdrăngăni câteva corzi şi el îşi va flutura mâinile precum un magician, iar gestul său va fi primit cu un ropot nemaivăzut de aplauze şi de încântare!

Sună bine, nu?

Nu. Acum, că am schiţat planul, pare complet ridicol. Fantezia unei minţi care a fost sucite de amestecuri de plante şi de supraexpunere la ultraviolete.

Tu decizi, dar măcar eu m-am hotărât. Da, e un risc. Însă efectele de data trecută au fost păi... inexistente. Pielea mea s-a îmbunătăţit. Pot chiar să mă conving de faptul că părul meu e mai strălucitor şi încerc să-l dau într-o parte precum Aramynta Fell, dar nu pot. Probabil arăt ca un cal dement enervat de muşte.

Aşadar, am decis. Însă acum am altceva de făcut. Aceasta este seara în care mi-am spus că o voi vizita singură pe străbunica, să aflu ce Dumnezeu a vrut să spună — dacă e cazul — prin acea privire pe care mi-a aruncat-o la ziua ei.

O aud pe Buni strigându-mă de jos:

— Am plecat! Pa, dragă. Nu voi întârzia.

Azi, este „seară de concert" pentru Buni. Cam o dată pe lună, Buni şi câteva dintre prietenele ei merg la un concert de muzică clasică sau jazz, muzică de oameni bătrâni, de fapt.

În această seară, concertul va avea loc devreme. Cam la ora șase, la Whitley Bay Playhouse. Un cvartet de jazz. Totul se termină la opt.

Acest lucru îmi dă puțin peste două ore pentru a ajunge la azilul de bătrâni ca să aflu de ce străbunica se purta atât de ciudat de ziua ei.

Capitolul douăzeci și nouă

Până ajung la Priory View se face ora șapte și sunt udă leoarcă, la exterior, din cauza ploii care a început în clipa în care am ieșit pe ușă, iar pe dedesubt din cauza faptului că am transpirat sub impermeabil.

Am venit cu metroul și am adus-o pe Lady cu mine. E bine cu Lady în vizită la străbunica la azil, deoarece, dacă aceasta nu zice nimic (ceea ce e obișnuit), putem să o mângâiem pe Lady, care nu e deranjată de ce spune cineva atât timp cât cineva o gâdilă pe burtă. Iar străbunica mereu zâmbește când o vede pe Lady.

Sunt doar trei stații până la Tynemouth, apoi am de mers trei minute pe faleză, unde picăturile sărate și grase de ploaie vin dinspre Marea Nordului.

Așadar, trec prin intrarea de la Căminul rezidențial de bătrâni Priory View, cu Lady prinsă de lesă, iar un bărbat vine din partea opusă pe ușă. Numai că acesta nu se uită pe unde merge și aproape ne ciocnim, dar nu chiar. Observ din prima că e fumător: mirosul de tutun vechi îl însoțește persistent.

Se uită în telefon, pe care-l folosea pentru a scrie mesaje, și avem un schimb ciudat de replici. La suprafață, pare destul de obișnuit, dar mă lasă cu un sentiment neliniștit și nedumerit.

Amândoi zicem „O, îmi cer scuze!", cum e politicos, însă acesta se oprește și îmi cam blochează calea, nu agresiv sau ceva de genul. Chestia e că se uită la mine *foarte* intens.

Apoi privește în jos, ca și cum știa că se holbează și spune:

— Drăguț câine!

Ai câine? Fie că ai, fie că nu, „drăguț câine" e începutul universal al unei conversații la oameni când, cel puțin unul dintre ei, are un câine. E ca și cum ai vorbi de vreme, dar mai puțin plictisitor.

Totul decurge așa:

— Drăguț câine!

— E băiat sau fată?

— Ce rasă este el / ea? (Acesta se folosește când rasa nu e evidentă. E la fel în cazul lui Lady. Conversația decurge așa: „Labrador nu-i așa?")

— Câți ani are?

— Cum se numește?

Cam asta e, în mare. După aceasta, continui conversația, dacă vrei, iar dacă nu vrei, fiecare pleacă în drumul său.

Iar acest lucru este în mare modul în care decurge schimbul de replici cu acest bărbat, numai că e puțin ciudat, deoarece:

a) toți suntem prinși laolaltă în holul unei case de bătrâni și

b) acesta se tot *holbează* la mine.

În mod ciudat, nu mă simt înfricoșată de acest lucru, ceea ce ar fi normal. Un bărbat necunoscut holbându-se la tine ar fi un motiv suficient de spaimă, dar se pare că nu de data aceasta. De fiecare dată când mă uit, acesta se holbează intens la mine.

E tinerel — aş zice în jur de treizeci de ani — şi îmbrăcat ca un profesor. Pantaloni de velur, cămaşă cu guler deschis la gât, pulover cu anchior, pantofi lucioşi. Are părul scurt şi blond închis, faţa subţire şi un set de dinţi drepţi care sunt prea albi şi pe care îi tot etalează în faţa mea în timp ce zâmbeşte — puţin cam exagerat pentru o persoană pe care tocmai ai cunoscut-o.

Cât timp se întâmplă toate acestea, Lady îi miroase pantofii şi dă din coadă, iar când domnul îşi ridică mâna să o mângâie pe cap observ un lucru ce mi se pare complet nepotrivit cu stilul său raţional de profesor de geografie, şi anume faptul că primele două degete de la mână au pete galbene de la fumul de ţigară. (Singura dată când am văzut acest lucru înainte a fost în cazul unui bătrân neîngrijit de la biserică, pe care Buni mereu îl opreşte să-l salute, deoarece, spune ea, nimeni altcineva nu o face.)

— Uite, aş face bine să… ăăă… îi spun, dând din cap spre interiorul clădirii.

— Da, da, desigur, îmi zice ca şi cum s-ar fi ruşinat dintr-odată.

Vorbeşte cu accent londonez. În mod clar nu are un accent Geordie. Preţ de o secundă, mă întreb dacă ar putea fi tatăl lui Boydy. Dar de ce ar fi el aici?

— Ăăă, pa… n-am auzit cum te cheamă.

Bine, acum devine cam dubios. Conversaţiile despre câine nu se întind în mod obişnuit spre prezentări.

— Ethel, îi spun şi nu intenţionez ca vocea mea să pară atât de rece, dar aşa iese.

— Desigur, îmi spune, tonul său mai desumflat. Desigur. Atunci pa, Ethel. Și Lady.

— Pa.

Îl urmăresc în timp ce pășește afară pe trepte, iar mirosul de tutun vechi persistă în urma sa pe holul de la intrare. Pășim pe covor în recepția primitoare și mergem direct spre camera străbunicii. Cum trecem de colț, mă uit în urma mea, iar bărbatul stă încă pe trepte aprinzându-și o țigară și se întoarce imediat, rușinat că a fost prins holbându-se.

— Ei, floarea mea — ești udă leoarcă! spune o angajată în timp ce intru cu apa picurând de pe haine.

Lady se scutură bine și, în loc să se enerveze, doamna doar râde. Mă știe, dar nu după nume.

— Ai venit să-ți vezi bunicuța, floricică?

— Străbunica mea, da.

— Ei bine, tocmai și-a băut laptele fierbinte. Stă pe scaun acum.

— Cum se simte?

Asistenta face o pauză, în mod evident cântărind cât anume să-mi spună. În cele din urmă, se decide să-mi zică:

— Bine și rău, draga mea. Bine și rău. Nu așa de binedispusă azi. Dar se va bucura să te vadă. Ești al doilea vizitator pe care l-a avut azi!

Nu știu altă persoană care s-o viziteze pe străbunică, dar presupun că nu știu chiar tot despre ea.

Pășesc de-a lungul coridorului cu Lady, trecând de camera bătrânului Stanley. Este aici, ca de obicei, cu spatele la fereastră și își ridică slăbit capul în semn de întâmpinare, mai mult lui Lady decât mie, cred, dar nu-mi pasă. De data aceasta mă opresc.

— Bună, Stanley, îi spun.

I-aş fi spus „domnule Cineva" dacă i-aş fi ştiut numele de familie, dar nu-l ştiu. Nu mă aude. Nu cred.

Apoi, o asistentă trece pe lângă mine nerăbdătoare, ignorându-mă complet.

— BINE, STANLEY, DRAGULE! ŢI-AM ADUS SUPOZITOARELE!

Mă dau la o parte. Nu vreau să ştiu mai multe lucruri despre Stanley şi despre remediile lui împotriva constipaţiei.

Străbunica stă aşezată aproape la fel cum am văzut-o ultima dată, dar azi nu reacţionează. Nu pare să mă aştepte, deşi le-am telefonat celor de la Priory View să-i anunţ că vin.

Scaunul ei era situat cu faţa la fereastra mare, iar mâinile ei sunt sub pătura din tartan.

— Salut, străbunica, îi spun, iar Lady merge la ea, înghiontindu-i braţul pentru o mângâiere.

Nu primim niciun răspuns. În schimb, străbunica se holbează, mişcându-şi uşor maxilarul. Cred că are o bomboană acolo, probabil una de mentă. Îi plac alea.

— Ce ai mai făcut? Arăţi bine. Îmi place puloverul tău. E nou?

Fac o pauză după fiecare întrebare, iar dacă nu primesc niciun răspuns, mă prefac într-un fel că au fost. Am învăţat toate astea de la Buni. Aşa face ea.

Prin urmare, încep să-i vorbesc despre şcoală. Iar asta duce la povestea despre Aramynta Fell şi despre gaşca ei şi despre cât de obositoare sunt. Încerc să fac povestea amuzantă, dar e greu când nu ai nicio reacţie.

Povestindu-i străbunicii despre Aramynta, gândul mă duce la Boydy, iar înainte să-mi dau seama îi spun străbunicii totul despre cum e să fii invizibilă.

Știu că n-ar trebui, dar chiar dacă spune altcuiva, cine din lumea aceasta ar crede-o? Ar fi descalificată din start, ca fiind povestea incoerentă a unei femei foarte bătrâne. Când îmi dau seama, acest lucru mă face să mă simt vinovată. Arată ca și cum aș profita de tăcerea străbunicii. Ea stă însă acolo, holbându-se la ploaia care se lovește de geam, molfăindu-și desertul, chestie pe care o face deja de zece minute bune. Probabil, fără a-mi da seama, intenționasem să-i spun ei totul de la început.

Lady s-a așezat la picioarele străbunicii și s-a întins pentru un somn lung.

Ne oprim din vorbit. Sau mai degrabă *eu* mă opresc. Este destul de obositor să menții o conversație cu tine însăți. Ce a auzit? Ce a înțeles?

Atunci, ea spune ceva.

— Invizibilă.

Asta e. Asta e tot ce spune. E suficient însă, pentru ca eu să știu că nu mi-am bătut gura degeaba în ultimele zece minute.

Continui cu vorbăria.

— Am auzit că ai mai avut azi un vizitator, străbunico. Cine era? Era vreun prieten vechi din Culvercot? Îmi închipui că e frumos să primești musafiri, nu-i așa?

O, Doamne! Mă apucă disperarea acum. E în regulă însă, deoarece când mă uit din nou la ea, străbunica a adormit pe scaun, cu capul căzut într-o parte. Mă ridic să plec și, văzându-mă, Lady se chinuie și ea să se ridice în picioare.

Atunci, intră în sală una dintre asistente.

— Bine, Lizzie. Vrei să vii la salon? A început noul episod din *EastEnders*. Te așezăm în scaun și te luăm cu noi.

Are un accent străin. Nu știu de unde e, dar vorbește puțin cam ca Nadiya din clasa a șasea, care e din Lituania.

— Doarme, i-am spus asistentei.

— Doarme? Nu cred eu — nu Lizzie. NU DORMI, NU-I AȘA LIZZIE?

Ochii străbunicii se deschid, iar aceasta pare surprinsă că mă vede.

— Vezi? Doar își odihnește ochii, nu-i așa?

— Mă scuzați, îi spun cât pot eu de politicos pot asistentei pline de viață. Cine a vizitat-o pe străbunica azi?

Asistenta nu se uită la mine.

— A, deci a avut un vizitator? Ce norocoasă ești, Lizzie: doi într-o zi!

Apoi, îmi spune:

— Îmi pare rău, dragostea mea, dar abia am intrat în tură. Uită-te în registrul vizitatorilor. Toți se semnează.

Eu știu că nu m-am semnat. Căminul pare destul de relaxat în această privință.

— Hei, Lizzie. Cum de nu te coci sub pătura asta? Hai, am eu grijă de tine.

Asistenta ridică pătura de tartan. Mâinile străbunicii au stat sub ea în tot acest timp, ținând strâns o bucată de hârtie tare.

E o fotografie. Una veche, cu o suprafață lucioasă.

Știu imediat cine e bărbatul — e tatăl meu, numai barbă și păr murdar. Ține în brațe un copil mic care s-ar putea sau nu să fiu eu (e puțin neclară poza). Iar în spatele său e o femeie şi aceasta zâmbeşte larg şi îşi ţine mâna pe piciorul meu, ca şi cum îşi doreşte să apară în poză, dorind să arate că face şi ea parte din aceasta.

Însă aceasta nu e mama mea. Femeia are buzele date cu mult ruj, cu ochelari închişi şi rame cu vârful în sus şi cu părul castaniu aranjat într-un coc enorm. Îmi pare vag familiară, în felul cum îmi pare cunoscută o vedetă rock sau o celebritate, dar nu am nicio idee cum o cheamă.

De ce cineva care nu este mama mea ar fi într-o poză ca aceasta? Ar putea fi vreo soră de-ale tatălui meu, presupun. Dacă stau să mă gândesc, ar putea fi oricine.

Oricine.

Dar nu e, nu-i aşa?

Străbunica a vrut ca eu să văd poza aceasta şi de asta mi-a spus să vin.

Capitolul treizeci

Străbunica întoarce fotografia cu mâinile tremurânde de mai multe ori şi mă priveşte încet.

— Asta sunt eu, străbunico? o întreb şi îi iau uşor fotografia din mâini. Cine este această femeie?

Străbunica nu se uită la mine. Gura ei începe să se mişte şi îşi linge buzele. Recunosc gestul. Îşi adună energia pentru a spune ceva.

— Cine eşti? îmi zice.

Ochii i s-au limpezit şi ea se uită direct la mine.

Cu siguranţă străbunica ştie cine sunt, nu? Inima îmi tresare pe măsură ce îmi dau seama că probabil îşi pierde într-un final minţile. Nu îşi mai recunoaşte propria strănepoată?

Cu blândeţe îi spun:

— Sunt eu, străbunico. Ethel. Strănepoata ta.

Adaug puţin mai tare:

— *Ethel.*

Ochii îi mijesc şi buzele se unesc într-o expresie de nerăbdare.

— Cine eşti, drăguţo?

Iau poza şi privesc mai de-aproape. Asta sunt eu; acela e în mod evident tata. Arăt spre femeia cu păr mult.

— Cine-i? o întreb.

Dar ochii străbunicii s-au înceţoşat, ca şi cum şi-ar fi tras o plasă peste privire şi se întoarce din nou spre geam.

Ţin poza aproape ca să văd mai bine. Atunci o miros. Tutun vechi. Mirosind poza, mi se confirmă faptul că miroase puţin a ţigări.

Aşadar, mă holbez la poză şi o miros, ceea ce ar putea arăta ciudat, iar în acel moment îmi dau seama că asistenta de dinainte se uita peste umărul meu. Ne-a ascultat conversaţia, iar eu nu mi-am dat seama că era acolo.

— Ştii cu cine seamănă? spune asistenta în timp ce umflă perna şi o propteşte în spatele străbunicii. O, tu eşti tânără. A murit acum mulţi ani. Probabil chiar înainte să te naşti tu. E exact ca Felina! Arată leit. A interpretat cântecul acela: *Aprinde lumina... la la la la...*

Asistenta cântă un vers din aceeaşi melodie pe care a interpretat-o Boydy mai de mult. Am auzit, de asemenea, de numele Felina, cred; cu siguranţă e un nume de scenă.

Îi dau dreptate asistentei.

— O, da. Am auzit de cântecul ăsta.

Sunt sigură că fotografia e un cadou pentru mine, aşa că o pun în buzunar.

Apoi, asistenta îmi zice altceva. Pur şi simplu trăncăneşte, făcând conversaţie.

— A distrus-o show business-ul, asta spun toţi.

— Pe cine? Pe Felina?

— Da. Droguri, alcool… tot tacâmul. Au ruinat-o. Într-un final, au ucis-o, da? Să fie asta o lecție de viață, floricico.

Face cu degetul la mine, dar nu e răutăcioasă.

— Știu că-i plac cântecele.

Se întoarce spre străbunica și vorbește mai tare.

— Îți plac cântecele Felinei, nu-i așa Lizzie? Ești o mare fană, nu?

Buni doar clipește în timp ce se uită pe fereastră. Cred că zâmbește puțin.

— Eram aici alaltăieri și unul dintre cântece a fost dat la radio. Mi-am putut da seama că ascultă. Degetele ei se mișcă în ritmul muzicii, jur pe Dumnezeu.

Capitolul treizeci și unu

În drum spre casă, folosesc o parte din datele de pe telefon pentru a asculta *Aprinde lumina* de Felina. E o melodie lentă, cu multe sunete slabe de chitară, un saxofon (cred) și bătăi grave de tobă. Vocea Felinei e guturală, dar frumoasă.

„Mereu ai spus că n-ar trebui s-o fac,
Dar eu mereu ți-am zis că fac ce-mi trece prin cap.
Tu nu ai fost niciodată alături de mine,
Dar n-am vrut niciodată să-mi pese de tine...
Aprinde lumina! Vreau să te văd în seara asta.
Aprinde lumina! Lasă-mă să îndrept lucrurile...“

Nu prea mă pricep la analiza de versuri. Majoritatea par să fie destul de lipsite de sens. Însă eu cred că aceasta este în mod evident o poezie furioasă despre o femeie și un bărbat cu care ea nu prea se înțelege. Mă întristează, dar tot o ascult de trei ori.

Ajung acasă cu puțin timp înainte ca Buni să fie adusă cu mașina de reverendul Henry Robinson.

Nu îi spun că am fost să o văd pe străbunica și nu-i arăt fotografia. Știu că e importantă, dar nu pot să-mi dau seama de ce și este destul de clar că e vorba despre un soi de secret.

De ce m-ar întreba străbunica cine sunt?

Capitolul treizeci şi doi

Păzesc un secret. La fel o fac şi Buni şi străbunica. E un sentiment dezolant. Mă întreb: dacă totul ar fi fost scos la iveală, aş fi făcut ce urma să fac?

În acea seară, înainte de culcare, în pregătire pentru ziua de mâine, beau un litru de Dr. Chang Tenul Lui Aşa Curat. Aproape vărs, dar reuşesc să mă abţin.

Mâine, voi fi din nou invizibilă. Mâine, îmi voi lua revanşa, pentru că am fost atât de rea cu Elliot Boyd.

Dar e mai mult decât atât, nu-i aşa? Tu ştii asta, şi o ştiu şi eu.

A-ţi lua revanşa pentru că ai fost rea cu cineva e drăguţ şi toate cele. Şi da, toţi ar trebui să încercăm să nu rănim sentimentele celorlalţi de la bun început, dar nu e un motiv suficient de bun pentru o acţiune atât de riscantă.

Aşadar, de ce o fac?

Este ultimul lucru la care mă gândesc înainte de a cădea într-un somn chinuit şi asudat.

Cine sunt eu?

Cine sunt eu?

Voi deveni din nou invizibilă şi voi afla.

Capitolul treizeci și trei

Și acum, o altă mărturisire.

Sunt o hoață.

Nu una nepricepută. Doar că praful pe care l-am cumpărat pe internet din China, Dr. Chang Tenul Lui Așa Curat, a fost luat folosind cartea de credit a lui Buni.

E rău, știu, iar Buni, dacă ar afla vreodată, s-ar supăra foarte tare pe mine.

Însă eu nu cred că va afla. Cel puțin nu mult timp de acum înainte. Știu cu certitudine că e cu adevărat nepricepută în a-și verifica extrasele de cont. Acestea se adună teanc, nedeschise, într-un sertar din bucătărie săptămâni la rândul și apoi va avea o seară întreagă în care le va deschide pe toate și le va pune într-un dosar pe care îl înmânează o dată sau de două ori pe an domnului Chatterjee, care îi ține contabilitatea.

Dacă aș fi vrut, aș fi putut folosi cardul lui Buni să-mi comand tot felul de lucruri, dar nu o fac. De fapt, aceasta este singura dată când am făcut-o și a fost numai pentru că Buni a refuzat rugămintea mea de a comanda praful pe motiv că era „o prostie" și „probabil destul de periculos".

Deci sunt o hoaţă.

Acum voi deveni şi falsificatoare.

Trebuie să falsific un bilet de scutire de la Buni adresat şcolii. Ceea ce vreau să zic este că, dacă sunt invizibilă, aceştia vor crede că sunt absentă, nu-i aşa? După cum reiese, acest lucru e şi mai uşor, deoarece conducerea şcolii acceptă e-mailuri pe post de scutiri de absenţe.

În dimineaţa următoare sunt trează la şase şi jos, la calculator, înainte ca Buni să se trezească. Am intrat în contul de e-mail al lui Buni.

Pentru: admin@whitleybayacademy.ac.uk

De la: beatriceleatherhead12@btinternet.co.uk

RE: Ethel Leatherhead, Clasa a VII-a A

Vă rog să o învoiţi azi pe Ethel de la şcoală. Nu se simte bine din cauza unei probleme la stomac. Mă aştept să se întoarcă mâine.

Vă mulţumesc.

B. Leatherhead (Dna)

Dau click pe *TRIMITE*, apoi mă duc în folderul „MESAJE TRIMISE" şi şterg e-mailul.

Acum începe aşteptatul. Trebuie să aştept ca administratorul şcolii să îmi răspundă cu o confirmare şi să şterg mesajul imediat după aceea. În acest fel, mesajul nu va apărea pe telefonul lui Buni, dacă îşi va verifica e-mailul la locul ei de muncă.

Calculatorul mă anunţă că am primit un e-mail, dar nu e cel pe care-l aşteptam, aşa că dau volumul mai încet.

Doamna Moncur, administratoarea, ajunge de obicei la şcoală pe la 7:45, deoarece am văzut-o venind când mă duceam la repetiţiile de dimineaţă pentru cor (până când Buni m-a oprit, deoarece credea că nu dorm suficient).

Buni coboară pe la 7:30.

Am emoţii, dar încerc să mă comport normal, cu ochii pe calculator.

— Ai adus ziarul în casă? întreabă Buni când intră pentru a lua micul dejun.

În fiecare dimineaţă, ni se livrează ziarul, iar Buni îl citeşte în timp ce mănâncă o felie de pâine prăjită integrală şi jumătate de grapefrut. Între timp, eu îmi ronţăi cerealele.

— Nu, îi răspund.

Băiatul care livrează ziarele e complet neserios, lipsind cam o zi pe săptămână. Şi, când se-ntâmplă acest lucru, Buni merge la calculator pentru a citi online titlurile din ziare.

E timpul să gândesc repede. Routerul este în cealaltă parte a bucătăriei, în partea opusă a calculatorului, lângă frigider. Când Buni îşi trage scaunul să stea la masă, îmi iau paharul relaxată pentru a-mi turna nişte suc şi întorc comutatorul routerului.

Va fi numai o soluţie temporară. Buni nu e expertă în calculatoare, dar ştie să aprindă şi să stingă un router.

O aud ţâţâind.

— Chiar aşa. Ethel, poţi să vii să te uiţi aici? Nu merge internetul.

— Ai cerut să-ţi facă o verificare? o întreb, aplecându-mă deasupra ei şi dând click-uri cu mouse-ul. Făcea fiţe de ieri.

O verificare durează câteva minute, dar va reveni cu un mesaj care spune: *Nu sunteţi contectat la internet. Vă rog, verificaţi-vă routerul.*

În timp ce calculatorul face verificarea, Buni iese din bucătărie.

Trebuie să acționez rapid.

Deschid un document în Microsoft Word, selectez un font plictisitor și tastez rapid următoarele:

SERVICIUL DUMNEAVOASTRĂ DE INTERNET ESTE DEZACTIVAT TEMPORAR. EROARE NUMĂ-RUL 809. VĂ RUGAM SĂ ÎNCERCAȚI MAI TÂRZIU.

Fac un print screen rapid apoi import imaginea în folderul cu poze.

O, Doamne, am uitat cât de mult ia până se deschide o poză...

De îndată ce afișează poza, o deschid și dau click pe *EDITEAZĂ*, tăind imaginea astfel încât să obțin numai un dreptunghi cu text pe care îl mut pe desktop.

O pot auzi pe Buni coborând.

Așez anunțul fix în mijlocul ecranului și fac un alt print screen, pe care-l deschid și măresc pe tot ecranul exact când Buni se-ntoarce în bucătărie.

Îmi ajustez expresia facială dintr-una COMPLET PANICATĂ în una ușor iritată și țâțâi.

— E o problemă cu serverul, îi spun. Uite.

Vine și citește anunțul cu eroarea. Nu arată *deloc* ca o eroare adevărată, dar, dacă nu ești suspicios, atunci arată în regulă.

Din fericire, Buni nu e suspicioasă. Mișcă puțin mouse-ul, apoi merge să dea drumul la ceainic.

Rezultat! În acel moment, o altertă de mesaj nou apare în partea dreaptă de sus a ecranului.

Vă mulţumesc că ne-aţi informat despre absenţa copilu-
lui dumneavoastră. Sper că se va recupera repede.
Cu stimă,
Doamna D. Moncur (Administrator)

Dau click pe „şterge" în timp ce Buni stă întoarsă cu
spatele.

Uff. Toate acestea pentru o zi sau două zile libere de
la şcoală.

Capitolul treizeci și patru

Acum că Buni a plecat la serviciu (mi-am „amintit dintr-o-dată" o temă la geografie pe care nu o terminasem, așa că a plecat fără mine), am dat pe gât încă două căni de ceea ce acum numesc Dr. Chang Fantastic de Scârbos Tenul Lui Așa Curat.

Devin din ce în ce mai pricepută în a ține totul în stomac. Nu mă simt chiar atât de rău acum, deși stomacul meu se frământă din cauza emoțiilor și este balonat ca ultima oară.

Îmi dau seama că voi aștepta ca gazul să înceapă să iasă înainte de a mă urca pe patul de bronzat. Vreau ca totul să fie la fel cum a fost înainte.

Nu trebuie să aștept mult timp. Cam la o oră după ce a plecat Buni, încep să gârâi.

Încerc să calculez timpul ținând cont de începutul competiției noaste, Whitley Are Talent, care va avea loc la ora 1:30, imediat după prânz. Ultima dată, invizibilitatea mea a durat în jur de cinci ore, așa că nu trebuie să mă dau jos din solar decât pe la 10:30 sau mai târziu. Asta înseamnă că sunt în timp.

Inima îmi bate tare, stomacul mi se-ntoarce pe toate părțile, creierul meu o ia la goană, iar în ceea ce privește râgâitul meu — nu vrei să ştii. Acesta nu e un miros normal. Chiar dacă ai mânca ouă picante sau ceva de genul, nu ai putea obţine un miros ca acesta. Persistă în aerul garajului ca o ceaţă toxică.

De data aceasta, urcatul pe patul de bronzat e diferit faţă de data trecută — în mare, pentru că ştiu ce se va întâmpla, aşa că am emoţii şi nu voi adormi. În schimb, pur şi simplu voi sta acolo cu ochii închişi.

Am aprins radioul de data aceasta, iar o persoană care sună la staţia de radio spune:

— ...deci, aş vrea să pui, te rog, *Aprinde lumina* de Felina pentru mine, Jaime.

Ciudat. Adică, ştiu că e doar o coincidenţă, dar totuşi...

— Minunată alegere! Minunată alegere! Una dintre piesele mele favorite. De ce ai ales-o, Chrissie?

— E pentru mama mea, spune ascultătoarea. Îmi aminteşte de ea. A decedat când...

Însă Jaime Farrow o întrerupe, probabil pentru că la nouă jumate dimineaţa nu e timpul să devenim melancolici la Radio Nord-Est.

— Pentru mama ta! E încântător, Chrissie, ce gest frumos! Sunt sigur că apreciază acest lucru oriunde s-ar afla. Aşadar, pentru Chrissie din Blaydon şi pentru mama ei drăguţă, iată: regretata şi minunata Felina cu *Aprinde lumina*.

Cântecul îmi e deja cunoscut, lentul *bum, bum, bum* al tobei mari de la început, apoi sunetul adânc şi ruginit al chitarei, urmat de vocea guturală a Felinei şi, dintr-un motiv — fără îndoială combinaţia dintre frica pe care o simt şi tot ce se întâmplă în jurul meu — încep să mă emoționez. Mi se formează un nod în gât, pe care îl înghit la loc, și trebuie să închid radioul.

Stau în tăcere și las ca timpul să treacă, iar eu închid ochii, deoarece nu e bine să te holbezi la tuburile de lumină ultravioletă din interiorul solarului.

Știu că nu adorm, dar mă simt ca și cum m-aș trezi. Știu că se întâmplă, deoarece luminile ultraviolete încep să-mi pătrundă încet prin pleoape.

Îmi deschid ochii și arunc o privire la ce se întâmplă.

Ținându-mi mâna în fața chipului, pot vedea prin ea. E ca și cum brațul meu e făcut din plastic transparent, devenind din ce în ce mai transparent cu fiecare secundă. Este dificil să văd exact, deoarece privirea mea încă e puțin amețită de lumina puternică, dar într-adevăr funcționează.

Știu că totul s-a terminat când închid ochii strâns și încă mă uit la la lumina movulie a tuburilor de la solar.

Ca să fiu în siguranță — deși nu știu dacă „siguranță" este cuvântul potrivit în acest caz —, mai stau întinsă preț de câteva minute înainte de a ridica trapa și de a coborî din solar.

Mă uit în oglindă și mă minunez din nou că sunt complet, total și incredibil de invizibilă.

Iar acum voi intra în școală.

Capitolul treizeci şi cinci

Stau pe treapta din faţa casei şi îmi dau seama că nu pot s-o fac.

Nu pot să străbat încrezătoare drumul prin Parcul Eastborne şi să fac dreapta spre şcoală cum o fac de obicei.

Sunt aproape sigură de acest lucru, pentru că sunt dezbrăcată.

Nu că m-ar vedea cineva, bineînţeles. Dar pot simţi briza pe stomacul gol şi nu e firesc.

Încerc să-mi imaginez că port un costum de baie, ceea ce m-ajută.

Ies pe uşă şi merg câţiva metri pe stradă înainte de a mă întoarce, când îl văd pe bătrânul Paddy Flynn bâjbâind pe faleză cu cadrul său cu roţi. Ştiu în adâncul inimii că nu mă poate vedea. Totul e în capul meu invizibil.

Şi, în timp ce oscilez în pragul uşii, recapitulez din nou planul:

1. Mergi pe scenă în timp ce eşti invizibilă.
2. Ia chitara din mânile lui Boydy, care va face praf vreo melodie oarecare.
3. Fă să pară că levitează chitara.

4. Boydy primeşte o grămadă de aplauze, iar oamenii spun că e grozav, aşa că...

5. Mă iartă pentru că l-am făcut gras, ceea ce nu l-am făcut de fapt, dar într-un fel l-am făcut, mai mult sau mai puţin.

Nu pot să-ţi spun de ce mă deranjează atât de mult ce i-am făcut. Adică nu a trecut mult timp de când nici măcar nu am vrut să fim prieteni. Dar mă deranjează. Poate din cauză că, dacă *nu* încerc să-mi iau revanşa faţă de el, atunci sunt la fel de rea precum Aramynta şi ceilalţi.

Mai mult decât orice, este din cauza privirii lui Boydy în acea zi în cantina şcolii. Privirea unei persoane care tocmai a descoperit că nimic nu era cum a crezut. Pot să mă identific cu acest lucru.

Oricare ar fi motivul, se pare că eu chiar m-am pus pe faptă.

Însă, mai întâi, trebuie să ies pe uşa din faţă, iar soluţia pentru acest lucru este să-mi dau jos hainele.

Nu mai repet isprava cu masca de clovn vreodată, asta e clar.

Capitolul treizeci și șase

Așadar, după jumătate de oră, am ajuns la poarta școlii. Totul a fost floare la ureche.

Blugi, pantaloni scurți, adidași și o jachetă veche de ploaie cu fermoar pe care nimeni de la școală nu o va recunoaște (Vezi? Am gândit în prealabil.), o pereche de mănuși albe ale lui Buni, ochelari de soare și...

Un ciorap subțire peste cap! La fel ca un spărgător de bănci (din vremea când oamenii jefuiau bănci). Am luat o pereche din ciorapii lui Buni (curați) și am tăiat un picior, pe care l-am tras deasupra feței. Au culoarea pielii, așa că, dacă trag fermoarul jachetei de ploaie până la gură și strâng șnurul de la glugă strâns, se văd numai nasul meu (invizibil) și ochelarii de soare.

Arăt *puțin* ciudat, recunosc. E o zi înăbușită de iunie, iar majoritatea oamenilor au ieșit afară fără geci, dar totuși, dacă țin capul plecat, nu prea observi nimic. În fine, cel puțin asta îmi spun eu.

Iar acum stau la poarta școlii și aceasta e încuiată. Acum un an, acest lucru n-ar fi fost o problemă, dar de când unchiul unei fete din clasa a noua a venit să o ia cu forța, școala a trecut printr-o revizie generală a politicii de securitate, ceea ce înseamnă senzori care-ți iau amprenta și camere de supravegheat la poartă.

Amprenta mea invizibilă *ar putea* să deschidă poarta, dar aș fi văzută pe camerele de securitate, și în această costumație nu arăt ca un elev obișnuit.

Dar, din nou, dacă-mi poți scuza lăudăroșenia, sunt cu un pas înainte. Din buzunarul jachetei scot o sacoșă de plastic. De-a lungul gardului înalt din plasă se află o tufă mare de rododendron înaltă de vreo zece metri, atât de mare, încât e loc sub ea pentru două persoane, motiv pentru care e folosită ca ascunzătoare de elevii mai mari care vor să fumeze. Pământul e ticsit de chiștoace, dar nu mă deranjează. E timpul să mă dezbrac și am alte lucruri de care să mă îngrijorez.

Îmi dau jos hainele repede și le îngrămădesc în punga de plastic pe care am adus-o cu mine, apoi îndes totul sub tufă.

Apoi, ies afară.

Dezbrăcată și invizibilă.

Cred că plimbarea până la școală m-a făcut, de fapt, mai curajoasă. Nu mă simt la fel de emoționată cum am fost înainte.

Mă îndrept înapoi spre poartă chiar înainte ca o dubiță să se oprească în fața școlii cu numele *TYNE CATERING* scris pe lateral. Un moment mai târziu, se aude un clinchet metalic și poarta se deschide. E o chestiune simplă să mă plimb prin spatele dubiței și am ajuns în incinta școlii.

Nu e nimeni afară. Toți sunt la ore.

O alee lunguiață duce spre intrarea principală, apoi spre spatele clădirii, practic încercuind școala, o clădire de două etaje cu nenumărate extensii și anexe, toate construite în ani diferiți și fiecare cu câte-o placă comemorativă care anunță ce consilier local a făcut deschiderea oficială.

Cea mai recentă clădire este cea de artă dramatică, aflată în partea dreaptă. Acolo mă îndrept. Acolo va începe, în aproximativ o oră, Whitley are Talent.

Aerul este cald și lipicios, iar cerul este de un mov-cenușiu furios. Dar, atât timp cât nu plouă, voi fi în regulă.

Deoarece, dacă va începe să plouă, stropii de ploaie îmi vor lovi pielea invizibilă și mă vor face vizibilă.

Capitolul treizeci și șapte

Pic.
Pic.
Pic.

Capitolul treizeci și opt

Nu ți-am spus asta până acum, deoarece încă nu a plouat cu adevărat. Dar eu cam știam că se va întâmpla până la urmă și îți voi spune cum s-a întâmplat.

Ei bine, s-a întâmplat, așa că hai să-i dăm drumul.

Să fii plouată — adică serios plouată — este cam cel mai neplăcut sentiment pe care îl pot avea vreodată. Adică, dintotdeauna, nu numai de când sunt invizibilă.

Unul dintre motivele pentru care nu am menționat acest lucru până acum este ca să nu crezi că sunt nebună, deși sunt. Doar puțin, în orice caz.

Nu e ca și cum fac atacuri de panică atunci când sunt plouată sau ceva de genul. Nu e asta.

Este ploaia — ploaia torențială, nu numai o ploaie ușoară — care mă face să mă gândesc la mama. Iar acest lucru mă întristează și nu vreau să fiu tristă când mă gândesc la mama. Prin urmare, acest lucru mă înfrico-șează. Are vreo noimă tot ce spun?

Mi-e frică de ploaia care mă face să mă întristez când mă gândesc la mama.

Cred că acest lucru este din cauza faptului că una dintre puținele amintiri pe care le am despre mama are loc în ploaie, iar aceasta nu este o amintire plăcută.

Are loc înainte de amintirea cu înmormântarea despre care ți-am povestit. Este probabil cea mai veche amintire pe care o am. Trebuie să fi avut în jur de doi ani jumătate? Poate chiar mai puțin. Merg pe jos, asta știu, pe un trotuar undeva. Iar mama merge și ea, ținându-mă de încheietura mâinii.

Plouă, plouă torențial. Fulgerul brăzdează cerul în jurul nostru, oamenii țipă și mama e udă leoarcă și țipă la ei, înjurând, spunându-le să plece, însă mai nepoliticos. Mă ține de încheietură atât de tare, încât mă doare și mă face să plâng, iar mama plânge și ea.

Cred că trebuie să fi fost trafic când m-am aflat pe stradă acolo cu mama, deoarece mirosul de ploaie și ambuteiajele mă fac să-mi aduc aminte, mai ales dacă e în timpul nopții și…

Ei bine, cam asta e tot. Eram supărată, mama era supărată, iar oamenii nu erau drăguți și mă durea încheietura. Asta e tot ce-mi amintesc, chiar dacă e vag.

Eram doar un copil mic.

Așadar, când începe să plouă, imediat mă întristez.

Dar acum, ploaia mă face și vizibilă.

Mă uit în jos și stropi mari de apă atârnă în aer în locul unde îmi sunt brațele, pe mâini, formând un soi de fantomă lucioasă.

Capitolul treizeci și nouă

Pe măsură ce ploaia cade din ceruri, scade și temperatura atmosferică. Se schimbă din caldă și lipicioasă în rece și umedă, iar eu stau ghemuită lângă peretele clădirii de artă dramatică, unde se află un acoperiș cu streașină, folosindu-mi mâinile pentru a înlătura ploaia de pe mine cât de mult pot. Mă simt înfrigurată, tremurândă, speriată și furioasă.

Înfrigurată și tremurândă, e evident. Frica e din cauza ploii și a mamei, care mi-a făcut respirația greoaie și scurtă, iar inima îmi bate repede în piept.

Furia? Aici sunt doar eu cauza. Sunt furioasă pe mine însămi, pentru că mi-am asumat un risc atât de stupid. Ce naiba mi-a trecut prin cap când am crezut că asta ar fi o idee bună?

Pun pariu că te-ai gândit că asta-i o idee nebună când ai citit ce-am spus, nu-i așa?

Ei bine, felicitări. Ai avut dreptate.

Îmi îndrept privirea în jos, unde mă aflu, și cred că am îndepărtat o mare parte din ploaie de pe piele. Mai puțin...

O, Doamne. Capul meu!

Părul meu e ud leoarcă. Pot să-l simt, dar nu-l pot vedea. Cu grijă, merg de-a lungul marginii peretelui spre o fereastră. Este una dintre ferestrele sălii de spectacole, iar o jaluzea închisă la culoare este trasă în spatele geamului. Formează o oglindă aproape perfectă şi, desigur, când stau în faţa ei, văd puful argintiu şi umed al părului meu — vag, dar totuşi vizibil.

Arată... ciudat. Mă apropii să mă uit mai bine, iar respiraţia mea formează o pată ca un nor.

Singurul lucru pe care-l mai am de făcut este să-mi usuc părul şi va trebui să fac acest lucru la toaleta fetelor, unde se află un uscător de păr.

Trebuie să mă mişc repede, ştiu asta, dar nu pot să mă abţin să nu-mi scriu iniţialele pe geamul înceţoşat.

E.L.

Apoi îngheţ. Din spatele meu aud pe cineva vorbind.

— Ai văzut asta?

Nu îndrăznesc să mă întorc, dar recunosc vocea.

Le pot vedea reflexiile stând la aproape trei metri depărtare. Sunt Aramynta Fell şi Katie Pelling, membrele găştii.

— Ce să văd? întreabă Aramynta.

Amândouă s-au oprit şi se uită drept la mine. Drept *prin mine*, mai degrabă.

— Asta, Aramynta indică. Literele acelea s-au... scris singure.

Din fericire, pata de fum dispare şi, odată cu ea, şi literele.

Ce tot îndrugi acolo? spune Katie. Ce litere?

— Erau acolo, erau... ele... Şi ce e *asta*?

Arată exact înspre capul meu acum.

161

Chiar spre mine.

Însă Katie şi-a pierdut interesul. Abia uitându-se în spatele său, aceasta merge după colţ.

— E un perete, Aramynta. Susţin acoperişuri, ştiai asta? Hai, vom întârzia.

Aramynta nu vrea s-audă, iar eu sunt înspăimântată, deoarece merge în direcţia mea. Încet, ezitând, cu mâna întinsă. Iar eu ştiu că-mi va atinge capul.

— Hai odată! strigă Katie.

Aş putea fugi? Dar apoi m-ar urmări. Are privirea aceea hotărâtă şi curioasă. Pe lângă asta asta, traseul meu de alergare este blocat de Katie Pelling.

Sau aş putea face altceva. Ceva ce o va împiedica să-mi atingă capul. Nu am nicio idee de unde vine, dar am numai o secundă să acţionez, căci mâna ei e la doar câţiva centimetri distanţă de capul meu.

În timp ce scot limba afară, scot cea mai zgomotoasă şi ciudată gargară guturală pe care o pot face.

Sună cam aşa: *grrrrrrrrrrrraaaaaaaaaaaaahhhhhhhhh!*

Apoi, ca să mă asigur, îi ling mâna.

Totul se întâmplă deodată, atât gargara, cât şi linsul.

E o combinaţie care cred că o sperie complet.

Îi ia o secundă să înregistreze tot, apoi Aramynta Fell face ceva ce aproape mă face să îmi pară rău pentru ea. Scoate un ţipăt slab şi înspăimântat, apoi se scufundă-n genunchi.

Este într-adevăr mută din cauza şocului. Nu sunt sigură dacă ar putea fi spaimă, deoarece nici ea nu e sigură că ar fi ceva de care să-i fie frică. Începe să gâfâie şi să plângă în hohote şi să se holbeze la mâna sa în timp ce se îndepărtează.

— Mynt! Ce naiba ai păţit? spune Katie, apropiindu-se de ea îngrijorată.

Aramynta încă nu şi-a luat ochii de la părul meu de atunci, dar acum o face. Profit de ocazie şi o zbughesc pe după colţ spre uşă, dar mă opresc să aud ce zice.

— Chestia aia... m-a... adică... lins... câh... m-a lins. Ah!

Katie se îngrijorează dintr-odată.

— Hei, dragă! E în regulă. Hai. Ce se-ntâmplă? O, uită-te la tine, ai căzut într-o băltoacă...

Le aud cum se întorc de unde au venit, iar eu mă sprijin de perete, respirând adânc şi încercând din răsputeri să nu râd.

Numai că nu sunt complet sigură că ce s-a-ntâmplat este amuzant.

Satisfăcător, în mod cert.

Dar amuzant?

Treaba aceasta cu invizibilitatea e mai complicată decât am crezut.

Capitolul patruzeci

Mi-am găsit locul perfect în culisele scenei mici ale teatrului școlii.

Acolo se află o grămadă de scaune și un șemineu fals care a fost folosit anul trecut în producția *Oliver!* a claselor mai mici. Dacă mă strecor printre ele, nu sunt în calea nimănui și probabil voi fi invizibilă, chiar dacă nu aș fi, știi tu, *invizibilă*.

Dacă mă aplec puțin în față, pot vedea o parte din publicul care intră în sală, zgomotos și entuziasmat. Sunt aproape emoționată doar prin faptul că sunt pe scenă și, deși știu — *chiar* știu — că nimeni nu mă vede, este un sentiment foarte ciudat.

Whitley Are Talent funcționează astfel:

Douăzeci de participanți, doi copii din fiecare clasă, din anii inferiori, primesc trei minute fiecare. Cu tot cu introduceri, schimbări de vestimentație și premii la sfârșit, spectacolul durează două ore.

Nu se include comentariile juriului sau ceva similar — cel puțin nu anul acesta. În primul an al spectacolului, înainte ca eu să intru la școală, au încercat asta, însă juriul — format din alți copii — a încercat să fie prea amuzant şi răutăcios. Doi participanţi au părăsit scena în lacrimi. Anul trecut au făcut o schimbare şi au pus profesori în rolul de membri ai juriului, dar aceştia au fost prea amabili şi au spus că toate numerere participante au fost excelente, chiar şi cele care nu au fost, iar publicul a început să huiduie juriul.

Aşadar, anul acesta avem un comitet format din trei elevi şi trei profesori care votează în secret şi care nu fac niciun comentariu.

Domnul Parker este responsabilul care prezintă concurenţii. Azi poartă papion şi urcă treptele repede pe un fundal de urale şi de aplauze şi cel puţin un fluierat, la care răspunde cu o reverenţă în glumă, ce îi amuză pe ceilalţi.

(Sincer, domnul Parker ar trebui să participe el la tot spectacolul. Ar câştiga cu uşurinţă.)

— Mulţumesc, mulţumesc. Puţină linişte, vă rog, în timp ce ne pregătim pentru o veritabilă *cornucopie* de divertisment! Într-adevăr, avem comedianţi, cântăreeeeeeţi, contorsionişti şi compozitori dănţuitori — vă rog opriţi-vă din chicote, domnule Knight, şi căutaţi cuvântul în dicţionar, dacă vocabularul meu vă ofuscă luciditatea!

În jumătate din timp doar pot să ghicesc ce vrea să spună, dar îmi place să-l ascult.

O ţine tot aşa puţin mai mult, apoi trece la primul act.

— Vă rog aplaudaţi-o rrrrrrepede rrrrrrepejor pe domniţa melodiei de la clasa a şasea — domnişoara Delancey Nkolo!

Delancey e cu un an în urmă faţă de mine şi este talentată.

Luminile se sting şi apoi se aprind când păşeşte pe scenă, iar toată lumea aplaudă. Doi băieţi din clasa a şaptea

165

se ocupă de lumini, iar Delancey interpretează un cântec al lui Beyoncé, cu tot cu vocalize, și triluri, și de toate.

Termină în ropote de aplauze, iar eu spun în sinea mea: „Săracul Boydy".

După alți doi participanți — Finbar Tuley, interpretând o melodie dificilă la pian, și două fete din clasa domnișoarei Gowling, făcând un fel ciudat de yoga pe fundal muzical —, e rândul lui Boydy.

Domnul Parker îi face prezentarea.

— Doamnelor și domnilor, ați auzit de Eric Clapton, ați auzit de Jimi Hendrix — ei bine, cei dintre voi care au bun-gust în materie de muzică au... Liniștiți-vă, liniștiți-vă. Acum e timpul să-l auziți pe Boyd. Omul cu coasa al clasei a șaptea prin excelență, un chitarist cu măreție gargantuescă. Aplauze pentru... Elliot Boyd!

Uau. Asta da introducere. În timp ce Boydy se apropie de scenă, îmi pot da seama că are emoții. Cine nu ar avea după o asemenea prezentare?

Începe prin a-și acorda chitara. *Ding-ding-ding. Ding-ding-ding... dong.*

O, nu.

(Un pont pentru interpreții la chitară: acordați-vă instrumentele înainte de a păși pe scenă.)

Boydy face câteva acorduri de încălzire, apoi mai face ajustări. Cineva îl ovaționează sarcastic.

„Hai, Boydy, începe-odată", mă gândesc.

Un murmur ia naștere în public.

Le piere atenția și știu că trebuie să acționez acum. Ieșind de după șemineu, trag aer în piept și mă pregătesc pentru cel mai înfricoșător lucru pe care l-am făcut vreodată în viața mea.

Capitolul patruzeci şi unu

Ai avut vreodată un vis în care eşti dezbrăcat în public?

Nu e chiar neobişnuit. Se pare că „a fi dezbrăcat în public" e cel mai comun vis urât pe care-l au oamenii. E înaintea celor în care cazi, zbori, eşti fugărit şi te găseşti nepregătit pentru un examen.

În coşmarul meu recurent, mă aflu la şcoală, deşi nu la această şcoală, ci la şcoala primară. Sunt la locul de joacă şi, uitându-mă în pământ, îmi dau seama, spre oroarea mea, că sunt complet dezbrăcată, fără nicio haină pe mine, şi partea amuzantă e că nimeni nu pare să fi observat. Dacă merg în continuare, ferindu-mă pe după uşi, oamenii doar mă ignoră. Nu am mult de mers până ajung la vestiare, unde vor fi câteva haine agăţate de cuier, pe care le îmbrac. Dar, chiar dacă merg în direcţia potrivită, vestiarul nu se apropie, în timp ce eu devin din ce în ce mai sigură că oamenii vor observa că nu am nimic pe mine. Ruşinea se dezvoltă într-o frică adevărată că toţi se vor întoarce şi se vor uita, iar eu mă trezesc într-un final. Ştiu visul atât de bine, încât uneori îmi spun chiar în vis: „O, Ethel, e doar visul acela prostesc din nou. De ce nu te trezeşti?" Şi aşa fac.

Sunt de acord: visele celorlalți sunt, de obicei, foarte plictisitoare. În mod normal, nu aș povesti nimănui un vis, deoarece descopăr că mă plictisesc de mor când alții îmi povestesc ce au visat. Însă acest vis e important, deoarece, când îmi fac apariția din culisele scenei, *exact* așa mă simt.

Sunt dezbrăcată ca în ziua în care m-am născut, cu o singură diferență: nimeni nu mă poate vedea.

Un sentiment ciudat? Poți paria că da.

Mă aflu pe scenă, în fața întregii școli, fără haine pe mine.

Pentru o clipă sau două pur și simplu stau acolo, înțepenită de frică.

Mă aștept în fiecare clipă să aud pe cineva strigând:

„Uitați-o pe Ethel Leatherhead fără haine pe ea!"

Dar nu o face nimeni.

În schimb, Boydy continuă să-și cânte poticnit melodia și este groaznic. Ceilalți încep să chicotească.

Vin în spatele lui Boydy și mă apropii de el.

„Sunt eu, Ethel."

Tresare și își întoarce capul, greșind altă notă.

Audiența râde la scenă deschisă, iar eu aud prima huiduială, deși nu este permis să îți bați joc de participanți.

Apoi, Boydy se oprește de tot.

Mă apropii și îi iau ușor chitara din mână.

— Dă-i drumul. Va fi bine. Vei vedea.

Îi șoptesc astfel încât să nu se audă prin microfon.

Cu mâna stângă, acesta dă drumul gâtului chitarei, iar eu o ridic încet puțin mai sus.

Publicul tace mâlc, iar eu aud un suspin ce crește în intensitate.

Îi șoptesc în ureche:

— Acum prefă-te că o faci să zboare.

Recunosc: Boydy se pricepe. Înţelege din prima şi îşi mişcă mâinile în gesturi misterioase pe măsură ce eu leagăn chitara dintr-o parte în cealaltă şi continui melodia de unde a rămas Boydy.

Nu prea pot să fac mare lucru, în timp ce tot plimb chitara. Nu sunt chiar aşa de pricepută. Dar reuşesc să interpretez câteva acorduri oarecum precise printre răsucirile şi întoarcerile mai elaborate ale instrumentului, iar publicul este în delir!

Boydy îşi fixează un zâmbet pe faţă şi îşi întoarce capul puţin în direcţia mea, spunând în timp ce rânjeşte:

— Ethel, eşti… ăăă… Eşti dezbrăcată?

— Şşş. Da. Bineînţeles că sunt. Nu te gândi la asta.

Îşi menţine zâmbetul fix.

— Nu eram. Sincer. Până acum.

— Taci din gură.

— Am înţeles.

Un val de aplauze începe, apoi o ovaţie în timp ce ridic mai sus chitara. Râd în sinea mea în timp ce-mi imaginez ce vede publicul. Trebuie să arate într-adevăr magic!

Boydy rânjeşte ca un nebun, legănându-şi mâinile ca şi cum ar dirija mişcările chitarei în timp ce mergem dintr-un capăt al scenei la celălalt, iar eu mă simt atât de încrezătoare, încât îi spun:

— Urmează-mă!

Scaunele publicului sunt separate la mijloc de un culoar ce duce spre uşile din spate ale sălii de teatru. Cu Boydy urmându-mă şi legănându-şi braţele, iar eu cântând la chitară cât de bine pot, pășesc pe treptele din fața scenei și o iau pe culoar.

Știu: e un risc imens. Dar până acum am avut o viață lipsită de riscuri și cred că trebuie să compensez.

Cred că încrederea mea vine din situația palpitantă. Fiorul de a face ceva atât de scandalos în timp ce nu te vede nimeni.

În orice moment, cineva ar putea întinde mâna și m-ar atinge, dar sunt atât de uimiți, încât nimeni nu face acest lucru. Doar se holbează cu gurile căscate în timp ce Boydy, zâmbind ca un dement, dirijează chitara plutitoare de-a lungul culoarului central, prin mijlocul publicului, făcând surfing pe un val de uimire.

Cineva să-mi spună, te rog: de ce când mă bucur cel mai mult de ceva există o voce mică în spatele creierului meu care îmi spune că totul va merge rău? Acest lucru înseamnă că niciodată nu voi mă voi pierde „în moment", indiferent de cât de mult acesta ar trebui să fie un lucru bun.

În schimb, mereu revin la ceea ce ar spune Buni într-o situație ca asta:

— Mândria, Ethel, vine înaintea declinului.

Nu vorbește la propriu, bineînțeles, dar ar fi trebuit să anticipez acest lucru.

Sau nu? Nu știu: cum ar putea face cineva acest lucru?

Presupun că sunt doar Jesmond și Jarrow Knight; oriunde s-ar afla, trebuie să fii pe fază, iar eu îi zăresc, în jumătatea din spate, stând la marginea culoarului.

Cu sticle de apă. Cât de inocent poate fi acest lucru?

Nu au pistoale de apă, sau Super Soakers, sau ceva de acest fel. Au doar sticle de apă cu acele capace pentru sportivi care au o gaură mică în partea de sus.

Îl văd pe Jesmond cu coada ochiului, dar e prea târziu. Deja are sticla de apă ridicată, un rânjet stupid pe toată fața sa idioată. Îi înmânează ceva surorii lui — telefonul său, cred. Apoi strânge sticla, un jet de apă îndreptat direct înspre Boydy. E doar o împroșcătură subțire de apă, dar aceasta mă lovește direct în față și pe păr.

Lângă el, Jarrow ține telefonul și filmează.

Capitolul patruzeci şi doi

Nu cred că cineva observă la început.

Jesmond ţinteşte din nou şi apa iar mă loveşte. Nu are cum să rateze. Sunt cam la un metru distanţă.

Totul se întâmplă în câteva secunde. Ştiu, însă, că am devenit puţin vizibilă.

Arunc chitara strigând „Prinde, Boydy!", indiferent de ce se va întâmpla când oamenii aud o voce de nică-ieri. Zarva din sală va fi de ajuns. Sper că nimeni nu-şi va da seama de unde vine vocea mea.

Numai că, exact în momentul în care ţip, cei din apropiere observă cum apare o formă apoasă ciudată acolo unde jetul pistolului m-a lovit şi liniştea se aşterne în acea parte a sălii.

Aramynta Fell, care se află în următorul rând de mai sus, strigă:

— O, Dumnezeule. E aici din nou!

Boydy prinde chitara de gât, dar până atunci eu deja alerg pe culoar.

Câţiva oameni se ridică din locurile lor pentru a ne urma sau pur şi simplu îşi întind gâturile pentru a avea o vedere mai bună a acestui fenomen ciudat. Am o bănuială că ei cred că acesta face parte din numărul lui Boydy, o altă iluzie.

În spatele meu îl aud pe domnul Parker strigând:

— Toată lumea să stea jos acum! Lăsaţi concurenţii să evolueze pe scenă! Arătaţi-le un dram de respect!

Însă el nu a avut niciodată prea multă autoritate naturală, iar sala este acum într-o frenezie totală, cu oamenii ieşind pe culoar pentru a vedea ce anume provoacă atâta zarvă.

Băieţii de la lumini au adus câteva reflectoare în auditorium, de îndată ce Boydy a început să coboare de pe scenă, dar acestea nu sunt foarte puternice.

Între timp, Jesmond Knight mă stropeşte cu apă ca şi cum s-ar afla într-o luptă propriu-zisă cu arme şi, de partea cealaltă culoarului, cineva care a fost rănit în altercaţie îi întoarce focul din propria sticlă de apă. Mă loveşte destulă apă, încât sunt măcar pe jumătate vizibilă gloatei care avansează pe culoar.

Aud oamenii zicând:

— Ce este?

Şi:

— Uite! Iată o mână!

Dar majoritatea spune:

— O, Doamne!

Şi câteva expresii mai exagerate. În mare, însă, nimeni nu e prea sigur de ceea ce vede şi sunt câţiva care spun lucruri precum: „Grozav!" şi „Uau!"

Riley Colman, care a câştigat anul trecut premiul la fizică, spune cu voce tare, ca şi când le ştie pe toate:

— Oh, pentru numele lui Dumnezeu, e un truc al luminii!

(Are dreptate, bineînțeles. Invizibilitatea mea e în mod cert: „un truc al luminii".)

Am un avans de câțiva metri față de mulțime. Dacă aș putea ajunge afară să fug, atunci ei nu vor mai putea să mă vadă. Sunt destul de sigură.

Ușile duble de siguranță cu bare de metal pe care le împingi duc în afara auditoriumului.

Deschid ușa și mă opresc nemișcată.

Afară plouă cu găleata, ca și cum ne-am afla în sezonul musonic. Un pas afară în ploaie și voi fi complet vizibilă, silueta udă leoarcă a unei fantome.

Mă întorc și văd cam o duzină de oameni în spatele meu.

Nici măcar nu pot fi sigură de ceea ce ei pot vedea. Câteva picături de apă pe față și păr. Cum arată?

În spatele mulțimii, pot vedea cum lui Boydy frica îi contorsionează chipul. În acest moment, face ceva complet genial. Țipă:

— Aaaaa! M-a prins! E fantoma lui Jimi Hendrix și mă pedepsește!

Genial! Imediat, mulțimea se întoarce pentru a-l vedea pe Boydy făcând cu mâinile, prefăcându-se că este atacat, iar toți ceilalți râd.

Profit de ocazie să mă furișez la marginea peretelui din spatele teatrului. Îmi șterg apa de pe față și de oriunde pot. Mă gândesc că mă descurc bine.

Însă, după aceea, Jesmond își întoarce privirea dinspre Boydy și indică spre pământ.

— Urme de pași!

Am lăsat o cărare de urme ude, iar acestea conduc direct spre mine. Fără a aștepta, o zbughesc spre ușa de intrare a teatrului și năvălesc prin coridorul școlii.

Capitolul patruzeci și trei

Uitându-mă în spatele meu, văd că nu mai las urme mari de pași, iar gașca pe care o conduce Jarrow Knight nu știe în ce parte am luat-o. Se opresc în pragul ușii, iar eu pot să-l aud pe domnul Parker, alături de câțiva profesori, încercând să restabilească ordinea.

Cu grijă, deschid ușa de la baia fetelor.

După câteva minute, sunt zvântată mulțumită uscătorului. Am verificat totul în oglinda mare de la baia fetelor.

Din nou sunt cu adevărat invizibilă; până la ultimul centimetru. Îmi evaluez opțiunile, când ușa de la baie se deschide și mă lovește în față. Tare.

Scot un țipăt de durere și mă prăbușesc pe podea, ținându-mi fața în mâini în timp ce trei fete se năpustesc înăuntru. Ținându-mi nasul, mă ghemuiesc pe podea și nu pot vedea cine ce spune. Cel mai dificil lucru este să mă asigur că nu gem de durere.

— Scuze, n-am vrut… Hei? Ați auzit asta? Ce a fost? Ai lovit ceva? Am auzit pe cineva… Jarrow, tu ai țipat acum?

— Asta e prea ciudat pentru mine, spune Jarrow.

Simt cum sângele îmi iese din nas, apoi pur şi simplu ţâşneşte. Îmi îndepărtez la timp mâinile şi îmi dau capul în faţă ca să nu picure pe piele. În schimb, acesta formează un strop mare şi roşu, devenind vizibil pe măsură ce loveşte podeaua, o băltoacă roşie în creştere prelingându-se pe gresia albă. Chiar şi mie mi se pare că arată înspăimântător şi, în acelaşi timp, ştiu ce este şi mă distrage expresia de durere de pe faţa mea.

O fată, Gemma, observă mai întâi pata.

— O, Doamne. Jarrow, uite. Sânge!

— Câh! De unde vine?

Nici nu mă pot uita în sus, deoarece asta ar însemna să îmi ridic capul, iar sângele mi s-ar prelinge pe faţă. Aşa că sunt blocată într-un ghemuit ciudat. Sângele adunat formează un râu mic prin spaţiile dintre gresie şi se scurge spre picioarele lor.

— Mai e din el, Gemma. O, Doamne. E scârbos. Arată ca şi cum cineva… câh! O aduc pe doamna McDonald.

Două dintre ele părăsesc baia imediat.

Îmi pot da seama după aspectul pantofilor că Jarrow e lăsată în urmă. Piciorul ei se mişcă, dând un şut provizoriu în direcţia mea. Vrea să vadă… ce? Nu ştiu. Dar devine prea curioasă.

A funcţionat cu Aramynta Fell, aşa că ar mai putea merge o dată.

Deschid gura şi scot din nou acel râgâit gutural. Cu sângele adunându-se la nasul meu, e un sunet mai bulbucat, şi un jet roşu alături de câteva bule mai mari aterizează pe pantofii lui Jarrow.

E suficient. Ţipă şi fuge afară din baie, călcând în balta de sânge şi lăsând o urmă roşie pe gresie.

Pot să aud în sistemul de sunet din teatru o piesă house înfundată, pocniturile într-un microfon şi pe domnul Parker spunând:

— Linişte! Haideţi, să facem puţină linişte.

Eu doar stau ghemuită şi nemişcată, gemând în sinea mea în timp ce nasul îmi pulsează de durere şi lacrimi de agonie îmi înţeapă ochii.

Atunci, începe o furnicătură pe piele şi durerea de cap.

Îşi pierde efectul.

Voi fi dezbrăcată. În mijlocul şcolii.

Numai că de data aceasta voi fi sută la sută vizibilă.

Capitolul patruzeci și patru

Nu prea am de ales, nu-i așa?

Nu mi-am ales tocmai cel mai bun moment de a rătăci dezbrăcată prin școală, deși, în timp ce deschid fereastra din baia fetelor, se declanșează soneria și elevii din aproximativ șase clase ies pe coridorul principal deodată cu publicul de la Whitley Are Talent.

Am două variante: mă pot întoarce prin clădirea de artă dramatică sau pot să o iau pe coridor de-a lungul zonei de recepție cu pereți de sticlă, care deja se umple de elevi.

Iau în calcul posibilitatea de a aștepta într-una dintre cabinele din baie până se termină pauza, însă furnicătura de pe pielea mea se intensifică și — ținând cont de ce s-a întâmplat data trecută — îmi dau seama că am maximum cinci minute să ajung sub tufa de rododendron pentru a-mi recupera hainele.

Mă uit pentru ultima dată în oglindă și îndepărtez un cheag de sânge de pe nas.

„Totul e clar", îmi spun și, apoi, în ciuda emoțiilor, zâmbesc. Deoarece asta sunt eu: clară ca un pahar de apă.

Ies pe ușă înainte ca patru fete din clasa a cincea să dea buzna în baie și evit a o doua coliziune.

Din acest moment, e o cursă împotriva oamenilor și a invizibilității mele pe cale de a expira.

Ferindu-mă și făcându-mi loc prin adunătura de oameni, îmi croiesc drumul de-a lungul coridorului. Mă ciocnesc de oameni; le lovesc gențile. Unii se întorc și spun „Hei! Ai grijă!", însă mulțimea e destul de mare, încât nimeni nu știe sigur cine l-a ciocnit.

În zona recepției, ploaia lovește acoperișul de sticlă, iar pe mine mă cuprinde imediat o veche frică, însă acum e la limita panicii.

Încetează, Ethel. Nu acum, nu acum, îmi spun.

Mă pitesc în spatele unei ferigi plantate în ghivechi, unde nu sunt în calea nimănui și respir adânc, îngropându-mi unghiile în palme până când mă doare, iar acest lucru mă distrage.

Am nevoie de cineva să deschidă ușa ca să mă pot strecura prin ea. Problema e că nimeni nu iese afară. De ce ar ieși? Afară plouă cu găleata.

Capul mă doare, iar senzația de pe piele e ca și cum un milion de furnici ar mișuna pe dedesubt. Și...

O, nu.

Nu, nu, nu.

Dacă mă uit cu atenție la mâini, pot vedea începuturile unor forme.

Mai am un minut? Sau mai puțin până ajung să trăiesc cel mai comun coșmar recurent al întregii omeniri și mă trezesc dezbrăcată în public.

Înghit în sec. Respir adânc și apoi...

Fug. Pur și simplu.

Ajung la ușa laterală într-o secundă și o împing. E ca și cum o sută de perechi de ochi se întorc la zgomotul ușii ce se trântește când intră rafalele de ploaie.

Cineva zice:

— Ce-i asta? Uite!

Am ieşit afară şi alerg prin ploaie.

Pot vedea picăturile cum îmi lovesc braţele şi picioarele şi formează o siluetă transparentă care se mişcă şi se schimbă pe măsură ce mă deplasez.

La douăzeci de metri, dau colţul după clădirea de ştiinţe şi ies din câmpul vizual al oamenilor din recepţie. Înainte să mă întorc de tot, mă uit în urma mea: feţele sunt lipite de pereţii de sticlă, iar unii au ieşit pe uşa pe care am lăsat-o deschisă, încercând să vadă mai bine forma fantomatică ce se mişcă prin ploaie.

Iar acum vin după colţ şi mă-ndrept spre poarta principală. E închisă.

Singurul lucru pe care-l pot face este să o deschid folosind amprenta degetului mare în timp ce apăs pe pătratul cu senzori. Poarta se deschide şi ies pe ea, ajungând la siguranţă şi ferindu-mă sub frunzele rododendronului.

Sunt terminată şi cad jos de oboseală pe spate, printre frunzele moarte şi chiştoacele. Abia pot respira, iar creierul meu se simte ca şi cum ar exploda în orice clipă. Îmi închid ochii înainte de a mă rostogoli şi a vomita.

Apoi, mă ridic şi mă uit în jos.

Mă uit la corpul meu. Sunt aici; mi-am revenit. Acolo e pulpa mea. Acolo e mâna mea. Îmi închid ochii şi văd numai întuneric, exact cum ar trebui să fie.

Sunt vizibilă.

Îmi recuperez punga de plastic de unde am lăsat-o, mă îmbrac şi aştept sub rododendronul din care picură apa până se opreşte ploaia, cu spatele sprijinit de un stâlp de metal.

Capitolul patruzeci și cinci

Ajung acasă înaintea lui Buni și mă schimb în uniforma școlară, ca și cum aș fi avut o zi obișnuită.

Zi obișnuită? Ha!

Primesc un SMS de la Boydy.

A fost GROZAV! Poți veni pe la mine diseară? Gătesc.

Se pare că am fost iertată. Mai ales, sunt supercurioasă să văd în ce tip de casă locuiește Boydy.

Ceaiul cu Buni din acea după-amiază este în mare un eveniment tensionat, deoarece mor de dorința de a-i povesti tot ce s-a întâmplat azi, dar — bineînțeles — nu pot.

— Ești bine, Ethel? mă întreabă de mai multe ori.

— Da, Buni, mersi. Sunt doar obosită.

Măcar acest lucru e adevărat. Sunt extenuată. Altminteri, mă simt bine. Îmi verific din când în când aspectul fizic când trec prin fața unei oglinzi, pentru a mă asigura că totul este în regulă. Pare incredibil, dar chiar mă descurc bine cu treaba asta cu invizibilitatea, fără niciun efect secundar, în afară de a vomita după aceea.

Dar cel mai bine e că aspectul tenului meu s-a îmbunătățit. Mai am o singură erupție de coșuri pe bărbie, însă, cu această excepție, acneea mea a dispărut mai mult sau mai puțin. Îmi zâmbesc în oglindă. Buni mă prinde când trece pe lângă mine.

— Vanitatea, Ethel dragă. Statul prea mult în fața oglinzii îți poate face rău.

— Ai văzut ce ten am acum, Buni?

— Ți-am spus, draga mea, că tenul tău se va lumina în timp.

Seara iese în oraș. Se pare că va merge la altă ședință cu alt comitet. Cel puțin asta îmi spune mine. Încep să mă mir.

Tu te-ai machia dacă ai avea o întâlnire de comitet? Evident că nu, dacă ești copil. Dar un adult? Mai ales dacă e precum Buni și nu se machiază des?

Și chestia e că nu o face în dormitorul ei. Îmi spune la revedere și că mă va vedea mai târziu, apoi se urcă-n mașină, de unde pot să o văd de la fereastra mea cum își ajustează oglinda retrovizoare și aplică fard de obraji, ruj și rimel. Apoi, pornește mașina și pleacă.

Acum câteva luni, când am primit primul smartphone de Crăciun, Buni a insistat să instaleze o aplicație de urmărire.

— Doar pentru siguranță, draga mea Ethel.

Sunt singură că ea nu știe că FindU funcționează și pentru mine.

Azi va fi prima dată când voi folosi aplicația. Voi afla unde se duce Buni.

Capitolul patruzeci și șase

Nu știu la ce mă așteptam. Presupun că porecla Mi-resmelliot încă mă făcea să mă gândesc dacă locuiește într-o casă oribilă, dar...

Casa lui Boydy e complet normală. Mai mică decât m-am așteptat, ținând cont de faptul că tatăl său e avo-cat, dar normală. Cu miros de lumânări parfumate.

— Îmi cer scuze pentru miros, îmi spune, cu toată conștiința de sine. Mama are un client acasă.

Îmi spune că mama sa e reflexolog și terapist reiki, lu-cruri despre care n-am nicio idee ce-nseamnă, doar că im-plică în mod evident lumânările parfumate și zgomotele de balenă pe fundal muzical, pe care le auzi peste tot în casă.

Tatăl lui Boydy nu stă prea mult pe-acasă. Nu l-am văzut niciodată. Îl întreb pe Boydy unde este, iar acesta răspunde repede.

— E plecat. Lucrează mult în deplasare. Îmi dai și mie cuțitul acela, Eth?

E impresionant să-l privești pe Boydy cum gătește, iar eu stau la masa din bucătărie în timp ce el taie și pră-jește. Deoarece mama sa e vegană, Boydy a învățat să-și gătească singur, altfel el socotește că ar „muri de foame".

Mama sa se opune să țină carne în casă, însă nu o deranjează peștele, iar noi asta mâncăm. Personal, eu nu văd diferența dintre carne și pește. Adică, dacă nu vrei să ucizi ceva, e bine, dar cum rămâne cu săracii pești care-și dau ultima suflare agățați de undiță? Evident, nu zic acest lucru.

În fine, Boydy taie legumele pentru o rețetă de creveți prăjiți și mâinile sale sunt rapide și îndemânatice, ca cele ale lui Jamie Oliver la televizor.

— Ar fi trebuit să vezi! se bucură când ajungem să vorbim despre acea după-amiază la Whitley Are Talent în două secunde de la venirea mea.

— Am văzut. Am fost acolo!

În caz că te-ntrebai, Boydy nu a câștigat. Știu. Pare nebunesc. Cea mai bună iluzie din istorie și *nu a câștigat*.

— Cred că e din cauză că le-am spus că nu eu cântam la chitară.

— *Ce* ai spus?

Mi-e teamă de ce va spune. A spus secretul nostru?

— Toată lumea era în delir. Oamenii vorbeau despre fantome. Domnul Parker era într-un hal fără de hal, era aproape o revoltă. Sincer, Eth, credeam că o să fiu ars pe rug.

Mă gândeam la mulțimea de oameni care avansau înspre mine și la haosul din sală. Nu a fost un recital organizat, dacă asta și-ar fi dorit.

— Domnul Parker m-a luat deoparte și mi-a spus: „Domnule Boyd. Deși apreciez *teatralitatea* rrrrecitalului dumneavoastră și pregătirea pe care ați făcut-o pentru a-l *executa*...“

Încep să râd pentru că imitația sa este genială.

Încurajat, Boydy continuă:

— Aţa de pescuit invizibilă pe care aţi utilizat-o fără nicio îndoială în levitarea chitarei a fost într-adevăr *şireată*, dar ţinând cont de faptul că instrumentul nu se afla în mâinile dumneavoastră, pot să-mi asum că muzica a fost generată cu mai mult decât un nivel de *artificiu artistic*. Am dreptate?

— A crezut că ai fabricat muzica?

— Da. Dar ce puteam să-i spun? „Nu, domnule Parker. A fost Ethel Leatherhead, numai că era invizibilă"? I-am spus că am avut o înregistrare pe telefon şi că l-am lipit cu bandă adezivă în gaura chitarei.

— Iar el te-a *crezut*?

— Briciul lui Occam, Ethel. Briciul lui Occam.

Îi arunc o privire în gol.

E plin de încredere în sine acum şi aruncă legumele şi creveţii în wok:

— Briciul lui Occam. E filozofie, nu?

— De îndată ce elimini imposibilul, ceea ce rămâne trebuie să fie adevărat, indiferent de cât de neverosimil sună.

— Ce legătură are cu briciul?

— Nu ştiu, spune, agitând tigaia şi amestecând incredientele fără lingură. Şi nici măcar nu a spus-o el. Expresia îi aparţine lui Spock, în *Star Treck VI: Ţara Nedescoperită*, care-l cita pe Sherlock Holmes.

— Şi cine-i Occam ăsta?

— Nu contează. Ideea e că, în ceea ce-l priveşte pe domnul Parker, singurul lucru care explică ce s-a întâmplat este un fel de fir foarte subţire şi o piesă înregistrată din interiorul chitarei. Şi aşa, cum trebuia să fie un act muzical, am fost descalificat.

— E complet nasol.

Mă simt furioasă că lui Boydy i s-a refuzat premiul care i se cuvenea, dar lui nu pare să-i pese.

Dă din umeri.

— Mare brânză. A meritat fiecare secundă să văd privirea lui Jesmond Knight când a aruncat cu apă și te-a lovit pe tine în schimb. A fost ca și cum aș fi avut un câmp de forță invizibil în jurul meu! Acum, sper că ți-e foame.

Trebuie să recunosc meritele lui Boydy. Stir-fry-ul lui miroase delicios, iar mie mi-e tare foame.

Printre înghițituri îl întreb:

— Și despre celelalți? Ai spus că toată școala a luat-o razna.

Se pare că sunt trei versiuni ale poveștii despre fantomă, toate cu martori diferiți, dar niciuna suficient de consistentă ca să stea la baza unei povești credibile.

Toți oamenii care m-au văzut cum m-am udat se ceartă între ei referitor la ce au văzut, iar Riley Colman, cel care tocește la fizică, i-a convins pe jumătate dintre ei că aceasta a fost o altă parte a măreței iluzii optice a lui Boydy — lucru pe care Boydy nu prea îl dezminte.

Fetele de la toaletă care mi-au văzut sângele curgând din nas nu sunt cunoscute ca „martori de încredere". Când cineva îți spune că o baltă de sânge s-a materializat pe podea, oamenii nu te vor crede — după cum a descoperit Katie Pelling. Cuiva i-a curs sângele din nas. Și ce-i cu asta?

Aramynta Fell nu pare să fi spus nimic despre întâlnirea noastră în fața clădirii de arte dramatice.

Tot ce mai rămâne este fuga mea prin ploaie, de la recepție, unde am fost văzută de, nu știu, zeci de oameni?

Boydy își flutură furculița indiferent și înghite o îmbucătură de mâncare.

— Da, da, da — dar ce au văzut ei, de fapt? Adică, serios? O formă? O aglomerare de picături creată de o rafală de vânt? O poveste pe care am auzit-o este cea a unei fantome a unui copil care s-a înecat în Golful Culvercot cam cu treizeci de ani în urmă.

— Serios? S-a întâmplat așa ceva?

— Se pare că da. După spusele lui Dolton MacFadyen, al cărui tată era la școală în vremea aceea. Ideea, amica mea, e că nimeni nu știe. Nu știe sigur. Iar asta înseamnă că toate poveștile pot sau nu pot să fie adevărate. Iar prezicerea mea e că, după puțin timp, lucrurile se vor liniști și vom merge mai departe, iar secretul tău va fi în siguranță.

Telefonul lui Boydy sună în apropierea sa pe masă, iar acesta se uită la el, verificând repede un mesaj.

Îi pică fața.

— Of! Sau nu e chiar așa de în siguranță.

Salut. Suntem p urmele tale și ale micutzei asistente invizibile. F deștept. Nu e de mirare k suntetzi disperatzi să păstratzi secretul. Chestia e k noi credem k acest clip tre să fie văzut d totzi. Vetzi fi celebri! Acum rămâne în tel meu. Dak vrei să rămână așa, ne vedem azi la 8 la chioșc. J&J

Eu și Boydy ne uităm unul la celălalt. Jarrow și Jesmond. Cine altcineva ar mai putea fi?

Apoi, ne uităm la ceasul de pe perete.

E 7:45.

Capitolul patruzeci și șapte

Chiar dacă e iunie și ploaia a încetat, faleza de pe Whitley Bay are un aer pustiu, care o face să arate ca și cum ar fi permanent blocată în luna februarie. Probabil e din cauza hotelurilor cu geamuri acoperite cu scânduri, care arată ca și cum ar fi fost mărețe odinioară, însă acum îmi aduc aminte de bătrânii din azilul străbunicii: fărâmițați și neiubiți.

Poate e doar dispoziția mea de vină.

De ce gemenii ăștia par să înrăutățească totul? mă întreb furioasă.

Ploaia s-a oprit și a făcut loc unei seri senine și răcoroase, iar pescărușii au amuțit. Un soare plăpând apune în spatele nostru, dând farului o nuanță rozalie.

Ne îndreptăm spre Legătură. Taman în mijloc se află un chioșc vechi și instabil.

Jesmond și Jarrow sunt deja acolo, urmărindu-ne în timp ce ne apropiem.

— Deci... ce le spunem? îl întreb pe Boydy, care a devenit ciudat de calm, într-un fel care mă neliniștește.

— Relaxează-te, Eth. Negăm totul. Nu au cum să aibă vreo dovadă.

— Au un clip. Așa spuneau în mesaj, i-am zis.

— Da, însă chiar dacă ar avea, asta nu va dezvălui mult, nu-i aşa?

— Mmm...

Gândurile mele se îndreaptă spre Jarrow filmând cu telefonul ei. Nu pot să am atât de multă încredere în mine ca Boydy.

— Şi ce vom face?

— Blufăm şi le spunem să se ducă naibii.

— Puteam să facem asta prin SMS. De ce ne întâlnim cu ei?

— Ei bine. Vrem să vedem exact ce au, nu-i aşa? Pentru orice eventualitate. Să evaluăm evidenţa înainte de a ajunge la un verdict şi toate cele.

Ne aflăm acum la câţiva metri de chioşc.

— Bine, dar lasă-mă doar pe mine să vorbesc, spune Boydy.

— Pune-ţi pofta-n cui! Vorbesc şi eu dacă vreau.

— Bine, Ethăl.

Păşim în chioşcul unde ne aşteaptă gemenii. Sincer, dacă nu aş fi atât de tensionată, aş râde. Amândoi stau acolo cu picioarele depărtate şi cu mâinile încrucişate, ca şi cum ar poza ca o pereche sinistră de răufăcători blonzi din filmele cu James Bond.

Dau scurt din cap.

— Bună seara, Jarrow. E totul în regulă, Jesmond? spune Boydy.

— E bineee, Boyd, Ethel, spune Jesmond.

(Băiatul. Nu-ţi face griji, obişnuiam să-i încurc tot timpul. Şi, apropo, „Boyd"? Asta-i indimidare pe faţă. Nimeni nu-l strigă după numele de familie — cel puţin fără acel y de la sfârşit, pe care cred că numai eu îl folosesc.)

Îmi îndrept spatele şi refuz să mă las intimidată.

Jarrow spune:

— Mă bucur să te văd, Ethel. Adică, să te văd *în întregime.*

Nu-i răspund. Pare a fi o strategie solidă: să vorbesc cât mai puţin posibil ca să nu dau nimic de gol.

În jurul chioşcului se află băncuţe de lemn acoperite cu graffiti şi cu mormane de gunoaie adunate dedesubt.

Ne aşezăm, iar Jarrow continuă.

— Vedeţi voi, totul are sens acum. Într-un fel. În ziua când ţi-am găsit câinele am crezut că era ceva în neregulă cu mâna ta, nu-i aşa Jez?

Jesmond dă din cap aprobator.

Jarrow clipeşte puternic în spatele ochelarilor de vedere.

— Adică, noi nu reuşeam să o vedem când ar fi trebuit să putem face acest lucru.

Mă uit în jos la ambele mâini şi le întorc, ca şi cum aş spune: „Ce e în neregulă cu mâinile mele?"

Jarrow ignoră acest lucru.

— Şi azi la Şcoala de Primadone. Chestia cu chitara ta. Aţă de pescuit? Glumeşti? Ştiu ceva despre pescuit şi nu e nicio aţă în lumea asta care e suficient de subţire *şi* de puternică pentru a face aşa ceva.

Mă uit în direcţia lui Boydy şi privirile noastre se intersectează. Îşi muşcă buza de jos.

— În fine, continuă aceasta, v-am auzit. Pe tine cel puţin. „Ia de-aici, Boydy!" E clar că e vocea ta şi toate cele surprinse de cameră!

E ca şi cum s-au antrenat pentru acest moment. Când se vorbeşte de cameră, Jesmond scoate un telefon.

Porneşte clipul imediat, iar eu mă aplec să urmăresc totul cu un sentiment crescător de greaţă.

Începe când Boydy coboară de pe scenă în mijlocul publicului, chitara plutind în faţa sa. Înregistrarea e neclară, dar totuşi e o iluzie grozavă. Mă temusem că m-ar fi „văzut" camera într-un fel în care cu ochiul liber nu s-ar fi putut — că m-ar fi văzut şi c-ar fi captat lumina într-un mod diferit, că aş fi fost vizibilă cumva — dar nu.

Sunt la fel de invizibilă în filmare ca şi în viaţa reală.

Se aude zgomotul publicului, apoi începe haosul. Toată lumea îşi împinge înapoi scaunele cu un scârţâit, iar domnul Parker le spune să facă linişte. Apoi, imaginea se înclină frenetic, în timp ce Jasmond îi înmânează telefonul lui Jarrow, înainte să-şi îndrepte atenţia asupra lui Boydy, care se apropie din ce în ce mai mult.

Şi apa.

Preţ de o secundă după ce mă ocheşte, apa creează un contur al jumătăţii feţei mele înainte să se scurgă şi să se disperseze. Nu poţi să-ţi dai seama ce este. Încep să-mi îngădui speranţa că mi-am făcut griji pentru nimic.

Apoi, se-aude vocea mea:

— Prinde, Boydy.

Trebuie să fi spus acest lucru foarte aproape de microfonul camerei, deoarece este foarte clar. Din nefericire, nu încape îndoială că sunt eu, însă şi ce dacă?

Apoi se schimbă scena. Sunt doar câteva secunde de film, înregistrate din recepţia şcolii în timpul ploii torenţiale. Poţi auzi pe cineva zicând:

— Acolo! Ai prins-o?

Apoi apare o ceaţă uşoară a unui lucru ce se îndepărtează după colţ, însă nu poţi să-ţi dai seama ce e.

Schițez un surâs ce se apropie mai degrabă de un rânjet. Mă voi întoarce în direcția gemenilor și le voi spune:

— Asta e tot? Asta e tot ce aveți mai bun? Acest lucru nu dovedește nimic în afară de faptul că voi doi sunteți niște descreierați cu fantezii despre oameni invizibili. Aveți și filmări cu spiriduși? Ha! Rataților!

Sau ceva de genul acesta, în orice caz.

Dar rânjetul meu a înghețat, format doar pe jumătate.

Deoarece filmul se repetă cu încetinitorul. Când apa îmi lovește jumătate din față, clipul încetinește din nou, cadru cu cadru. Atunci, devine clar. De necontestat, de fapt. Fața mea sau jumătate din ea cel puțin e conturată de apă.

Sunt doar câteva cadre. Altminteri ai rata-o, însă nu este nicio îndoială când se încetinește.

Încetinitorul și versiunea mărită a clipului filmat în ploaie dezvăluie și mai multe.

Acolo sunt. Aproape complet transparentă, însă conturată de ploaia torențială în timp ce fug din recepția școlii. E clar o persoană. O persoană dezbrăcată și pe jumătate invizibilă.

De fapt eu, fără nicio îndoială.

Acolo se termină filmarea, iar Jesmond își bagă telefonul în buzunar.

— Tu, ești, nu-i așa? îmi spune, iar de data aceasta *el* e cel care zâmbește.

Eu și Boydy facem un schimb de priviri, dar niciunul nu rostește nimic.

— Nu are niciun rost să negați. Se vede clar că ești tu. E evident după modul în care fugi. Pe lângă asta, amprenta de pe degetul tău mare a fost folosită pentru a deschide poarta școlii.

Boydy trece la ofensivă.

— Prostii! Nu ştii nimic. Cum naiba ştii tu că era amprenta ei?

Jarrow se bagă acum în conversaţie.

— Uşor, dacă ai influenţă asupra lui Stuart de la pază. Puţină putere persuasivă, dacă ştii ce vreau să zic?

Bătrânul Stuart Hibbert este paznicul de noapte. E un tip drăguţ, care mai vinde acadele în intersecţia aglomerată de la intrarea din spatele şcolii.

— Bătrânul Stuart? Ce, Doamne iartă-mă, a făcut?

— Nu se cade să spunem, nu-i aşa Jez? zice Jarrow. Dar hai să spunem că cincizeci de lire contează mult când lucrezi ca paznic cu salariul minim pe economie.

— L-aţi *mituit*?

Nu pot să cred ce aud. Gemenii Knight practic au plătit paznicul de noapte al şcolii să le înmâneze informaţii de securitate.

Toţi suntem atât de tăcuţi, încât singurele sunete ce se aud sunt cele ale traficului de pe şosea şi ale valurilor pe nisip.

Jesmond Knight e primul care vorbeşte.

— Deci pot să recunosc măcar atât: nu ştim ce se întâmplă *de fapt*. Dar mi se pare că *tu*, mă arată cu degetul, ai o chestie ciudată de invizibilitate. E o vrajă? E vreun fel de costum pe care-l îmbraci? E vreo chestie militară? N-am idee. Dar pun pariu că e top secret şi că vrei să rămână aşa. Altfel, am fi auzit de acest lucru.

Mă uit urât la el în timp ce spune aceste cuvinte. Bineînţeles, el are dreptate mai mult sau mai puţin, iar acest lucru mă înspăimântă.

— Deci, uite care-i treaba, spune Jarrow.

Face o pauză lungă în timp ce-și dă jos ochelarii și îi curăță cu o batistă, făcându-ne să așteptăm. Într-un final zice:

— Înregistrarea e pe telefonul lui Jez momentan. Acolo va rămâne atât timp cât voi vă purtați frumos. Sau, mai degrabă, cât timp voi *plătiți* frumos.

— Plătiți? spune Boydy.

— O, da. Estimăm că o mie de lire ne-ar ajunge, nu-i așa, Jez? E gestionabil dacă plătiți în rate.

Mă simt rău. Nu numai supărată, dar foarte rău, ca și cum aș vrea să vomit.

O mie de lire. De unde să fac eu rost de atâția bani?

— Ești nebună, îi spun într-un final. Nu e nicio șansă ca noi să putem obține o asemenea sumă. Nicio șansă.

Sunt furioasă, dar sunt și foarte speriată. Ca să nu mai zic și complet șocată. Asta e mită în toată regula. Nu o chestie de tipul „îți fur dulciurile în spatele parcării de biciclete", ci genul de faptă pe care o comit infractorii adevărați.

— Nu e o negociere. Îți dai seama, nu-i așa, Micuța Doamnă Invizibilă? Nu e ca și cum o să ne tocmim.

— Nu pot s-o fac.

Își ridică umerii.

— Acesta este genul de clip care devine viral instantaneu. Câteva apeluri la *Evening Chronicle*, știi? „Secretul invizibil al unei fete din provincie." Ajunge ușor peste tot pe YouTube. Reporterii își vor face tabără în fața casei tale. Vei fi precum Fata Invizibilă din *Incredibilii*, numai că în viața reală, știi? Iar acest lucru va rămâne cu tine pentru totdeauna, Ethel. Chestiile de acest gen nu dispar niciodată.

— Fugi de-aici.

Cuvintele ies pe gură, însă, ceea ce mă enervează, îmi tremură. Cumva, gemenii Knight s-au prins care este frica mea cea mai mare. Şi-au dat seama că aş urî să fiu faimoasă în acel sens, iar ei profită de acest lucru.

— Faci cum vrei.

Jesmond îşi scoate telefonul din buzunar şi mormăie ca pentru sine în timp ce apasă pe ecran.

— Bine... încarcă... se încarcă...

— Opreşte-te!

Se opreşte cu degetul plutind deasupra telefonului, faţa sa — icoana inocenţei.

— Da? Poftim?

— Daţi-ne timp. Timp să ne gândim.

Gemenii se uită unul la celălalt, iar amândoi dau din cap aprobator. Jesmond lasă telefonul deoparte.

— Bine. Aveţi trei zile. Ne vedem. Ei bine, nu pe tine, evident, spune în timp ce arată cu degetul spre mine.

— Nu dacă eşti invizibilă, în orice caz.

Fără să se întoarcă, gemenii pleacă hoinărind, râzând la gluma lui Jesmond şi lăsându-ne pe mine şi Boydy într-o linişte de şoc.

Capitolul patruzeci și opt

Stau acasă în pijamale și recapitulez evenimentele din această seară în timp ce aștept în sufragerie ca Buni să se întoarcă.

Conform aplicației FindU, acum zece minute era în Tynemouth, deși e cam târziu să o viziteze pe străbunica. Programul de vizită se termină la ora nouă și e deja nouă și jumătate. Probabil au lăsat-o să stea până mai târziu.

Eu și Boydy nu am prea vorbit în drumul spre casa lui. Singurul lucru ce trebuia spus era:

— O, Doamne, ce vom *face*?

Și, cum amândoi știam că celălalt nu are niciun răspuns, părea inutil să mai zicem altceva.

Mama lui Boydy era trează când ne-am întors, iar Boydy ne-a făcut cunoștință. Mama sa e de treabă, doar puțin aiurită. Are cearcăne și o privire obosită. Mi-a arătat un zâmbet siropos cu buzele împreunate și capul dat într-o parte și mi-a spus:

— Ai o aură încântătoare.

— Ăăă, merci.

Nu am idee ce vrea să zică, dar cred că era drăguță.

Ca o paranteză, îi spuse lui Boydy:

— Frumoase maniere. Vezi, Elliot, ai fi putut face şi mai rău.

Nu am nicio idee ce vrea să zică şi aici, dar Boydy dă ochii peste cap în direcţia mea în semn de solidaritate.

Ultimul lucru pe care îl spune mama sa e:

— Vă las... singuri... acum.

Iar eu pot să jur că a uitat câteva cuvinte, ca şi cum ar fi vrut să spună „Vă las singuri, acum, porumbeilor", dar nu a îndrăznit.

Ideea că eu şi Boydy am putea fi un cuplu este atât de ridicolă, încât era să mă pufnească râsul.

În fine, cu mama sa ieşită din calea noastră, eu şi Boydy stăm unul în faţa celuilalt — fiecare cu o cană de ceai în mână — şi stabilim un plan de acţiune.

Se pare că eu voi intra prin efracţie în casa familiei Knight şi voi fura telefonul lui Jesmond.

Ne-a luat ceva timp să ajungem până acolo, după cum îţi poţi imagina. Nu eram dispusă, după cum poţi să-ţi dai seama. Însă niciunul dintre noi nu s-a putut gândi la o altă soluţie pentru a ne asigura că nu vor arăta filmarea tuturor.

De fapt, sunt puţin surprinsă că aceasta nu circulă deja prin toată şcoala, postată pe YouTube şi vizionată undeva pe la Tokyo. Însă nu am pus la socoteală voinţa gemenilor Knight de a aştepta să vadă ce pot să obţină din această situaţie. Cât de mult timp vor aştepta, mai precis, rămâne de văzut.

— E perfect, spune Boydy când ne vine în minte planul, pocnindu-şi buzele după ce-şi dă ceaiul pe gât. Devii invizibilă, intri în casa lor şi le iei telefoanele. Floare la ureche.

— O da. Floare la ureche. Adică, dacă nu eşti tu cel care trebuie să o facă.

Arată jignit.

— Te ajut.

— Cum?

— Nu știu precis. Voi fi camaradul tău.

— Ce?

— E o expresie pe care tata o folosește. Cred că înseamnă ajutor.

Pur și simplu nu-mi trece prin cap nicio metodă prin care Boydy m-ar putea ajuta să pun la cale un furt elaborat cu victimele încă în casă, dar nu-ți spun. În schimb, îi atrag atenția asupra unei alte probleme pe care am observat-o.

— Clipul pe care ni l-au arătat era editat.

În mod clar fusese editat: imaginile în reluare, clipurile separate lărgite și alipite.

— Și?

— Și cum faci asta?

— Nu știu. Folosești un program de editare. iMovie sau ceva. Încarci clipul pe calculator.

— Aaaa.

— Aaaa, într-adevăr. Filmul nu e numai în telefonul lui Jesmond Knight, nu-i așa? E în laptopul său sau în calculatorul familiei, sau în *oricare* loc. Și pentru tot ce știm ar fi putut să-i facă back-up pe Cloud.

Boydy își trage aer cu dinții.

— Va trebui să le ștergi memoria din calculatoare. Să le ștergi complet. Să ștergi toate datele.

— Cum fac asta, Bill Gates? Dacă și-au făcut back-up la informații?

Am discutat despre acest subiect preț de încă o jumătate de oră. Unii oameni nu își fac back-up la calculator, cum ar fi Buni. Nu ar şti cum se face. Unii oameni o fac din când în când. Aşa face Boydy. Are un hard extern cu încărcător pe care-l foloseşte o dată la câteva luni pentru a-şi face back-up la muzică, la filme şi la temele pe care le are pe laptop. Unii oameni îşi setează calculatoarele să o facă automat, de pildă cu Time Machine de la Apple.

Iar unii oameni au făcut back-up la tot în conturile de pe Cloud.

— Trebuie să sperăm că nu e opţiunea Cloud, spune Boydy.

— Noi? Noi? Îmi place cum sună!

Nu ştiu de ce am fost aşa de indignată.

— Încerc să ajut, Eth, spune Boydy, iar vocea lui părea tristă. Dar recunoaşte că, ştiind ceea ce ştii despre gemenii Knight, crezi că le stă în fire să-şi facă backup automat la calculatoare?

M-am gândit preţ de o clipă şi am fost de acord cu el. Nu era imposibil, dar de asemenea nu era foarte probabil.

Într-un mod înspăimântător, făcea ca tâlhăria să fie o opţiune viabilă.

Şi mai înspăimântător, făcea ca tâlhăria să fie singura noastră opţiune.

Capitolul patruzeci și nouă

Iar dacă aceste probleme nu erau suficiente, când se întoarce Buni acasă îmi dau seama că a plâns.

Tot rimelul i s-a șters, iar ochii îi sunt injectați, ceea ce mă face să mă gândesc că și-a mânjit fața cu machiaj din cauza lacrimilor, apoi a șters totul. Însă, în afară de ochii ei roșii, este destul de pricepută în a ascunde totul.

— Te simți bine, Buni? Pari... supărată?

Se întoarce.

— Supărată? Nu, nu, nu. Sunt bine, draga mea. Doar puțin obosită, atât.

Încerc să o păcălesc.

— Ce făcea străbunica?

E mai deșteaptă decât atât.

— Străbunica ta? Era bine când am văzut-o ultima dată în weekend. Ce vrei să spui?

— Nimic. Credeam că mi-ai spus că mergi s-o vizitezi, atât. Vina mea.

Buni e ocupată cu ceainicul, iar eu nu pot să-i văd fața din locul unde stau.

— Nu. Am fost la o întâlnire a bazarului bisericii. S-a lungit peste program. Majoritatea timpului a constat în discuții despre câinele lui Queenie Abercrombie.

— Am înțeles. Vina mea.

— Nu spune asta, draga mea. E destul de comun.

— Scuze, greșeala mea. Unde a fost întâlnirea?

Ar fi putut avea loc în Tynemouth, unde aplicația FindU spunea că se află.

— Dumnezeule, ești tare curioasă în seara asta! A fost la vicariat. De ce întrebi?

Nu a fost în Tynemouth. Buni mă minte.

— Niciun motiv. Noapte bună, Buni.

Mă duc la culcare, dar nu reușesc să adorm. Pur și simplu stau în pat cu ochii larg deschiși. Și tu ai face la fel dacă ai avea atâtea pe cap ca mine. Aud un scotocit venind din camera lui Buni.

Nu sunt zgomotele ei obișnuite de dinainte de culcare. E diferit. Fiecare din zgomote le-am auzit înainte, dar nu combinate în această ordine.

Mai întâi, verifică dormitorul meu, să se asigure că lumina este stinsă și că dorm. Sunt trează. Doar stau întinsă-n întuneric, dar acest lucru pare să o mulțumească.

Apoi, se aude un scârțâit și un clinchet slab. E scara joasă pe care o ținem în dulapul încastrat de pe palier, alături de aspirator și de decorațiunile de Crăciun.

Se întoarce repede la ea în cameră, dușumelele scârțâie.

Apoi, aud cheia rotindu-se în broasca ușii de la dormitorului ei. De ce, Doamne, iartă-mă, încuie ușa? Singurul motiv plauzibil este dacă mă trezesc și intru la ea în cameră în timpul nopții.

Şansele sunt aproape inexistente, dar orice ar face trebuie să fie un secret atât de mare, încât nu-şi poate asuma niciun risc, aşa că încuie uşa.

Ei bine, asta mi-a atras atenţia. Mă ridic din pat într-o clipă şi-mi lipesc urechea de uşa dormitorului meu.

Ea ar lua scara numai să recupereze ceva dintr-unul dintre dulapurile înalte. Bineînţeles, aud sunetul închizătorilor pe măsură ce unul dintre dulapuri se deschide şi...

Atât.

Se mai aude un foşnet, nişte paşi în jurul camerei, apoi ia scara şi o aduce înapoi pe palier.

După aceea, se aşterne liniştea şi până la urmă adorm şi eu.

Conform ceasului de pe telefon, mă trezesc după o oră.

Am o sete aprigă şi mă duc la baie să beau nişte apă. O lumină subţire iese de sub uşa dormitorului lui Buni, dar, în timp ce trec pe lângă palier, se stinge.

Adică, serios: *ce* se întâmplă?

Capitolul cincizeci

Până de curând, Buni nu mi s-a părut genul de persoană în stare să țină secrete.

Pe de altă parte, ea crede că toată lumea trebuie să fie discretă și că nu trebuie „să te dai în spectacol". A te da în spectacol este, în opinia ei, unul dintre cele mai urâte lucruri pe care le poate face o persoană. Intră în aceeași categorie cu „fala", „solicitarea atenției" și „a fi regina dramelor".

Crescând cu Buni, însemna că eram încurajată să nu atrag niciodată atenția asupra mea. Chiar și lucrurile pe care le fac toți copiii — roata, dansurile prostești, săritul de pe scaun — vin însoțite de un avertisment.

Ca să fiu corectă, am căzut odată, iar acest lucru a supărat-o foarte mult pe Buni. Trebuie să fi avut vreo șase ani, iar consiliul local instalase un nou cadru de cățărat.

Pentru un copil mic de șase ani, acest cadru de cățărat era *imens*. Era chiar și un semn care avertiza că era numai pentru copiii de la opt ani în sus, dar toată lumea îl ignora, incluzând-o și pe Buni.

Era pe plajă, citind o carte, iar Lady stătea întinsă dedesubt în timp ce eu mă jucam. În ziua în care s-a întâmplat să cad, se aflau acolo și alți copii pe care îi cunoşteam. Ne-am provocat să ne urcăm până la vârf, unde se afla o mică platformă.

Urcasem până la jumătate, când mamele celorlalţi copii i-au strigat şi, până am ajuns în vârf, ceilalţi au coborât din nou. Mergeau unde se aflau mamele lor, aproape de ieşire, aşa că am strigat.

— Amy! AMY! Ollie! Uitaţi-vă la mine! Buni! Buni! UITĂ-TE LA MINE!

Făceam cu mâna şi ţipam şi puteam să văd cum se întorc alţi oameni din parc, dar Amy şi Ollie nu mă văzuseră, iar Buni se uita în jurul ei, pentru că-mi auzise vocea, dar nu se gândise să se uite-n sus.

— AICI SUS! am ţipat. UITAŢI-VĂ LA MINE! AM REUŞIT!

Atunci am căzut. Mi-a alunecat piciorul şi m-am răsturnat. M-am lovit cu capul de o bară de metal, apoi de o plasă, astfel încât nu m-am izbit de pământ cu toată forţa, dar lovitura a fost suficient de puternică, aşa că mi-am pierdut cunoştinţa câteva secunde. Sub cadrul de căţărat se afla suprafaţa aceea moale, spongioasă şi eu mi-am scrântit glezna, dar cred că ar fi putut fi mai grav.

Când mi-am revenit, trebuie să fi fost o duzină de oameni aplecaţi, îngenuncheaţi şi stând în picioare în jurul meu. Buni îmi sprijinea capul şi zicea:

— Nu din nou. Te rog, Doamne, nu din nou, ceea ce părea ciudat la vremea respectivă.

Stăteam întinsă ceva mai mult — mai mult decât voiam de fapt —, dar administratorul parcului trebuia să facă mai multe analize, despre care a învăţat probabil la cursul de calificare pentru administratori de parc. Chestii cum ar fi: respiram cum trebuie? Aveam vederea în ceaţă?

Tot ce voiam să fac era să mă ridic și să merg acasă ca să plâng din cauza încheieturii rănite.

Într-un final, mulțimea s-a micșorat și am rămas numai eu, Lady, Buni și administratorul. Nu curgea sânge, iar Buni voia să mergem acasă să-mi pună gheață pe încheietură.

În drum spre casă am întrebat-o pe Buni:

— Ce ai vrut să spui când ai zis „nu din nou"?

Părea puțin surprinsă, dacă stau bine să mă gândesc, dar asta a fost acum ceva timp.

Nu a spus decât atât:

— Nimic, draga mea. Nu vreau să spun nimic. Doar nu voiam să te rănești, da?

Chiar și atunci mi s-a părut ciudat. Atât de ciudat, presupun, încât mi-am adus aminte destul de clar.

Acest lucru și ce a spus după:

— Oamenii se uită numai în cazul în care cazi.

Capitolul cinzeci și unu

În dimineața următoare, Buni se simte ca o floare, toată un zâmbet și revigorată de la primele ore. Ca și cum nimic nu s-a-ntâmplat.

Aproape mă conving de faptul că-mi imaginez toate lucrurile ciudate din ultimele zile și săptămâni, ca și scormonitul de azi-noapte din camera ei.

Încă sunt „scutită medical" de la școală, dar mă aflu jos, în uniformă, ca de obicei.

Buni pleacă înaintea mea, iar eu rămân să închid casa și s-o duc pe Lady la îngrijitorul de câini. (Îmi dau seama că aș putea economisi cele zece lire pe care le plătim îngrijitorului și să păstrez banii, iar eu sunt pe cale de a face acest lucru când conștiința mea se face auzită și-mi amintește că deja sunt implicată într-o pânză a înșelăciunilor. Nu trebuie să mai adaug și eu ceva la ea. Mai ales că aș fi descoperită repede.)

Așadar, o las pe Lady la ora obișnuită, dar, în loc să continui drumul spre școală, mă întorc și ajung din nou acasă înainte ca școala să-nceapă, stând în mijlocul dormitorului lui Buni și holbându-mă la dulapurile de sus.

Camera lui Buni e de departe cea mai ordonată și mai curată din toată casa, probabil pentru că eu nu intru niciodată acolo. Totul este depozitat: nu sunt bluze atârnate pe spătarul scaunului, șosete desperecheate sau cărți pe podea. Partea de sus a mesei de toaletă este locul unde se află o perie argintie și o cutie gravată, cu capac, plină de mărunțiș. Totul este albastru sau gri. Covorul este gri, cuvertura este cu dungi albastre, pernele sunt albastre cu alb, perdelele sunt gri, albe și albastre. Miroase frumos, ca parfumul lui Buni și ca deodorantul ei.

De-a lungul peretelui, să află dulapuri încastrate, cu un rând de polițe pe deasupra, care ajunge până la tavan.

Iau scara mică din dulap. Are numai trei trepte. Chiar și de pe treapta de mai sus trebuie să mă întind să văd ce e în primul dulap pe care-l deschid. Conține, în mare, cam tot ce mă aștept să găsesc: pături, o cuvertură de rezervă și o jachetă lungă căptușită pe care Buni a cumpărat-o și purtat-o o dată, apoi a văzut pe cineva la TV purtând una similară și nu s-a mai îmbrăcat cu ea niciodată.

Al doilea dulap e gol. Al treilea are mai multe cearceafuri și o cutie de carton ce conține cărțile cu ilustrații de când eram mică, iar eu petrec o jumătate de oră uitându-mă fericită prin ele și amintindu-mi cum îmi citea Buni din ele. (Buni a spus că avea de gând să le dea la vânzarea de cărți organizată de biserică, dar au trecut veacuri de-atunci și presupun că a uitat pur și simplu.)

Ultimul dulap e unul cu vechituri. Găsesc o mașină veche de cusut care nu e folosită niciodată, o pungă cu haine vechi și o vază frumoasă de alamă, cu o inscripție pe ea.

Asta e tot.

Poate să fi dat jos Buni cutia cu poze vechi de admirat? Nu prea cred.

Frustrată, urc din nou scările, punând cartea înapoi în cutia ei, iar aceasta nu e o sarcină ușoară când ești mică așa cum sunt eu. Pe măsură ce ridic cutia, aceasta se dă pe spate și câteva cărți se strecoară afară și aterizează pe podea, așa că trebuie să cobor scările și să pun jos cutia ca să le adun.

Una a căzut de-a lungul covorului și a ajuns sub patul lui Buni, iar eu mă aflu în picioare ca să o ating.

Atunci o văd.

O cutie de metal. Știu că este ce căutam. Nu mă întreba *cum* de știu. Nici eu n-am idee. Dar pur și simplu știu.

Buni trebuie să fi dat jos cutia dintr-unul din dulapuri și a pus-o sub pat. Nu știu de ce. Poate ca să ajungă la ea mai ușor?

Mă aplec și o scot. E destul de mare: partea de sus este aproape de mărimea tăvii pe care luăm ceaiul și are vreo șase centimetri adâncime.

Și este încuiată. Bineînțeles că este. Trebuie să fie.

Acolo este un lacăt cu o combinație ce fixează capacul și cutia cu o încuietoare mică, iar inima mea se scufundă. Dacă era un lacăt cu cheie, puteam măcar să caut cheia. Dar nu e.

Pot ghici codul? Are patru cifre.

Încerc niște combinații evidente: anul nașterii, anul nașterii al lui Buni, apoi fiecare an unul după celălalt în caz că am greșit. Ultimele patru cifre la numărul ei de telefon, apoi al meu.

Apoi, 1066, anul bătăliei din Hastings, și 1815, anul bătăliei de la Waterloo, și 1776, deoarece tocmai am terminat de studiat la școală Războiul de Independență.

Este fără speranţă. Nu voi avea niciodată cum să ghicesc.

Dar...

Pot încerca fiecare număr de la 0000 la 9999.

Fiecare număr.

Cât timp îmi va lua? Fac nişte calcule rapide pe calculatorul telefonului meu. Lăsându-mi două secunde să trec fiecare număr nou (ar putea fi mai repede?) şi, rotunjind 9999 la 10 000, asta înseamnă 20 000 de secunde. Împarte asta la şaizeci pentru a afla câte minute... obţii 333 (virgulă trei de fapt) şi împarte *acest* rezultat la şaizeci să obţii orele şi la ce mă uitam.

Cinci ore jumătate.

În fiecare marţi, Buni se întoarce până la prânz.

Pot doar să sper că nu a ales o combinaţie ridicată de numere.

Încep să lucrez imediat:

0000

0001

0002

0003

0004

După fiecare sunet al telefonului, trag de uşă să verific dacă a funcţiont. Nu pot fi aiurită — nu vreau să ajung la 9999 şi să-mi dau seama că am ratat vreo cifră sau nu am reuşit să testez lacătul cu fiecare combinaţie.

Prin urmare, aici sunt, stând pe podeaua dormitorului lui Buni cu spatele rezemat de pat şi cu o cutie de metal în poală, introducând combinaţii şi trăgând de deschizătură din nou. Din nou. Şi din nou. Şi din nou...

Trece o oră.

2334 *trag*

2335 *trag*

2336 *trag*

Mă ridic şi mă-ntind ca să merg la toaletă şi apoi să-mi fac o cană de ceai.

Trece încă o oră.

3220 *trag*

3221 *trag*

Umerii mă dor, iar degetele mă dor şi ele de la marginile ascuţite ale tastelor cu cifră.

Trece încă o oră.

Mă uit emoţionată la ceas pe măsură ce arată spre prânz. Mă gândesc că: *Voi fi OK atât timp cât Buni nu vine devreme acasă.*

Nici nu-mi trece bine gândul prin cap, că îi aud maşina afară.

Capitolul cincizeci și doi

O, Doamne, o, Doamne, o, Doamne.

Mă ridic într-o clipită și alerg pe scări pentru a închide ușa de la intrare, fiindcă, dacă aceasta *nu* e închisă când intră Buni:

a) voi intra în bucluc, pentru că n-am închis-o când am plecat la școală, sau...

b) Buni ar putea crede că m-am întors deja pentru vreun motiv ciudat și mă va căuta.

O văd venind pe cărare prin geamul bombat din fața ușii. Lady este cu ea, ceea ce înseamnă că și-a încheiat ziua de lucru și va fi acasă în restul după-amiezii.

Întorc cheia repede în yală, o iau cu mine și o zbughesc pe scări din nou. Dau cu piciorul în cutia care încă arăta închisă și o împing sub pat, închid ușa dulapului și abia ce reușesc să depozitez scara când aceasta intră pe ușă și *imediat urcă pe scări.*

Și-a dat jos haina, dar cam asta-i tot. E într-o mare grabă.

Nu am de ales decât să mă ascund sub patul lui Buni.

De fapt, da, *am* de ales. Acest lucru ar implica să mă ascund în camera mea, dar nu pot ajunge acolo fără ca Buni să mă vadă de pe scări. Sau ar implica să mă ascund într-un dulap...

Acum, dacă stau să mă gândesc, asta ar fi fost o idee mai bună. Dacă Buni a urcat să ia cutia? E clar că o preocupă ceva în momentul acesta, iar dacă se uită sub pat va...

Șșș.

Intră în cameră cu Lady după ea, iar aceasta adulmecă de zor covorul. Le pot vedea picioarele — atât pe cele ale lui Buni, cât și pe cele ale lui Lady —, iar Lady pare agitată, probabil pentru că poate mirosi că sunt în cameră.

— Ce ai pățit, Lady? Ai mult chef de mirosit azi, spune Buni.

Se aude un scârțâit și, deasupra mea, salteaua patului se lasă când Buni se așază. Își dă jos pantofii comozi, apoi se-ndreaptă spre dulap. În continuare, se așază din nou și se încalță cu o pereche de adidași.

Buni râde.

— Știi ce-nseamnă asta Lady, nu-i așa? Știi că asta înseamnă că te scot la plimbare! Ei bine, trebuie să fii foarte cuminte azi, deoarece ne întâlnim cu cineva și vreau să-mi spui dacă-ți place de el.

Apoi se ridică și, deoarece sună cineva la sonerie, coboară scările.

Pot auzi toate aceste lucruri, însă foarte înăbușite din poziția mea de sub pat, iar mintea deja îmi ametește.

Buni:

— Bună. Intră, te rog. Mai trebuie doar să-mi iau mănușile din bucătărie.

O voce de bărbat:

— Bună, Bea. Bună, Lady — mă bucur să te întâlnesc din nou. Vrei să te gâdil?

Tresar, fiindcă am mai auzit această voce. Nu pot să-mi dau seama unde, dar sunt sigură că am auzit-o înainte.

Mă strecor de sub pat. Trebuie să văd cine este, dar va fi nevoie să mă uit de pe geamul din dormitorul lui Buni. Nu pot risca să cobor scările.

O aud pe Buni zicând:

— Să mergem atunci.

Apoi, ușa din față se-nchide.

Buni și Lady merg împreună pe cărarea de la intrare, urmate de bărbatul acela. Nu-i pot vedea fața, dar are părul blond.

Da. El este.

Bărbatul pe care l-am întâlnit la intrarea de la Priory View.

Ce, Doamne, iartă-mă, caută aici? Cu Buni?

Capitolul cincizeci şi trei

O oră. Cam atât o plimbă Buni de obicei pe Lady. În partea de jos a străzii, traversând Legătura şi apoi pe plajă, de-a lungul Legăturii şi înapoi. Poţi face traseul şi într-un timp mai scurt. Mult mai scurt. Dar cu aruncatul mingii, jocul cu alţi câini şi aşa mai departe, de obicei totul durează în jur de o oră.

Dar cine ştie? Ar putea merge cu acest individ până la chioşc şi să se întoarcă. Sau ar putea merge în continuare până la Stăvilarul Seaton şi să lipsească toată după-amiaza.

Îmi spun acest lucru pentru a-mi distrage atenţia de la durerea din degete.

5004 *trag*

5005 *trag*

5006 *trag*

Apoi, e problema tipului în sine.

Trec direct la subiect. Şi ştiu că poate părea o concluzie ciudată şi nu e nici măcar una, dar...

Iese cu el la *întâlnire*?

Gândul mă face să mă înfior. Pentru început, e cu mulţi *ani* mai tânăr decât ea. Nu vreau să mă gândesc la Buni ca la o bătrână cu o păpuşă masculină. Să fiu sinceră, nu aş fi încântată nici dacă ar fi de vârsta ei. Nu ar fi potrivit.

Şi mai e şi fumător. Buni nu ar ieşi la întâlniri cu un fumător.

(Odată am întrebat-o dacă fumatul este comun. S-a gândit ceva timp, apoi a spus: „Când era comun, nu era de fapt «comun». Acum, că e mai puţin comun, e de fapt mult mai «comun»." A zâmbit la gluma sa şi eu am făcut la fel. Am înţeles ce-a vrut să spună.)

Chestia e că Buni e Buni. Cuminte, strictă, foarte politicoasă. Şi, cel mai important, *celibatară*.

6445 *trag*

6446 *trag*

6447 *trag*

Încerc să pun la un loc toate situaţiile de Lucruri Ciudate Care Nu se Pupă. Problema cu Buni, minciuna că a fost la întâlnirea din parohie când nu a fost, întoarcerea ei acasă, unde arăta ca şi cum plânsese, întâlnirea cu un bărbat mai tânăr şi *afurisita asta de cutie CARE NU SE DESCHIDE*.

7112 *trag*

7113 *trag*

Poc!

Se deschide. La încercarea numărul şapte mii o sută treisprezece.

Gâtul mi s-a uscat. Mâinile chiar îmi tremură puţin când scot lacătul din încuietoare şi deschid capacul.

Dacă m-ai fi întrebat ce mă aşteptam să văd, nu ţi-aş fi spus nici într-un milion de ani: „O fotografie cu vedeta pop Felina." Însă chiar asta am acum sub ochi.

O fotografie color a unei vedete pop decedate, cu machiajul ei de pisică, ţinându-şi mâinile în aer precum ghearele unei feline, însă cu o strălucire şireată în ochi şi cu un zâmbet nărăvaş.

Felina.

Capitolul cincizeci și patru

Pe lângă poza din mâna mea mai sunt altele, unele decupate din reviste. E un exemplar din revista *Soul* cu o poză cu Felina pe copertă și cu o grămadă de poze cu text în interior; un exemplar din ziarul *The Sun* de acum zece ani cu o poză cu chenar negru pe prima pagină și cu titlul „Odihnește-te în pace, Felina".

Acolo se află și un exemplar din *The Guardian*, împăturit deasupra unei pagini cu titlul *Necrologuri*, unde se publică povestea vieții oricărei persoane celebre care a decedat.

Citesc tot articolul.

FELINA

Cântăreața cu vocea guturală ale cărei hituri molipsitoare nu au putut să-i ascundă tumultul din suflet

Încă un nume a fost adăugat acestei liste nefericite de victime ale stilului sălbatic de viață din rock and roll: cântăreața de pop și soul Felina, care a fost găsită moartă la vârsta de douăzeci și patru de ani. Cauza decesului nu este clară momentan.

Una dintre artistele cele mai de succes ale generației

sale, vocea ei distinctă — și cu aparițiile ei la fel distincte — au fermecat publicul de-a lungul generațiilor, ajutând-o pe aceasta să devină cea mai bine vândută artistă pop a ultimilor ani. Însă Felina suferea de probleme serioase cu alcoolul și cu drogurile, ce i-au bântuit viața.

Al doilea album al său, *Mustățile pisicii*, a fost pe primul loc în topuri timp de patru săptămâni, propulsând-o la un nivel de faimă despre care unii ar spune că i-au adus declinul.

S-a născut cu numele Miranda Enid Mackay într-o familie din clasa de mijloc stabilită în sudul Londrei. Tatăl său, Gordon, era vânzător, iar acesta a divorțat mai târziu de mama sa Belinda.

La vârsta de șapte ani, Felina participa la cursurile de teatru din zonă, însă a devenit evident imediat faptul că muzica era prima ei dragoste. Instinctele rebele au ieșit la suprafață în adolescența timpurie. După cum a recunoscut și ea, la vârsta de paisprezece ani deja fuma și și-a făcut primul tatuaj, o pisică în partea de sus a brațului. „Părinții mei nu mă puteau ține în frâu, și asta era tot", a afirmat ulterior.

Profesorul ei de canto a trimis un fișier MP3 cu vocea sa unei companii de înregistrări. La doar șaptesprezece ani, aceasta a semnat un contract cu casa de discuri Slick Records, dar natura ei rebelă deja provocase o ruptură în relația cu părinții, iar aceasta s-a mutat din casa părintească, începând o relație cu un coleg muzician numit Ricky Malcolm. Prima ei piesă, *Spune că poți*, a fost lansată chiar după ce a împlinit nouăsprezece ani. Sub numele „Felina", s-a lansat pe scena muzicală, iar machiajul ei de „pisică" și costumația i-au fost imediat atât ridiculizate, cât și admirate.

Cu siguranță, au făcut-o observată. Au urmat aparițiile în concerte, unde era cap de afiș, precum și un șir de hituri, inclusiv cântecul care va fi mereu asociat cu ea, *Aprinde lumina*. Acest cântec a stat la baza ascensiunii în Statele Unite, care a fost întreruptă de moartea sa.

Hiturile au continuat, deși începea să fie evident că stilul de viață din showbiz își făcea efectul asupra ei. O serie de concerte anulate au dus la zvonuri – negate cu vehemență la acea vreme – că ar fi avut probleme cu alcoolul și drogurile.

Paparazzii au urmărit-o după aceea pe străzile din Londra. Rareori își făcea apariția în public fără cunoscutul machiaj de „pisică", însoțit de obicei de ochelari purtați invers.

Felina a câștigat trofeul de cea mai bună artistă la Brit Awards, iar în același an a fost nominalizată la Premiile Mercury Music și la Premiul Ivor Novello pentru versuri.

S-a căsătorit pe neașteptate cu Ricky Malcolm și au avut imediat un copil, o fată pe care au botezat-o Tigroaica Pisicuța.

Maternitatea nu i s-a potrivit Felinei, iar aceasta a atras critici acerbe când a demarat un turneu mondial, lăsând-o pe Tigroaica Pisicuța în grija bunicii sale la vârsta de șase luni.

După ce Felina, aparent beată, a fost fotografiată pe stradă în timpul nopții cu fiica sa, vânzările albumelor sale au scăzut brusc.

La acea vreme, mama sa a dat vina numai pe Ricky Malcolm, făcându-l responsabil pentru faptul că „mi-a condus fiica pe căi greșite" și „a molipsit-o cu virusul celebrității imediate".

La vremea morții sale, Felina și Ricky Malcolm erau despărțiți. El a plecat în turneu în Noua Zeelandă și s-a întors ieri în Marea Britanie.

Trupul neînsuflețit al Felinei a fost descoperit de poliție în locuința acesteia sâmbătă dimineața. Cauza oficială a morții nu a fost sabilită încă, deși se suspectează că este vorba de o supradoză de droguri. Exprimându-și un punct de vedere pe care însă mulţi îl acceptă, mama acesteia a afirmat într-un comunicat de presă că talentata Felina a fost „omorâtă de celebritate".

Miranda Enid Mackay, "Felina", i-a lăsat în urma sa pe părinţi şi pe fiica ei.

Mi-a luat secole să citesc articolul şi să mă holbez la pagină întristată şi confuză.

Este mai mult decât povestea vieţii unei cântăreţe distruse de excesul celebrităţii. E mai mult decât „Tigroaica Pisicuţa" — acele cuvinte pe care străbunica mi le-a şoptit atunci — care au reieşit că formează *numele* unui copil amărât. E ceva la această poveste — mai multe lucruri de fapt — care mă emoţionează într-un fel pe care nu-l pot exprima.

Pun ziarul la loc în cutie şi încep să mă uit la alte obiecte. Sunt articole despre premiile câştigate de Felina, ştiri despre Felina ieşind dintr-un club de noapte cu Ricky Malcolm, cu părul său lung şi cu tatuaje pe tot corpul, iar într-una dintre fotografii este îmbrăcată în costumul ei de pisică.

Trebuie să recunosc: s-a priceput să ascundă cine era de fapt — sau, în fine, cum arăta de fapt. Era o faţadă, o deghizare. Mereu purta, cel puţin, ochelarii cu ramă închisă de felină şi straturi de ruj aprins.

Vreau să ştiu mai multe. Continui să cotrobăi în cutia de metal de pe podeaua din dormitorul lui Buni. Găsesc mai multe poze şi articole decupate.

Verific ceasul de pe telefon. Buni a plecat de o oră şi nu vreau să risc să mă prindă, aşa că aranjez toate lucrurile la fel cum le-am găsit, când un ultim articol îmi atrage atenția.

Este din *Daily Mail*, iar titlul sună așa:

Felina — Imaginile nevăzute ale tragicei prințese pop

Deschid hârtia împachetată și, în acea secundă, toată viața mea se schimbă.

Felina — Miranda Mackay — este mama mea.

Capitolul cincizeci și cinci

Deci.

Felina e mama mea, numele meu adevărat e Tigroaica Pisicuța (pentru numele lui Dumnezeu!), iar Buni a ținut acest lucru secret toată viața mea.

E poza din articol: e Felina fără machiaj, în zilele de dinainte de faimă. E aceeași poză pe care o avem la parter pe etajera de la șemineu. Nici nu trebuie să cobor ca să verific.

Pur și simplu e aceeași poză.

E frumoasă, are probabil în jur de șaisprezece ani, cu un zâmbet optimist și cu o privire năravașă. Pot să văd asemănarea cu ușurință. Se vede în ochii palizi și luminați cenușiu-albaștri pe care îi am și eu. Părul ei e un blond căpșuniu — sau cum îi place lui Buni să spună: „țesut cu aur".

Chiar are niște coșuri pe bărbie pe care corectorul nu a reușit să le acopere.

Iau în mână poza Felinei cu machiaj și cu ochelari, părul vopsit într-un castaniu adânc și țin cele două fotografii una lângă cealaltă. De îndată ce afli, este evident. E în forma feței, bărbia ușor ascuțită.

Dar dacă *nu* ai şti? Nu ai avea cum să-ţi dai seama.

Citesc articolul însoţitor cât de repede pot, dar nu e nimic nou în el. E doar poza şi comentariul de mai jos: „Din vremuri mai fericite: Felina în adolescenţă".

Întorc pagina şi stomacul meu face un salt.

E un titlu de articol:

„Oare această poză a provocat declinul Felinei?"

Şi iat-o: fotografiată de paparazzi, arătând speriată. Părul ei e ud şi atârnă-n şuviţe. E noapte, iar străzile sunt ude de la ploaie. În mâna stângă ţine o ţigară, iar cu mâna dreaptă apucă încheietura unui copil de vreo trei ani care pare nefericit.

Comentariul de sub poză spune: „Felina, aseară cu fiica ei: Tigroaica Pisicuţa".

Acestea sunt cuvintele pe care le-a rostit străbunica: Tigroaica Pisicuţa.

Numele meu.

Eu.

Capitolul cincizeci și șase

Mă uit la fotografiile din articol care îl arată pe bărbatul cu părul lung și cu barba neîngrijită — Ricky Malcolm, tatăl meu.

Nici nu trebuie să aduc poza din camera mea, care a fost pe raftul meu de când mă știu, deoarece pot să o văd clar în minte.

În poză sunt un bebeluș. Mama mă ține în brațe și se uită-n jos la mine, cu un surâs pe fața ei mulțumită. Bineînțeles că nu este îmbrăcată în costumul marca Felina pentru poza cu bebelușul. În stânga ei, este un bărbat cu barbă, care poartă un tricou polo, cu părul lung prins într-o coadă, care se uită la mama. Brațul drept se află în jurul umerilor ei, iar acesta zâmbește de asemenea, însă umerii lui sunt căzuți.

Este ca și cum de-abia așteaptă să iasă din poză. Mereu am crezut acest lucru, dar niciodată n-am îndrăznit să formulez această afirmație.

Nu e nicio îndoială însă că e același bărbat. Același bărbat care apare în articolele de ziar din cutia bunicii. În acele poze este surprins în timp ce se holbează agresiv în cameră, furios că este fotografiat de paparazzi sau ținând o mână pentru a bloca lentila aparatului.

Într-o singură poză apare ca făcându-și treaba de muzician. Se află pe scenă, cu capul în jos, cântând la bass, purtând o cămașă din material de blugi descheiată până la talie și arată așa cum este.

Tatăl meu. Vedeta rock.

Ei bine, nu chiar o vedetă. Comentariul de sub poză zice: „Ricky Malcolm: rocker ratat și retras".

Citesc articolul decupat din revista *Heat*. Este foarte scurt și datat la cinci ani după moartea mamei.

Unde se află acum?

Ricky Malcolm, soțul tragicei vedete Felina, nu a mai fost văzut în public de la anchetarea decesului soției sale, petrecut acum cinci ani.

Achitat de Curte pentru orice implicare sau vină pentru moartea Felinei, Malcolm, originar din Noua Zeelandă, se bănuiește că s-ar fi întors în țara de baștină, unde sursele noastre spun că și-a făcut ordine-n viață și că locuiește ca un pustnic lângă comunitatea izolată din Waipapa, aflată pe puțin populata Insulă de Sud.

Mă chinui să trec repede prin restul decupajelor din cutie, căutând mai multe articole.

Nu mai sunt altele. Acesta e cel mai recent.

Însă la fundul cutiei se află o felicitare. E una dintre acele felicitări pe care oamenii le folosesc drept bilete de mulțumire — mai puțin Buni, bineînțeles, care are o cutie specială cu hârtie scumpă de scris și plicuri asortate.

Pe felicitare, se află o fotografie cu o mare cenușie și agitată, și, chiar în mijloc, este un far mic ciocnit de valuri. Cuvintele de pe partea din față spun: „Tu ești calmul din mijlocului furtunii". În interiorul felicitării este un mesaj cu un scris mare și buclat.

Îți mulțumesc, Mami, pentru tot. Am făcut greșeli care nu au fost din cauza ta. Dacă totul o ia razna, te rog să o iei pe Boo departe de TOT ȘI DE TOATE. M xxoxox

Cu grijă, așez în cutie toate decupajele, închid lacătul cu combinația de cifre și pun toate lucrurile la loc așa cum le-am găsit.

Sunt în camera mea când aud că se deschide ușa din față și Buni intră în casă cu Lady.

Iar acum trebuie să-mi dau seama ce să fac cu această informație.

Nu știu ce detaliu nou m-a frapat mai mult.

Este acela în care mama mea a fost o cântăreață celebră care a murit în circumstanțe tragice?

Sau acela în care tatăl meu a fost un chitarist care probabil locuiește acum în Noua Zeelandă?

Și mai e un detaliu: bunica mea m-a mințit toată viața? Și probabil chiar și străbunica mea?

Tu ce ai face?

În orice caz, nu ar trebui să fie ceea ce fac eu. Serios.

Capitolul cincizeci și șapte

Stau întinsă în pat. Jos, o aud pe Buni umblând cu oalele. Se aude un clinchet de cești, iar eu îmi aduc aminte că ar fi trebuit să pregătesc cina în seara aceasta.

Să îi spun lui Buni ceea ce știu?

Asta ar implica să recunosc că mi-am băgat nasul prin camera ei, dar pe o scară de „înșelătorii comise în casa mea", puțin spionaj prin dormitoare nu e mare lucru pe lângă „a-mi minți nepoata TOATĂ VIAȚA EI". Ce diferență va face?

De ce a mințit?

Pot să mai am încredere în ea vreodată?

Va fi furioasă? Supărată? Rănită? Îi va părea rău? Va fi sfidătoare?

Dar eu?

Se va schimba ceva?

Dar străbunica?

Toate aceste gânduri mi se roteau în cap. Plăcinta cu ton și cu paste care trebuia servită la cină pare destul de lipsită de importanță. Nici nu mă mir că am uitat de ea. Poate voi sta aici sus toată seara?

— Ethel! se aude de jos. Vrei să cobori, te rog?

Decid să amân marea confruntare până când voi avea suficient timp să desluşesc ce înseamnă totul. Până atunci, eu şi Buni vom trăi într-o stare de completă nesinceritate.

Mă minte în legătură cu ce ştie, iar eu o mint prin a nu-i spune că ştiu ce ştie.

Nu ar fi trebuit să ştiu aceste lucruri despre mama. Nici despre tata. Nici despre păpuşa masculină a lui Buni.

Buni nu are voie să afle — încă — despre cotrobăitul meu, nici despre invizibilitatea mea.

Toate acestea duc la o seară tensionată la masa din bucătărie.

— Scuze, Buni. Am adormit.

Nu pare să o deranjeze deloc. E bine dispusă, chiar jucăuşă, aş putea spune.

— Nu-i nimic, draga mea. Vom mânca sendvişuri. Cum ţi se pare?

Îmi fac de lucru preparând sendvişuri de ton, răspunzând cât se poate de convingător la întrebările lui Buni despre şcoală.

— Ai venit târziu acasă, îi spun, sperând că răspunsul ei ar putea destăinui ceva despre bărbatul cu care s-a întâlnit mai devreme.

Nu se uită la mine când îmi răspunde graţios:

— O, ştii tu — întâlnirile astea de comitet pot dura o veşnicie! Sincer! Ţţ!

Chiar face asta — spune „ţţ". Probabil nu aş fi observat înainte, dar acum? Mă uit după fiecare dovadă care va destăinui faptul că Buni este o mincinoasă în serie.

Când teminăm de mâncat, se ridică de la masă şi începe să strângă farfuriile.

— Să curăţăm farfuriile acestea acum, da? Mulţumesc că ai făcut sendvişurile. Dumnezeule, uite cât e ceasul — stă să-nceapă *Plimbări la ţară cu Robson Green*, nu-i aşa? Duc astea în frigider...

Comentează tot ceea ce face pentru a evita alte întrebări.

Acum mi-a picat fisa. Are emoţii. Se preface că-i relaxată, pentru că ascunde ceva. În acel moment, îmi dau seama că nu pot pune în discuţie cu ea problema cu mama şi tata. Cel puţin nu acum.

Aproape că îmi pare rău pentru ea. Da, sunt supărată şi derutată, dar pot vedea că şi în sufletul ei există conflict şi confuzie.

Va trebui să aştepte.

Pe lângă asta, am primit un SMS de la Boydy. Care schimbă TOT.

Sună-mă, sună-mă, sună-mă. Prob f mare. Gemenii.

Capitolul cincizeci și opt

Mă aflu în camera mea cu telefonul dat pe speaker și cu degetele dansând pe tastatură pe măsură ce vorbesc cu Boydy.

— Nu o găsesc.

— Crede-mă pe cuvânt.

— Vreau să văd cu ochii mei. Ești absolut sigur?

— Mai sigur decât atât nu se poate.

Și, iată, e pe site-ul școlii, dar nu e ceea ce m-am temut când l-am sunat pe Boydy. Credeam că-mi va spune că filmarea a fost deja postată online, mai ales când mi-a spus:

— Ai verificat site-ul școlii?

Academia Whitley Bay
Excursie la Centrul de Activități High Borrans

14 — 19 iunie
Următorii studenți au plătit și i-au trimis domnului Natrass formularele de acord parental...

Urmează o listă de aproximativ douăzeci de nume — unde sunt incluși Jesmond și Jarrow Night.

229

— Vor fi plecați de miercuri timp de șase zile, spune Boydy.

— Și...?

Doar atât îmi vine în cap în acel moment.

Boydy rupe tăcerea.

— Asta înseamă că *trebuie* să acționăm mâine, Eth.

— Dacă sunt plecați de-acasă ne va fi mai ușor să intrăm în casa lor.

— Vor avea telefoanele la ei cât timp sunt plecați. Iar într-o excursie cu școala îți poți *imagina* tentația de a le arăta tuturor?

— Dar dacă acceptăm să-i plătim...?

— Ai tu atâția bani, Ethăl?

— Nu. Bineînțeles că nu.

— Atunci iată răspunsul tău. Nu avem cum să-i plătim deloc. Nu ne rămâne decât să obținem filmul. Va fi un clip viral dacă nu a ajuns deja.

Mă gândesc la Jarrow și Jesmond în excursia cu școala. Lăudăroși, aroganți. În autobuz, în cămin, încă vorbind cu toată lumea despre „fantoma" din școală.

Înghit greu.

Boydy are dreptate, bineînțeles. Clipul va fi distribuit, nu e nicio îndoială. Și apoi ce? Nu am nicio idee cât plătesc ziarele sau site-urile pentru lucruri de genul acesta, dar cu siguranță e genul de știre pe care o vezi pe dailymail.com sau BuzzFeed cu titlul:

„*Școală* bântuită. Este aceasta o fantomă surprinsă de cameră?"

Inima îmi bate de emoții. M-am gândit că am fi avut zile să facem cel mai bun plan pentru a avea succes. Adică să ne adunăm curajul să o facem.

În timp ce vorbesc cu Boydy și oscilăm încercând să găsim motive pentru care nu ar trebui să punem în practică planul, telefonul meu mă anunță că am primit un SMS de la Jarrow Knight.

Prima rată: în 24 de ore

Îi citesc mesajul lui Boydy cu voce tare și amândoi știm ce înseamnă.

Termenul-limită e mâine — trebuie să fie —, iar mie mi se face rău din cauza emoțiilor.

Mă uit la ceas. E abia trecut de nouă.

— Poți veni pe aleea din spatele străzii mele în cinci minute? îi spun. Trebuie să facem o recunoaștere în seara asta, dacă vrem să facem totul mâine.

— Dacă pedalez suficient de tare.

— Pune-te pe pedalat, Boydy — e vital.

Capitolul cincizeci și nouă

Cinci minute mai târziu, Boydy, Lady și cu mine mergem spre partea din spate a casei familiei Knight. Boydy se uită insistent la mine.

— Ești bine, Eff? Arăți puțin, nu știu, palidă?

Nu i-am spus nimic despre ce tocmai am aflat. Adică, ce i-aș putea spune? „Tocmai am aflat că mama mea a fost foarte celebră. Poți ghici cine este? Și, apropo, numele meu nu e Ethel. E Tigroaica Pisicuța." Nu e genul de informație pe care o spui pur și simplu, nu-i așa? Pe lângă asta, trebuie să mă concentrez să-i opresc pe gemenii Knight să mă facă *pe mine* celebră în cel mai rău mod la care mă pot gândi.

Buni se uită la emisiunea ei preferată, una în care un tip merge într-o plimbare la țară, pe BBC, așa că nu sunt pauze publicitare. Nu se va ridica. Îi spun lui Buni că o duc pe Lady să-și facă nevoile de seară obișnuite, iar aceasta aprobă din cap absentă.

În spatele Grădinilor Eastbourne, se află o cărare care o ia apoi la stânga și, după încă o sută de metri, ajunge în dreptul grădinii din spate a familiei Knight. E încadrată de un gard înalt cu o ușă.

— Nu pot trece peste aşa ceva, îi spun, întinzându-mi gâtul să mă uit în sus. Pe lângă asta, priveşte!

De-a lungul marginii de sus a peretelui sunt bucăţi de sticlă spartă fixate în beton — margini ascuţite şi cioburi care ies pe-afară din toate unghiurile ca o sârmă ghimpată făcută-n casă.

Încerc mânerul. După cum m-am aşteptat, e încuiat. Încerc din nou, apoi sar înapoi de frică. Pe partea cealaltă se aude o bufnitură în timp ce un câine — bănuiesc ca unul masiv — se aruncă la uşă şi mârâie.

Lady schelălăie şi sare în spate, smucindu-mi braţul odată cu lesa.

Boydy trage aer prin dinţi şi spune:

— Mmm. Trebuie să fie Maggie, ăăă... corciTosa lor. Spune ultimul detaliu cu o voce mică.

— Corci ce?

— Doar ăăă... corciTosa.

Mă uit la el cu sprâncenele ridicate. Aşteptând.

— E un câine. O Tosa amestecată cu altceva.

— Vrei să spui câinele de luptă japonez? Familia Knight deţine un câine a cărui rasă e interzisă în Marea Britanie, fiindcă este foarte agresivă, iar tu nici nu te-ai gândit să-mi spui? De unde ştii că e o Tosa?

— Îmi pare rău, Eff, dar n-am vrut să te-ngrijorezi. L-am auzit pe Jesmond dându-se mare cu asta. Se pare că are o inimă de aur, iar tatăl lor a salvat-o dintr-un adăpost. E o corcitură, aşa că nu e chiar ilegală. Probabil nu foarte periculoasă.

Îmi spune acest lucru ca şi cum ar face ca totul să fie sigur. Încă o auzim pe Maggie mârâind, iar Lady se smuceşte în lesă.

Mergem pe lângă zid până se uneşte cu un gard ce ţine de grădina altei case. Aceasta ar putea fi intrarea noastră: să pătrundem în grădina alăturată, apoi să obţinem accesul în grădina familiei Knights. Ca şi cum ar face o diferenţă când vine vorba de un câine demonic care mârâie, deşi are o inimă de aur.

Aleea din spate se sfârşeşte şi ajungem pe strada paralelă cu a mea. Urmăm drumul şi facem dreapta la şoseaua de pe coastă, unde faţada casei familiei Knights are vedere spre Legătură. Casa e mare, dar neîngrijită, cu vopsea care se scorojeşte şi cu o maşină ruginită în parcare.

Soarele abia coboară, însă mai e o oră până la apus. Cerul e de un albastru adânc, iar luminile străzii se aprind, astfel încât eu şi Boydy trecem strada şi stăm împreună în staţia întunecată de autobuz, sperând să putem observa casa discret.

Un avion zboară de-a lungul coastei înainte de a plonja în stânga, sus, deasupra farului, iar eu îl privesc fascinată de liniştea şi de eleganţa lui.

Lângă mine, se aude un ronţăit zgomotos în timp ce Boydy muşcă dintr-un măr.

— Nu mai e mult, nu? îmi spune.

Îi urmăresc privirea spre far, dar nu spun nimic.

— Uitaseşi?

— Nu, nu, îl mint.

Uitasem.

— Poimâine? Aprinde lumina?

Boydy rânjeşte.

— Va fi bestial! Vei veni?

Am rămas prinsă într-ale mele, dar dau din cap.

— N-aş lipsi pentru nimic în lume.

Boydy îşi îndreaptă atenţia spre casa familiei Knight.

— E ori prin faţă, ori prin spate, spune după o pauză.

În următoarele zece minute, punem la cale un plan pentru ziua de mâine. Dacă va funcţiona sau nu, rămâne de văzut.

O mare întrebare: putem face toate acestea după şcoală? Invizibilitatea durează în jur de cinci ore sau cel puţin aşa a fost data trecută. Ia cam două ore până să se activeze.

Aşadar, presupunând că mă întorc de la şcoală în jurul orei 4:30, încep procedura la 5:00, devin invizibilă la 7:00...

Am putea fi acoperiţi.

Numai că Buni ajunge acasă în jur de şase, chiar în mijlocul procesului de transformare.

Nu sunt şanse mari să intre în garaj. Nu e imposibil, ci nu e probabil. Aşa că eu trebuie să fiu înăuntru pe patul de bronzat de la cinci şi să sper că nu va intra. De îndată ce se încheie procesul, pot să ies pe uşa din spate, sperând să o evit pe Buni. Şi pe Lady, care ar putea înnebuni, dar nu-mi rămâne decât să sper că nu.

Îi dau lui Boydy telefonul în timpul Operaţiei. Astfel, dacă Buni mă sună sau îmi trimite un SMS, Boydy poate să-i scrie un răspuns în locul meu şi să spună că sunt în drum spre casă sau că am fost reţinută.

Recapitulez toate acestea în minte, gândindu-mă la ce ar putea merge prost, numărând pe degete potenţialele capcane în care pot pica în plasă, îngrijorându-mă de acel Tosa japonez care ar putea să-i deranjeze sau nu pe oamenii invizibili şi gândindu-mă cum — cum Dumnezeule — voi putea reuşi imposibilul.

Adică: să obțin accesul la calculatorul gemenilor Knights.

E un risc. E un risc imens cu sorții împotriva mea, iar aceasta este singura mea alegere.

Iată planul (așa cum este el). Boydy îl scrie și mi-l trimite pe telefon, astfel încât să-l avem amândoi:

19:50 — Ethel pleacă de-acasă pe ușa din spate
20:00 — Rendez-vous cu E. Boyd pe aleea din spate. E. inviz. Merge la fam. Knight acasă.
20:15 — B. bate la ușă și începe planul. E. se strecoară prin ușa deschisă.
20:15 — mai departe (partea 1) — E. localizează calculatorul/calculatoarele lui J & J. Mac sau Windows? E un calculator al familiei? Execută operațiunea Ștergerea, după cum am stabilit.
20:15 — în continuare (partea 2) — localizat telefoanele mobile ale lui J&J. Vor fi parolate. Fură-le sau distruge-le.

La plan, trebuie să adăugăm următoarele:
• Să nu te prindă nimeni.
• Să nu te mutileze un hibrid ciudat ninja-lup.
E ridicol. Imposibil de stupid.
Însă trebuie să funcționeze.

Capitolul șaizeci

Eu și Boydy mergem pe alee într-o liniște aproape totală. Înainte să se urce pe bicicletă, Boydy îmi înmânează o foaie de hârtie împăturită.

— E traducerea de pe cutia ceaiului chinezesc. Tatăl lui Danny Han a făcut-o pentru mine.

Danny Han locuiește deasupra restaurantului Casa Răsăritului Chop Suey. Boydy e unul dintre clienții lor fideli.

Ne aflăm sub stâlpul de iluminat galben al aleii din spate când citesc textul. În locurile unde domnul Han nu a știut cuvântul corect a pus semne de întrebare:

DR. CHANG TENUL LUI AȘA CURAT
Remediu/medicament foarte vechi pentru numeroase probleme de piele și scalp precum: acnee, arsuri, psoriazis, vitiligo, râie, (???) și (?mâncărimi?).
Folosind plante și minerale cu istorie și tradiționale, Dr. Chang din Heng San Nan a creat un amestec mistic (?magic? ?necunoscut?) de (???) care va da tenului un aspect curat și (?neted?).

Instrucţiuni de utilizare: unul sau două qian (5 g?) dizolvate în apă o dată pe zi.

Aveţi grijă: nu consumaţi mai mult

Conţine: pudră de ciuperci, (???), jiun sai (?), calcar, (???), sare de lac, corn de rinocer, plus amestec secret.

Şi asta-i tot. Grozav.

Nu numai că nu e nicio adresă, dar „amestecul secret" ar putea fi orice. Pe lângă aceste lucruri, am consumat — fără să ştiu — corn de rinocer, care ar fi cam cel mai rău lucru pe care poţi să-l faci dacă ai respect pentru animalele pe cale de dispariţie (ceea ce mie îmi place să cred că am şi o dată chiar am participat la un marş sponsorizat pentru ajutorarea elefanţilor dintr-un loc sau altul).

Chiar mai rele sunt semnele de întrebare.

— Domnul Han le-a explicat pe acelea, spuse Boydy, sunând destul de mândru. „Fing: dacă nu ştii simbolul în cantoneză, nu poţi să ştii ce e neapărat. În engleză, chiar dacă nu ştii ce înseamnă un cuvânt, poţi să te uiţi la el şi să-ţi dai seama cum sună. Nu e la fel în cantoneză."

— Unde e Heng San Nan ăsta, în orice caz? am spus.

E cam singurul indiciu în toată afacerea aceasta. Căutăm cuvintele, folosind telefonul meu.

Heng Sahn Nan, sau Nan-Heng Shan, sau oricare altă combinaţie e un munte în sudul Chinei, cel mai sudic punct al Celor Cinci Mari Munţi din China. La piciorul muntelui, se află cel mai mare templu din sudul Chinei: Marele Templu al Muntelu Heng.

— Deci, Dr. Chang locuieşte lângă un munte. Mare brânză. Pariez că nici nu există. Nu ai spus nimănui, nu-i aşa? Trebuie să rămână secret.

Mi-a aruncat o privire jignită.

— Trebuie să ai încredere în mine, Eth. Nu am spus nimănui. Sincer.

Am încredere în el. Cred că sunt doar ca pe arcuri. Până la urmă, mâine trebuie să mai beau din amestecul asta care conţine şi corn de rinocer.

Apoi, trebuie să intru prin efracţie într-o casă ce aparţine gemenilor psihotici, cu un câine de luptă japonez în interior.

— Deci, spune Boydy. Ne vedem mâine seară. Sau, de fapt, eu *nu* te voi vedea.

— Ha, ha, îi zic.

Dar nu mă simt prea amuzantă.

Capitolul șaizeci și unu

Mai târziu, în aceeași seară mă aflu în camera mea, holbându-mă la pachetul de Dr. Chang Tenul Lui Așa Curat și mi se rupe inima.

Pudra cenușie e aproape pe terminate. Fac un calcul estimativ în minte, ceea ce constă în a ghici cât am băut din chestia asta în trecut ca să devin invizibilă. Nu am fost foarte științifică în abordare: doar am dat pe gât cât de mult am putut fără să mă îmbolnăvesc.

Patru sau cinci căni din aceast amestec scârbos? Mai multe? Nu prea știu.

Ceea ce știu e că mai am suficient pentru o singură încercare și atât.

Mai e un lucru care mă deranjează.

Chestia aceasta — amestecul ăsta din plante, ceai, esență sau ce-o fi — e destul de special. Sigur ar merita investigat, nu? Carevasăzică investigat cum trebuie de un om de știință în toată regula, dintr-o universitate, sau de la guvern, sau ceva de genul.

Dar iată care-i treaba: de ce m-ar crede pe mine cineva?

La cine m-aș putea duce? O fată de doisprezece ani nu poate să abordeze un profesor oarecare și să spună:

— Mă scuzați, profesore. Această pudră, când e făcută ceai și consumată în cantități care mă fac să gârâi — mă scuzați să *eructez* — puternic și urât mirositor, combinată cu o sesiune prelungită pe un solar dubios, mă face invizibilă.

Nu se va întâmpla, nu-i așa?

La cine m-aș putea duce?

Trec prin toate posibilitățile în mintea mea (apropo, pentru a mia oară — acest subiect mă preocupă de ceva timp):

- Poliția. Da, sigur. Pășesc într-o stație de poliție și țin același discurs ca mai sus? Aș avea noroc dacă nu m-ar aresta pentru irosirea timpului ofițerilor.
- Doctorul meu. Dr. Kepmp de la Spitalul de Operații Monkseaton e un om cumsecade, dar de ce m-ar crede? De ce m-ar crede oricine fără dovadă?
- Domnul Parker, profesorul nostru. Sună exact ca o festă clasică jucată profesorilor, nu? Pot să-l și aud: „Foarte amuzant, Ethel. Foarte *caraghios*. Dacă ai depune la fel de mult efort în a învăța la fizică precum o faci în născocirea *tertipurilor* fanteziste, ai putea ajunge o elevă de succes. Până atunci..." etc.
- Consilierul local. Ar avea contact cu oamenii de știință ai guvernului, dar sunt prea tânără ca să votez, așa că nu m-ar lua în serios și probabil ar fi speriat să fie batjocorit dacă ar face-o.
- Mai e, într-un final, și Buni — în mod evident. Să o forțez să mă urmărească în timp ce devin invizibilă. Ar trebui cu siguranță să mă creadă atunci. Problema e că nu aș reuși atunci să recuperez dovezile de la gemenii Knight — acest lucru cere discreție. Aș fi ceva de genul:

„Bine, Buni, poți vedea că sunt invizibilă acum. Doar stai pe-aici în timp ce plec să fac această chestie foarte importantă. Revin repede! Sincer!"

Totul se rezumă la dovezi. Oamenii îmi vor cere să le arăt.

— Afirmațiile extraordinare cer dovezi extraordinare, a spus odată un individ.

Așadar, iată ce voi face. Sună nebunește, dar ai răbdare.

Voi folosi ce a mai rămas din praf pentru a deveni invizibilă pentru ultima dată, ca să intru în casa familiei Knight. Voi folosi tot, mai puțin o linguriță, pe care o voi păstra pentru analiza specialiștilor. În orice caz, cam atât pot să-mi permit. Poate, ulterior, cineva îl va localiza pe Dr. Chang, dacă e o persoană reală.

Apoi, mă voi filma când devin invizibilă.

Știu. Sună nebunesc, văzând că unul dintre motivele pentru care mă fac din nou invizibilă este să distrug o înregistrare.

Însă acest lucru va fi sub controlul meu. Nu voi apărea pe Facebook, sau pe YouTube, sau pe Vimeo, sau pe Instagram, sau pe oricare altă platformă de socializare ce va apărea în viitor.

Nu voi fi: „Fiica tragicei vedete Felina devine invizibilă".

Imediat ce un lucru ajunge pe internet, ai pierdut controlul asupra sa: nu mai e al tău. Și nu voi mai fi eu. Voi fi Fata Invizibilă, ceea ce m-ar face altceva decât invizibilă.

Iar totul îmi aparţine. Invizibilitatea este sub controlul meu. Va fi un secret. Voi găsi un anchetator, un om de ştiinţă, un cercetător — cineva în care pot avea încredere deplină. Voi *deţine* totul.

Totul va fi în termenii mei.

Partea a treia

Capitolul şaizeci şi doi

Abia dacă am dormit.

(Nici tu nu cred că ai putea dacă ai fi avut de făcut ce trebuie să fac eu în seara aceasta.)

Altă furtună m-a ţinut trează. Vremea se transformă într-una din acele veri englezeşti pe care le vezi în filmele vechi de comedie care-i plac lui Buni: adică cele lipsite de haz, unde oamenii merg în concediu în staţiuni cum era Whitley Bay odinioară şi unde începe să plouă când îşi aşază şezlongurile.

În fine, toată noaptea am fost prinsă între două gânduri: „Te rog, opreşte-te, ploaie" şi „Plouă cât de mult vrei, ca să nu mai rămână nimic pentru mâine".

După cum am descoperit la şcoală, ploaia nu se asorta cu invizibilitatea.

În ceea ce priveşte explicaţiile referitoare la motivul absenţei mele seara, a fost nevoie să mă gândesc mult. Într-un final, m-am decis să-i trimit lui Buni un SMS în timpul pauzei ei de dimineaţă.

Boydy organizează o întrunire de ziua lui în seara aceasta. Filme şi pizza. Mama lui mă va aduce acasă. Mă întorc la 11. Nu mă aştepta. E xxx

În mod obișnuit — adică atunci când Buni se comportă normal —, un SMS de acest fel ar produce o avalanșă de întrebări, probabil începând cu:

— Ce Dumnezeu este o întrunire, Ethel? E o petrecere?

Însă, în ultima vreme am început să cred că Buni va reacționa în orice fel, mai puțin în cel obișnuit. E ca și cum ai „aștepta neașteptatul".

Îmi răspunde:

Vor mai fi alți copii acolo?

Ușor.

Da, suntem în jur de șapte.

Plauzibil? Eu cred că da. Așa crede și Buni.

E în regulă. Distracție plăcută. X

În timpul orei de fizică, m-am holbat pe fereastră, uitându-mă lung la cerul vânăt și uniform și încercând din răsputeri să mă asigur că nu va ploua. În curând, practic, adorm, deși subiectul e foarte aproape de inima mea: natura luminii.

— Sper că ați înțeles, spune domnul Parker. La sfârșitul semestrului veți avea un test, *rățușe norocoase* ce sunteți.

Mormăituri generale.

Lumina este energie, am priceput asta.

E un soi de radiație — soiul pe care putem să-l vedem, deoarece ochii noștri au evoluat pentru a fi în stare să facem acest lucru.

Jesmond Knight ridică apoi mâna. E în aceeași clasă cu mine, însă sora lui nu e.

— Domnule Parker, începe, apoi se-ntoarce să se uite direct la mine. Credeți că e posibil ca o persoană să fie invizibilă?

— Aici sunt, domnule Knight, mulțumesc. Te referi la ceva asemănător cu cazul pelerinei invizibile a lui Harry Potter? Sau la fenomenul ce se produce în legenda Regelui Arthur? Sau la „aparatul pentru invizibilitate" din Star Trek? O întrebare splendidă, iar răspunsul este să vă pregătiți să fiți dați pe spate și să rămâneți cu gurile căscate. Da! În teorie, cel puțin. Vedeți voi, cercetătorii au lucrat la... Jesmond îl întrerupe — mereu o mișcare riscantă când este vorba de domnul Parker, însă scapă nepedepsit.

— Mă scuzați, domnule. Nu m-am referit la asta. M-am referit la întreaga persoană.

Se întoarce din nou să se uite la mine cu un zâmbet viclean pe față, care nu-i ajunge până la ochi.

— Ah! O persoană invizibilă? Ei bine, acest lucru ar necesita revelații *biologice* și *tehnologice* care s-au dovedit înșelătoare chiar și pentru cele mai rafinate minți din știință. Așadar, răspunsul la întrebarea dumneavoastră, domnule Knight, este — pentru momentul de față cel puțin — un dezamăgitor și răsunător „nu". Însă, continuă cu această curiozitate și vei putea ajunge omul de știință care va descoperi că...

— Deci, domnule, dacă cineva are abilitatea de a deveni invizibil...

— Acesta este un MARE dacă, domnule Knight.

— Știu, domnule, dar, dacă ar putea, ar fi o persoană celebră și toate cele?

— Mă aştept ca, într-adevăr, o asemenea persoană să fie „celebră şi toate cele". Ar fi o senzaţie mondială, fără nicio îndoială. Şi, vorbind de umbre, cine-mi poate spune diferenţa dintre *umbră* şi *penumbră*? Da, domnişoara Wheeler?

Şi continuă din nou cu natura luminii, lăsându-l pe Jesmond să rânjească la mine în modul cel mai sinistru. Mă face să-mi fie rău.

Oamenii încă vorbesc despre evenimentele ciudate de luni:

- Rafi McFaul îmi spune că am ratat cea mai bizară chestie din toate timpurile, deşi ea nu a văzut nimic din ce s-a întâmplat, în timp ce aceia care susţin că au văzut ceva — majoritatea elevi din recepţie care se uitau la mine cum alerg prin ploaie — exagerează chestia într-un mod îngrijorător.
- Sam Donald spune că a văzut „fantoma" (căci asta devin) întorcându-se şi râzând, arătând cu degetul spre cineva din mulţime.
- Anoushka Tavares insistă că nu a fost o figură umană, ci ceva mai mare, ca o gorilă uriaşă.

Trebuie să recunosc meritele gemenilor Knight: trebuie să fi avut o stăpânire de sine incredibilă să nu arate înregistrarea tuturor. Însă ne-au dat termen numai până diseară să plătim prima rată pentru care noi nu avem bani şi, de îndată ce pleacă în excursie cu şcoala, nu au cum să nu arate clipul tuturor când vor sta la focul de tabără sau ce-or face ei acolo.

Devine din ce în ce mai important să acţionez acum.

Capitolul şaizeci şi trei

După şcoală, seara e călduroasă şi puţin înceţoşată, cu o briză sărată venind dinspre mare. În mod normal, mi-ar fi plăcut o seară ca aceasta. Aş fi plimbat-o pe Lady pe plajă, aş fi mâncat o „salată de vară" la cina luată cu Buni, mi-aş fi făcut temele, m-aş fi uitat puţin la televizor, m-aş fi dus la culcare înainte să se însereze.

E mult de spus la capitolul „normal". Normalul e frumos, normalul e de nădejde, şi predictibil, şi reconfortant. Acum stau şi mă gândesc dacă mai poate fi ceva normal vreodată.

Abordez toată situaţia ca şi cum aş fi un comando într-o razie sau ceva de genul, iar acest lucru e departe de a fi normal.

În primul rând, fac un duş. Nu vreau ca vreo particulă de praf sau de mizerie să stea lipită de mine pentru a-mi dezvălui prezenţa. Îmi verific nasul, să nu am vreun muc, urechile să nu aibă ceară, părul să nu aibă mătreaţă, unghiile să nu aibă mizerie prinsă pe dedesubt. Poţi crede că e scârbos, dar nu-mi pasă: nu-mi asum niciun risc.

Ceea ce e un lucru stupid să zic. Ce vreau să spun e că nu-mi asum riscuri *în afară* de a intra în casa cuiva și a le șterge informațiile din calculatoare. Acesta e un risc suficient pentru mine.

Mi-am adus niște Dr. Chang Tenul Lui Așa Curat la școală în sticla de apă și am băut din el la prânz. Gustul nu s-a îmbunătățit. Tot scârbos a rămas.

Când vine ultima oră, pot simți familiarul ghiorăit în stomac și știu de urmează. Eram la ora de engleză, iar doamna West mi-a dat de citit fragmente din *Othello* de Shakespreare. Tyrone Bower mereu apucă să-l interpreteze pe *Othelo*, pentru că se scufundă în rol și nu-i pasă dacă sună ca un clovn, pronun-țâââând replicile din Shaaaakes-peare ca și cum ar juca la Teatrul Regal.

Iar eu am de făcut ceva ce, acum o săptămână, nu aș fi visat să fac.

Plictisită de Tyrone și de jocul lui actoricesc exagerat, am sărit înainte și am văzut un fragment ce avea să urmeze pe care-l credeam, ei bine...

Uite ce s-a întâmplat. În mod normal, nu aș gârâi în clasă. Cine ar face acest lucru? Și ce m-ar face să mă decid că acum ar fi un moment potrivit?

M-am abținut și m-am tot abținut, în timp ce Tyrone își zbiera replicile. Făcea până și gesturi cu brațele *în bancă*. Chiar nu m-am mai putut abține — îmi dădea crampe la stomac. Dacă e să mă întrebi, momentul în care s-a întâmplat nu putea fi mai prielnic.

Othello, dacă nu știai, este numele unui general din armată care este îndrăgostit nebunește de o femeie numită Desdemona. Dă-i drumul, Tyrone:

Othello: Iar dacă după asemenea furtuni ar veni o aşa linişte,
Să bată vânturile până vor fi trezit şi morţii!
Eu: Gâââââââââr!

Ştii cum e când bei o Cola rece într-o zi fierbinte şi o dai pe gât prea repede? A fost un gârâit de acel fel, dar de două ori mai puternic. A fost zgomotos şi a venit la ţanc. Dar acest lucru nu a fost nimic — *nimic* — pe lângă miros, care o fost mai rău decât oricând.

Oamenii au râs la început datorită replicii „să bată vânturile" şi datorită efectului perfect sincronizat.

Dar apoi mirosul a început să se extindă.

Ai văzut vreodată la ştiri când poliţia aruncă cu gaze lacrimogene în protestatari? A fost cam aşa şi acum la ora de literatură engleză a doamnei West. Oamenii chiar se ridicau din bănci şi ieşeau tuşind din clasă.

Şi, cel mai tare a fost faptul că nu am fost acuzată de nimic. Toată lumea a crezut că era Andreas Hansen de vină, în mare pentru că s-a întors şi a indicat spre mine, însă nimeni — chiar nimeni — nu şi-ar fi putut imagina că eu, micuţa şi tăcuta Ethel Leatherhead, aş fi putut face aşa ceva. Am contribuit şi eu, tuşind puţin şi uitându-mă acuzativ în direcţia lui Andreas.

Măcar ştiam că băutura a funcţionat.

Capitolul şaizeci şi patru

Boydy a venit în vizită şi am recapitulat pentru a treia oară procedeul de ştergere a memoriei pentru calculatoarele Windows şi Mac.

Deschide hardul, localizează fişierul, localizează fişierul de back-up şi tot aşa.

Verifică dacă au software de editare a clipurilor video: Windows Movie Maker, iMovie.

Verifică fişierele cu extensie video: .mpgs, .jpgs, .avi.

Verifică dacă s-a făcut back-up la aceste fişiere când au fost transferate în programele de editare.

Toate acestea în timp ce voi spera — *spera* — că la fiecare etapă calculatorul nu-mi va cere parole pentru diferitele comenzi.

— Probabil vei fi bine, spune Boydy, dar mie nu-mi place acel „probabil". Am cercetat azi-noapte. Mai nimeni nu-şi setează calculatoarele personale să ceară parole pentru fiecare comandă. E prea mare deranjul. O parolă de acces şi calculatorul stă deschis, iar majoritatea oamenilor nu se deranjează să le închidă cum trebuie: le lasă să adoarmă de unele singure.

E uşor liniştitor.

În garaj, solarul e pregătit, iar noi am echipat laptopul meu cu un webcam conectat direct la hard. Vreau ca totul să fie înregistrat în HD.

Încă două linguri din amestec înseamnă că pachetul e practic gol, în afară de cantitatea infimă pe care am lăsat-o pentru analize, imediat ce am dovada necesară înregistrată.

— Ai grijă de asta pentru mine, da? îi spun lui Boydy și îi înmânez pachetul aproape gol.

Nu sunt complet sigură de ce fac asta. Cred că vreau să-i arăt că am încredere în el și că apreciez implicarea lui.

Cu siguranță, nu aș fi fost în stare să fac toate acestea de una singură.

Boydy ia pachetul, îl pliază și-l ascunde în buzunarul de la jerseu. Încă e în uniforma școlară. Tot își trage pantalonii cu mâinile și atunci bag și eu de seamă.

— Ai ăăă... Ai pierdut în greutate, Boydy? îi spun înainte de a bea ultimele picături din creația scârboasă a domnului Chang și de a o înghiți cu greu.

N-am mai văzut niciodată pe cineva roșind atât de repede și de tare. Săracul Boydy nu se face roziu — se face fucsia (care, în caz că nu știai, este un roz aprins și intens).

— P-poți să-ți dai seama?

— Ori e asta, ori ai adoptat un look din anii '80 cu pantaloni lălâi. Nu-ți mai vin. Măcar atât pot să-ți spun.

— Mănânc și eu mai sănătos, știi?

Îi zâmbesc, iar el roșește și mai tare dintr-un motiv.

— Bine, îi spun. E timpul să mă dezbrac și să mă urc pe solar. Aici nu am nevoie de tine.

— Ă? Ce? Da, sigur, Eth. Totul în numele științei, nu? Ha ha.

255

A luat-o razna. Îi arunc o privire curioasă.

— În fine. Ne vedem la rendez-vous-ul nostru în două ore. O, stai puțin! Nu te grăbi.

Dau drumul unui alt râgâit imens.

— Tare, Eth. Foarte, ăăă… Da. Pa.

Pleacă cu mâna la nas și nu-l pot învinovăți.

Chiar și Lady scâncește și se retrage în coșul ei.

Capitolul şaizeci şi cinci

E ora opt. Umbrele serii sunt lungi, iar ameninţarea ploii s-a retras. Cerul s-a înseninat, transformându-se într-un mov palid cu fâşii lungi de nori cenuşii. Apa e cenuşiu-maronie şi încă arată ca betonul proaspăt turnat.

Eu şi Boydy stăm în faţa uşii de la intrare a familiei Knight. El ţine un clipboard şi un pix.

— Eşti aici? îmi spune.

— Sunt aici, în spatele tău.

— Unde?

Ajunge cu mâna la nivelul pieptului.

— Ups, scuze Ethăl.

— E în regulă. Doar să duci mâna puţin mai sus data care vine, ce zici?

— Am priceput. Eşti gata?

— Sunt gata.

Boydy sună la uşă şi, pentru un moment, mă întreb dacă sunetul va fi acoperit de bătăile inimii mele.

Un lătrat zgomotos, care se apropie din ce în ce mai tare, se aude din interiorul casei, apoi două labe se lovesc de uşă şi lătratul continuă. Instinctiv, mă fac mai mică, dar apoi mă apropii când aud o voce elegantă şi gravă venind spre uşă.

— Maggie! Maggie! Vrei să te linişteşti, draga mea? Fugi din cale. Jesmond! Vino, te rog, şi ia câinele!

E o voce de bărbat — bănuiesc că este Tommy Knight, tatăl lor. Îmi amintesc momentul de la bazarul şcolii când a cumpărat săpunurile şi a avut o voce mai blândă decât mă aşteptasem, ca un leu care toarce precum o pisică.

Se aud sunete de încăierare, apoi aceeaşi voce, dar mai subţire, se aude dintr-un cadru de alamă care are un ecran cu o cameră în spate.

— Bună. Cine-i aici?

Boydy zâmbeşte larg la cadrul din alamă.

— Bună. Sunt de la „Aprinde lumina", campania pentru restaurarea Farului Sfânta Maria şi mă gândeam dacă îmi puteţi acorda un minut pentru a...

— Da! Aşteaptă.

Se aude un piuit electric în spatele uşii, apoi aceasta se deschide puţin şi un bărbat cu păr blond deschis şi cu chelie se strecoară în acel spaţiu, blocându-i astfel drumul câinelui care mârâie. Omul oferă un zâmbet timid şi îşi întoarce capul spre câine.

— Scuze, bătrâne. E puţin agitată. Acum, spune-mi despre campania ta. Sunt ochi şi urechi. Îmi place când tinerii iau iniţiativă.

Tinerii?

Boydy îi spune tot despre campania sa, iar Tommy Knight ascultă cu atenţie şi chicoteşte şi spune că totul sună „splendid" şi în tot acest timp mă uit la el şi la părul lui dat pe spate şi la dinţii lui cu aspect scump şi uit unde sunt. Uit că sunt invizibilă şi încep să spun:

„Sunteţi tatăl lui Jesmond şi Jarrow?", deoarece acest lucru pare foarte improbabil.

Ajung la „Sunteți" și atunci îmi aduc aminte și mă opresc.

Tommy Knight, care s-a oprit din vorbit, se uită în direcția mea și Boydy se preface că are o criză de tuse pentru a acoperi sunetul ciudat.

— În fine, mă bucur să semnez! spune acesta.

Ia clipboardul lui Boydy, își scrie numele cu pixul făcând o înfloritură și îl dă înapoi.

— Mult noroc îți doresc. Mi-aș dori să-mi pot dezlipi copiii din fața telefoanelor și să facă și ei ceva asemănător!

Tommy Knight zâmbește larg și binevoitor.

E pe cale să închidă ușa, așa că Boydy intervine.

— Noi — ădică, eu — ăă... sunt un prieten de-ai lui Jesmond. Mă întreb dacă ar vrea și el să semneze?

— Ce idee bună! Uite, voi duce câinele în camera din spate. Jesmond va coborî. Jesmond! E un prieten al tău la ușă!

Tommy Knight se retrage pe hol, trăgând-o pe Maggie de zgardă și strigă un „la revedere" prietenos.

Se aud bufniturile unor de pași pe scări și Jesmond vine să stea în fața ușii.

Orice căldură pe care Tommy Knight a emanat-o în timpul conversației este imediat împrăștiată de răceala din ochii lui Jesmond.

— Boyd? Ce vrei?

— Ești bine, Jez?

Boydy își micșorează vocea.

— E despre, știi tu... rate.

Jez se uită în spate să verifice dacă tatăl lui nu-i acolo.

Boydy își menține abordarea prietenoasă.

— I-am spus tatălui tău că vorbim despre campania pentru far, dar de fapt am venit să discutăm despre cum eu şi Ethel îți vom da banii.

Jesmond se uită după umărul lui Boydy, apoi de la stânga la dreapta.

— Atunci, ea unde e?

— E acasă. M-a trimis să negociez. Hai, omule.

Rugăciunile lui Boydy funcționează, dar numai până într-un anumit punct. Jesmond deschide uşa complet, dar stă în picioare cu mâinile încrucişate, blocând calea. Boydy îi înmânează clipboardul şi dă deoparte foaia de deasupra cu petiția „Aprinde lumina". Sub aceasta de află o pagină imprimată.

Jez se uită la ea şi citeşte cu voce tare:

— Noi, subsemnații, declarăm oficial că, la primirea sumei agreate de o mie de lire sterline, vom preda toate copiile fizice şi digitale ale înregistrărilor cu domnişoara Ethel Leatherhead...

Trebuie să-i recunosc meritele lui Boydy. Se descurcă foarte bine cu jargonul ăsta legal. Vocea lui Jesmond este monotonă în timp ce citeşte. Nu cred că înțelege vreun cuvânt şi nu sunt surprinsă.

—...şi, de asememea, vom renunța la toate pretenți-ile morale şi legale referitoare la sus-numita proprietate intelectuală în perpetuitate din aceast moment înainte, semnat...

Se opreşte şi se uită cu atenție la Boydy.

— Ăsta-i? Ăsta-i documentul tău legal, nu? Nu sem-nez prostia *asta*. E doar o foaie de hârtie.

— Păi... am avut probleme la imprimare. Aşteptăm versiunea corespunzătoare.

— E, atunci veniți la mine când aveți ceva ce merită semnat. Știi ceva, poți să nu mai bați drumul degeaba și să nu te mai sinchisești să te întorci, Boyd, deoarece nu voi semna nimic — OOOOF! Ce DRACU'?

Văzând cum singura noastră șansă ne scapă printre degete pe măsură ce Jesmond se întoarce și începe să închidă ușa, fac singurul lucru care-mi trece prin minte. Cu toată puterea mea, mă izbesc de spatele lui Boydy. El, la rândul său, se împiedică și îl împinge pe Jesmond Knight, iar amândoi cad prin ușa deschisă și sfârșesc într-o dezordine pe podea. Profit de ocazie și sar peste ei în hol.

— Ești complet dus cu pluta, Boyd? Ce faci? Dă-te jos de pe mine.

— Scuze, Jez, scuze... ăăă... m-am împiedicat.

— Împiedicat? Pe ce? Ieși afară, grăsan tembel!

Jesmond îl împinge pe ușă și o închide, apoi stă și se uită la lemn dând din cap.

Am intrat. Chiar am intrat în casa familiei Knight și sunt invizibilă, stând pe gresia închisă la culoare de pe hol și holbându-mă la Jesmond, încercând să anticipez unde se va duce în continuare ca să ies din calea lui.

Casa familiei Knight e destul de mare, iar holul e larg. Scările sunt situate în partea dreaptă a holului, iar în spatele meu se află un cuier plin cu haine.

Jesmond se întoarce cu spatele la ușă. Dacă nu se întinde după o haină, sunt în siguranță. Trece de mine spre o ușă interioară de-a lungul holului. Când o deschide, apare o blană maro estompată, în timp ce Maggie, câinele Tosa japonez imens, iese afară și fuge direct spre mine.

— Hei! Maggie! Calmează-te. Ce-ai pățit?

Câinele s-a oprit la jumătate de metru de mine și adulmecă aerul, întorcându-și capul uriaș într-o parte și-n alta, apoi coborându-l la pământ, apropiindu-se din ce în ce mai mult și mârâind.

Nu pot face nimic în afară de a rămâne complet nemișcată. Mă uit jos și, oripilată, văd că picioarele mele desculțe au lăsat ușoare urme de transpirație pe gresie.

— Ce-ai pățit, Maggie? Vino aici. *Vino*!

Câinele nu se clintește, dar continuă să adulmece și să mârâie.

Vocea lui Jesmond devine mai aspră.

— Maggie! Vino aici *acum*!

Nicio reacție. Jesmond pășește înainte să apuce zgarda lui Maggie. Sincer, e suficient de aproape încât să mă audă respirând, așa că îmi țin respirația în timp ce îndepărtează câinele imens de haine și de mine. Pe măsură ce câinele cedează șovăielnic, Jesmond îi dă un șut violent în spate.

— Câine prost. Treci aici!

Aud vocea tatălui din spatele ușii certându-l blând:

— Jesmond, bătrâne. Fii cumine.

Ușa se trântește în urma lor și rămân singură pe hol. Acum trebuie doar să aștept ca Boydy să execute următoarea parte a planului.

Bineînțeles, după exact cinci minute, aud soneria unui telefon mobil. Telefonul lui Jesmond e primul. Boydy are numerele de telefon ale gemenilor dintr-o listă a clasei care a circulat anul trecut prin școală, iar eu îl aud pe Jesmond de după ușa închisă cum răspunde și cum rostește un „Alo" tăios.

Imediat, Boydy închide telefonul. A ascuns numărul apelantului.

Asta e tot. Singurul scop al apelului este de a face telefonul lui Jesmond să sune ca eu să-l pot găsi şi a funcționat. Îl are la el. Nu e ideal, dar e cam la ce ne aşteptam.

Telefonul lui Jarrow e următorul. Îl aud sunând de la etaj, un sunet voios prestabilit ca un cântec marinăresc. Sună, şi sună, şi sună, şi apoi se opreşte. Excelent!

Asta mă binedispune. Înseamnă că măcar una dintre sarcinile mele s-a uşurat puţin. Mă relaxez puţin şi chiar mă aşez pe a treia treaptă, să-mi calmez respiraţia. Încerc să-mi închid ochii, uitând că pleoapele mele sunt transparente, aşa că doar respir pe nas puţin şi, deşi pot vedea când îmi închid ochii, *sentimentul* că i-am închis este ciudat de liniştitor.

Mă orientez. Casa familiei Knight *nu* e cum m-am aşteptat, iar acest lucru e reconfortant, dar şi tulburător în acelaşi timp.

Mă aşteptam să fie dezordonată şi murdară, deoarece aşa arată pe dinafară, dar nu e aşa.

În afară de gresia roşie închisă de pe podea, tot holul este de un alb sclipitor: pereţii, bordura podelei, radiatorul, tavanul. Stâlpii de la capul scării sunt albi; covorul de pe scară, de un alb cremos. La capătul holului se află o oglindă, iar în faţa oglinzii se află un buchet de crini albi într-o vază albă.

Aranjate într-un şir pe perete sunt fotografiile tip portret ale întregii familii Knight: genul de poze pe care te duci să le faci la studio şi în care toată lumea trebuie să poarte blugi albaştri şi o cămaşă albă. În al doilea şir de poze sunt Jesmond şi Jarrow arătând impecabili, ca fotomodelele adolescentine.

Totul miroase a crini și a lustru de podea și a dezinfectant. E genul de casă pe care o vezi în revista *Hello!* — unde locuiesc vedetele de cinema.

Lipit de peretele holului este un dulap cu geamuri de sticlă, cu o lumină în interior și cu o placă de alamă pe care scrie *Prietenul cel mai bun al omului de la A la Z*. Aranjate pe patru rafturi de sticlă sunt o grămadă de câini miniaturali de porțelan, fiecare de o rasă diferită, cu etichete de alamă: Affenpinscher, Border Collie, Chihuahua. E chiar și o rasă numită Xolo, și un Yorkie, și un Zuchon. Sunt genul de lucruri pe care oamenii le colecționează, iar eu mă gândesc la săpunurile pentru cățel ale domnului Tommy Knight și sunt sigură că el trebuie să fie colecționarul.

De-a lungul holului, se găsesc uși ce duc spre alte camere, cred că bucătăria, camera de zi, și așa mai departe. De acolo vine zgomotul televizorului și acolo s-a dus Jesmond.

Mă voi întoarce și voi verifica acea cameră mai târziu.

Acum, vreau să merg să găsesc telefonul lui Jarrow.

Planul zice că dacă Jarrow nu răspunde, e sigur să o sunăm din nou după două minute pentru a mă ajuta să-l găsesc. Dacă l-am găsit deja, închid volumul ca să nu mai sune din nou.

Vezi? Planul ăsta e *șmecher*.

Capitolul şaizeci şi şase

Exact după două minute, telefonul sună la etaj: cântecul marinăresc se aude mai tare şi e mai uşor de localizat, deoarece vine de după uşa din faţa mea. Nu îndrăznesc să o deschid încă: ar putea face ca soneria să se audă suficient de tare ca Jarrow să o audă de la parter şi să vină să-l caute.

Mă încearcă o stare de linişte care este neobişnuită pe măsură ce aştept să se oprească soneria, apoi deschid uşa. Lumina camerei este aprinsă, dar ecranul telefonului e încă luminat după apel. Se află pe birou chiar în faţa mea, iar eu mă îndrept spre el şi aproape ţip când un scaun rotativ imens se întoarce, iar Jarrow, îmbrăcată într-o pijama largă cu imprimeu de zebră, sare în picioare. Îşi dă jos căştile în acelaşi timp când apucă telefonul şi îl porneşte folosindu-şi parola.

Preţ de câteva secunde se uită nedumerită la ecran şi vede afişat mesajul „număr necunoscut" (cel puţin aşa ar trebui, dacă Boydy şi-a făcut treaba corect), apoi pune telefonul pe masă, se întoarce în scaunul rotativ, îşi ia laptopul în braţe şi se roteşte din nou cu spatele la mine.

Aceasta este o ocazie *uriaşă*. Smartphone-ul este deblocat şi va rămâne aşa până se blochează automat, de obicei după jumătate de minut de când nu a fost atins.

Tot ce trebuie să fac este să traversez camera până la birou și să ating ecranul pentru ca acesta să nu se blocheze, apoi pot accesa telefonul lui Jarrow.

Patru pași, estimez. Poate cinci.

Mă deplasez prea încet. La trei pași scârțâie podeaua și nu știu cu certitudine dacă Jarrow poartă din nou căștile: spătarul scaunului e prea înalt. Iar acum nu mai pot zăbovi: ecranul se întunecă pe jumătate, pregătindu-se să se închidă. Fac un pas mare, podeaua scârțâie, iar în clipa în care ating ecranul să-l reactivez, scaunul se rotește din nou.

— Jez? spune ea.

Trebuie să fi auzit ceva. Stau mai nemișcată decât am stat vreodată-n viața mea, ținându-mi respirația până se întoarce la loc, dar numai pe jumătate.

Nu mă poate vedea, evident. Dar va vedea ecranul de la telefon schimbându-se dacă fac ceva. Nu se uita la el, dar îi va atrage atenția.

Tot ce pot face este să stau acolo. Sunt la aproximativ un metru distanță de ea, iar degetul meu zăbovește deasupra telefonului, împiedicându-l să se închidă prin a-l atinge din când în când. O urmăresc pe Jarrow *cu multă* grijă, în caz că face o mișcare bruscă în direcția mea.

Orice stare de liniște pe care am început să o simt s-a evaporat și sunt atât de tensionată, încât jur că mă poți încorda ca pe o coardă de chitară.

Această situație continuă timp de *nouă minute.* Știu asta pentru că ceasul de pe ecranul lui Jarrow indică trecerea timpului. Într-un final, imediat ce o crampă musculară în piciorul stâng se răspândește de-a lungul membrului, Jarrow oftează. Își închide laptopul, își dă jos căștile și se ridică în picioare. E pe cale să se întindă spre telefon, așa că îmi iau mâna, dar apoi se răzgândește și îl lasă pe birou.

În clipa când iese pe ușă, i-am deschis laptopul și, dacă nu aș fi așa de emoționată, aș face un dans de bucurie, deoarece se deschide din nou, ceea ce înseamnă că nu voi avea nevoie de parolă să-i accesez fișierele.

Rezultat. Yey. Genial. Etc.

Acum mișcă-te, Ethel.

Îi țin telefonul în mână și umblu prin el, încercând să-mi dau seama unde ar putea ține înregistrarea cu mine.

Nu e un model de telefon cu care sunt familiarizată. Eu am vechiul iPhone al lui Buni și mă descurc ușor cu acel sistem. Acest telefon este un Android. Majoritatea iconițelor aplicațiilor sunt la fel, însă îmi dau seama repede unde sunt clipurile video.

Și iată-l! Clipul filmat în teatrul școlii i-a fost trimis printr-o aplicație de distribuire a clipurilor și e cel mai ușor să șterg toată aplicația și conținutul ei. Tot filmul, inclusiv înregistrarea de la securitate și cadrele strânse sunt în aplicația „Clipuri video", iar aceasta este trimisă direct la gunoi.

În „Setări" este un folder cu fișierele șterse. Îl golesc... click.

Îi caut e-mailurile pentru atașamente video. Nimic.

Acum trec la laptop. E un Apple Mac, așa că lucrează cu iMovies. Nimic acolo. Filmul nu a fost făcut pe acest laptop.

E-mailuri: uite-l! Trimis acum două zile. Click, dispare.

iTunes: iată-l din nou acolo, salvat din e-mail. Click, dispare.

Bine, bine, unde mai poate fi?

Ar putea exista o copie într-un video player? Nu ştiu, însă deschid QuickTime pentru orice eventualitate: nimic acolo. Bine.

În continuare, fac o căutare în tot laptopul cu funcţia „Search". Nimic. Şi mai bine.

În final, golesc „coşul de reciclare".

Aud paşi pe scări, iar Jarrow spune:

— Noapte bună, Jez! Noapte bună, tăticule!

Vocea ei sună diferit faţă de cum e ea în mod normal: e mai blândă şi nu mai are accentul pronunţat de Geordie.

(*Tăticule?* Jarrow Knight *nu* pare a fi genul de persoană care să-i spună tatălui său „Tăticule". Cu accentul ei normal, „Tata" ar fi mai bine, poate chiar şi „Tati", dar „Tăticule"?)

O, Jarrow, mă gândesc. *De ce ai ales să te culci devreme în seara aceasta?*

Cum ştergi fişierele din „coşul de reciclare"? Apăs pe butoane panicată, iar bara de progres îmi spune că am *o grămadă* de gunoaie de şters şi durează o eternitate şi îţi spun sincer: nu am *nicio idee* cum Jarrow Knight nu a văzut laptopul său închizându-se misterios când a intrat în cameră sau, de altfel, cum nu a auzit un gâfâit disperat...

Dar am reuşit.

Ei bine... Cel puţin o parte.

Urmează Jesmond. Apoi, mai am de verificat calculatorul familiei, dacă există aşa ceva. Şi să am de-a face cu un câine uriaş şi prost antrenat.

Uraaaaa.

Capitolul şaizeci şi şapte

M-am întors în holul alb de la parter şi singura uşă des-
chisă duce spre o bucătărie / sufragerie decorată cu acceaşi
paletă lipsită de culoare — nuanţe de gri-pal şi nisipiu. E o
cameră într-o formă de L, iar uşile duble duc spre camera
de zi. Luminile sunt stinse, mai puţin cea de deasupra ara-
gazului, care împrăştie un luciu gălbui în toată camera.

Acolo, în colţul camerei, pe o masă de bucătărie cu
foi de hârtie şi alte obiecte împrăştiate în jur se află un
monitor imens. E calculatorul familiei.

Merg tiptil de-a lungul camerei, când aud câinele
mârâind. Într-o secundă a dat buzna prin uşile duble şi
acum se-ndreaptă fix în direcţia mea, cu un fir de bale
atârnându-i dintre fălci.

— Maggie! Maggie! O, pentru numele lui Dumne-
zeu, câinele acela!

E vocea lui Tommy Knight, dar nu pare nervos. Aş
spune că e mai mult nerăbdător şi amuzat.

Sunt paralizată de frică când Maggie se opreşte pe
gresia albă din bucătărie, adulmecând şi mârâind lângă
picioarele mele, furioasă şi confuză.

— Ce-ai păţit?

Apuc să-l văd mai bine pe Tommy Knight, acum că nu e acoperit de uşa de la intrare. E înalt şi uşor încovoiat, purtând blugi cu talie înaltă, ca un bătrân, deşi are vârsta obişnuită pentru un tată. Are cămaşa cu carouri băgată-n pantaloni şi îşi ţine ochii puţin închişi, ca şi cum ar surâde la o glumă fină. Credeam că tatăl gemenilor Knight ar fi de două ori mai înspăimântător decât ei, dar nu e aşa. De fapt, numai părul blond deschis e un indiciu că ar fi rude.

Se îndreaptă fix spre mine, iar eu fac un pas înapoi ca să mă feresc. Maggie îl urmează, adulmecând podeaua. Cred cu tărie că, dacă m-ar vedea, m-ar ataca, dar aceasta se tot uită în jur, complet derutată din cauza absenţei a orice ar putea însoţi ceea ce adulmecă ea.

— Hai, ieşi afară! murmură Tommy Knight, trecând de mine şi deschizând uşa de sticlă ce duce spre grădina din spate, însă câinele rămâne nemişcat, scoţând din gâtlej zgomote ameninţătoare.

— Hai. Încetează, prostuţo!

Tommy o apucă de zgardă şi o convinge să plece, împingând-o uşor afară şi închizând uşa. Câinele se opreşte şi schelălăie, separat bariera de sticlă, iar Tommy se întoarce, dând din cap amuzat şi scârbit totodată.

De frică, scot un gârâit tăcut.

Tommy miroase, apoi se uită la Maggie prin geamul de sticlă.

— Bestie, mizerabilă, murmură zâmbind.

Apoi spune mai tare:

— Jesmond! Ce i-ai dat să mănânce lui Maggie?

Îşi trage scaunul în faţa calculatorului şi se aşază, mişcând mouse-ul pentru a aduce ecranul la viaţă. E un calculator antic: un Mac vechi, chiar preistoric. Îmi dau seama imediat: *acesta este calculatorul lui Tommy și numai al lui Tommy.* Nu e nicio șansă ca Jesmond și Jarrow să editeze clipuri pe el, așa că pot să-l las în pace.

Deschide aplicația de mail și începe să se uite prin mesaje, deschizând e-mailuri, scriind chestii, și pare că se face comod.

Mă îndepărtez cu grijă. Sunt conștientă de fiecare zgomot pe care-l fac tălpile mele pe gresie când le ridic, dar acesta nu bagă de seamă.

Din camera de zi, aud soneria unui telefon mobil.

Îmi bag capul pe după ușă. Laptopul lui Jesmond este chiar lângă el.

Apoi, se întâmplă ceva ce face ca toată teroarea din sufletul meu să dispară.

— O, bună, Mami… Nu s-a culcat… E, știi tu, prin casă… Când te-ntorci? La miezul nopții? Voi fi în pat… da… Și eu te iubesc. Noapte bună.

Auzind această conversație, nu-l mai percep pe Jesmond Knight ca pe o brută înfiorătoare, ci ca pe… păi, un copil normal de treisprezece ani.

„Și eu te iubesc?"

Mamei lui? Zâmbesc. NU mai sunt chiar așa de speriată.

Însă, mai mult decât asta, este vocea lui — aceeași ca cea a surorii lui de mai devreme. A dispărut puternicul și localul accent Geordie, în favoarea unui accent mai blând. Nu chiar elegant, dar undeva pe-acolo.

La fel ca Jarrow, care i-a spus tatălui său „Tăticule", îmi vine să cred că nu sunt singura care e invizibilă.

Sunt aspecte ale gemenilor Knight care nu sunt nici ele vizibile.

Încă sunt blocată. Timp de o oră, după cum reiese, sunt blocată în bucătăria albă în timp ce Tommy Knight bâjbâie la calculator, iar Jesmond stă întins pe canapeaua din living, jucându-se pe telefon, apoi schimbând canalele la TV.

Într-un final, Jesmond se ridică-n capul oaselor pe canapea, deschide laptopul și tastează rapid parola. Pot să văd ceva peste umărul lui, dar degetele sale se mișcă prea repede ca să-mi dau seama ce tastează.

Mă uit atât de intens, încât nu-l văd pe tatăl său care vine spre mine. Se mișcă ușor pentru un tip așa de înalt. Abia reușesc să mă înghesui într-o parte când intră prin ușile duble, iar mâna sa o atinge pe a mea.

Tommy Knight se oprește. Își atinge brațul în locul unde ne-am ciocnit și se uită în jurul său încruntându-se, dar își continuă drumul în living, unde se așază într-un fotoliu negru de piele.

— Ai văzut știrea despre câinii dispăruți, Jesmond? spune Tommy. E peste tot pe site-ul *Whitley News Guardian*.

Felul în care o spune mă face să fiu foarte atentă. Se uită cu grijă la Jesmond, ca și cum ar încerca să studieze reacția fiului său. Chestia asta nu vine ca o încercare de a face conversație din senin.

Acum, probabil că ai făcut aceeași conexiune pe care am făcut-o și eu, dar încă nu am zis nimic despre asta, fiindcă a fost numai o bănuială și nu eram sigură cât de relevantă era. Bănuiala mea este că gemenii Knight au *cumva* legătură cu dispariția câinilor. Când i-am întâlnit pe plajă în ziua în care eram invizibilă, ei o aveau pe Lady. Celelalte evenimente care s-au petrecut tot în ziua aceea au făcut să nu dau prea multă importanţă, dar bănuiala a rămas acolo în adâncul minţii mele, ca un şobolan care ronţăie un cablu electric: ştii tu, cranţ, cranţ, nimic, apoi... pac!

Jesmond fie e un bun actor, fie n-are nicio legătură cu toate acestea. Atitudinea sa e complet relaxată. Abia ridică ochii din ecranul laptopului său.

— Mmmm? Câini dispăruţi? N-am văzut aşa ceva, tată.

Apoi schimbă abil subiectul.

— Ne poţi duce mâine la şcoală, te rog? Avem de cărat bagaje pentru excursia cu şcoala, zice, dar Tommy nu se lasă distras.

— Ştii, Jesmond, dacă aflu că eşti implicat în treaba asta, voi...

Aici, Jesmond ridică privirea. Ce ameninţare va rosti tatăl său?

— ...voi fi foarte dezamăgit.

Jesmond nu răspunde. În schimb, se ridică de pe canapea şi închide laptopul. Dar aici nu am nicio şansă să-mi reuşească acelaşi truc pe care l-am făcut sus cu sora lui — nu cu tatăl lui stând acolo.

— Am plecat, tată. Noapte bună, spune Jesmond, iar pe fruntea lui Tommy Knight apar nişte riduri de nedumerire.

Jesmond iese pe cealaltă uşă, cea care duce spre hol. Are telefonul în mână.

Cum voi putea să fac asta? Fără a fi închise corespunzător, majoritatea laptopurilor se vor închide singure după câteva minute. Nu am mult timp la dispoziţie.

Mă îndrept repede spre uşa din spate şi o deschid puţin, cât de silenţios pot eu. În partea de sus e un lanţ de siguranţă, pe care îl folosesc astfel încât uşa să nu se deschidă mai mult de câţiva centimetri, apoi încep să o tachinez pe Maggie.

— Hei, Maggie, îi şoptesc. Eşti un dulău oribil şi urât — ştiai asta?

Atât îi trebuie. Maggie începe să mârâie, să latre şi să schelălăie, împingându-şi botul imens prin gaura dintre toc şi uşă şi încercând să localizeze sursa sunetului.

Într-o secundă, aud cum Tommy Knight îşi târăşte picioarele prin bucătărie, iar eu trec pe lângă el în timp ce mă îndrept spre camera de zi.

— Maggie! Fă linişte, iubito. Cum ai deschis uşa? Vrei să intri în casă, nu-i aşa?

Nu, te rog! Nu!

— Îmi pare rău, iubito. Mai stai aici puţin. Şi şşş!

Pfiu.

Am câştigat suficient timp să deschid laptopul lui Jesmond. Problema e că DVD-ul porneşte şi el, iar toată aparatura se luminează şi zbârnâie când se întoarce Tommy.

Acum nu pot spune cu certitudine că Tommy Knight e speriat, dar se opreşte neclintit în pragul uşii, uitându-se lung la laptop. Ecranul e deschis numai pe jumătate la un unghi de 45 de grade faţă de tastatură, împrăştiind lumină în cameră.

Stă acolo preţ de zece secunde poate — ceea că e mult timp dacă stai să numeri —, apoi se uită înapoi în bucătărie spre uşa din spate, îşi atinge din nou braţul unde s-a atins de al meu şi expresia încruntată de pe faţă devine atât de pronunțată, încât sprâncenele practic se unesc într-una singură.

Oftează apoi și se așază la loc în fotoliu și face un tur de canale până ce găsește ceva ce-i place: un documentar cu animale.

Acum am intrat în bucluc. Nu pot vedea ecranul înclinat decât dacă mă așez pe podea.

Așa și fac, cu mare grijă. Nu am cum să fac toate căutările pe care le-am făcut pe laptopul lui Jarrow. Nu cu ecaranul așezat în unghiul acela și nu cu zgomotele scoase de tastatură.

Soluția este opțiunea „șterge". Șterge totul din laptop, revino la setările din fabrică. Cu Tommy Knight la doar doi metri distanță.

Nu poate vedea ecranul de unde stă, ceea ce e un lucru bun, dar e practic imposibil să ascunzi sunetul tastelor. Dacă nu mă crezi, încearcă și tu o dată.

Probabil nu te interesează cum să ștergi memoria unui calculator. Dar toată procedura implică apăsarea anumitor taste, ținându-le așa până apar comenzile de operare DOS, apoi apăsând ȘTERGE și ENTER până ce dispare tot.

Ceea ce ar fi bine și plauzibil — chiar și când stai culcată pe un covor alb, mijind ochii la un ecran înclinat și apăsând tastele *foarte ușor* la doi metri depărtare de un un om — numai că e nevoie ca hardul să fie destul de activ, fiindcă șterge fișiere, iar acest lucru produce un zumzăit ce nu poate fi acoperit de niciun sunet de la televizor, mai ales dacă omul acela e deja speriat.

Trebuie să apăs butonul care va șterge totul și știu că va declanșa hardul.

Trebuie pur şi simplu să o fac.

Degetele mele plutesc deasupra tastei, apoi o apăs.

Hardul se trezeşte la viaţă cu un ŞŞŞŞŞŞŞŞŞŞŞŞŞŞŞŞŞŞŞŞŞŞ puternic, iar Tommy Knight se întoarce şi sare în picioare.

Faptul că sunt atât de aproape de covor pune capac la toate, cred. Dar chiar nu am putut alege un moment mai prost ca să strănut.

Capitolul şaizeci şi opt

E doar un strănut mic: nu un HAPCIUUUUUU comic. Mai mult un strănut adorabil, ca al unui urs panda. Un hapciu!

Totuşi e în mod clar un strănut.

Tommy Knight stă pur şi simplu acolo. Nu am nicio idee ce altceva mai face, deoarece sunt ghemuită în spatele mesei de cafea şi nu îndrăznesc să privesc în sus.

Ştiu, ştiu: n-are nicio noimă. Nu mă poate vedea, aşa că de ce nu mi-aş mişca puţin capul din poziţia de ghem? Cred că este ceva înrădăcinat în noi, o chestie instinctivă: dacă te simţi ameninţat sau în pericol, te faci ghemotoc. Cam defensiv, dar asta fac.

Cel puţin la început.

După câteva secunde, îmi dau seama de prostia pe care o fac şi ridic capul. Mă mănâncă nasul din nou.

Tommy Knight încă mai stă acolo, cu capul dat într-o parte, foarte alert şi suspicios.

Strănut din nou, dar strănutul acesta l-am ţinut atât de mult, încât explodează, nu ca un strănut obişnuit, ci mai degrabă ca o tuse, iar un jet de salivă aterizează pe laptop, devenind imediat vizibil.

Cu precauție, Tommy Knight pășește și ia în mână laptopul. Se uită la el. Încă zumzăie în timp ce șterge totul. Ținându-l într-o mână, acesta atinge saliva cu degetele de la mâna cealaltă. Își freacă degetele, le miroase. Așezând încet laptopul pe masa de cafea, merge cu spatele și iese pe ușile duble, prin bucătărie, unde îl aud bâjbâind cu lanțul de la ușa de-afară pentru a lăsa câinele înăuntru.

Îmi asum riscul și o zbughesc afară pe hol, închizând ușa după mine imediat ce Maggie dă buzna prin celelalte uși, cu Tommy în spatele ei zicând:

— Ce e, Maggie? Vânează, fetițo. Vânează!

Aud dușul de la etaj. Jesmond e în baie, iar telefonul său trebuie să fie în dormitor. Acum e șansa mea și fug pe scări, nepăsându-mi de zgomotul pe care-l fac pașii mei pe covorul gros de pe trepte.

Deschid ușa dormitorului. Mirosul mă izbește din prima. Nu e chiar murdar. E o combinație de lucruri. After-shave de vreun fel, cu siguranță. Lynx? Ceva mai scump, probabil. Dar mai e un miros de ceva acolo. Ceva mai… pământiu. Mai animal.

Arunc o privire repede prin cameră să văd dacă Jesmond și-a lăsat telefonul pe pat sau pe noptieră.

Nu l-a lăsat.

Are un pat dublu mare lipit de perete, iar eu mă duc prin spate. Atunci văd sursa mirosului de animal.

Un animal.

Nu văd animalul de la început, ci doar cușca mică de transportat animale în care este închis. Apoi vine în partea din față a cuștii și îl văd. Un terrier de Yorkshire micuț.

Cu un picior lipsă.

E Geoffrey al doamnei Abercrombie. Nu e nicio îndoială.

Scoate un schelălăit mic. Mă poate mirosi? E un geamăt trist, iar rezultatul e o nouă emoţie pentru mine: îmi pare rău de odiosul Geoffrey.

Cum se poate ca tatăl gemenilor să nu ştie? Presupun că nu e aşa de greu să strecori o cuşcă de transportat căţeii în casă şi presupun că părinţii gemenilor nu prea intră în camerele lor. Mirosul e suficient ca să mă descurajeze. Însă, ţinând cont de conversaţia din camera de zi, e clar că tatăl lor bănuieşte *ceva*.

Dar destul despre câine. Nu de asta sunt aici.

Telefonul, telefonul, telefonul. Unde e?

Blugii lui Jesmond stau aruncaţi pe pat, iar eu încep să caut prin buzunare. Nu, nu-i aici.

Apoi, de pe coridor, aud că se deschide încuietoarea uşii din baie şi, înainte de a apuca să ies pe uşă, Jesmond se află în dormitor, acoperindu-şi talia cu un prosop şi uscându-şi părul cu altul. Cu mâna liberă îşi ţine telefonul şi vorbeşte. Accentul puternic de Geordie a revenit.

— Exact cum am prezis, frate, exact cum am prezis. Tot ce tre' să faci e să treci p-aci cu banii mâine, să-i dai, să-ţi ridici recompensa şi vei primi zece lire — onorariul găsitorului. La prima oră — nu poate sta aci, că mergem în excursie. Ce zici d-asta?... Da... Perfect!... Ne-auzim, Mynt.

Mynt? *Aramynta Fell*? Cum de s-a implicat în treaba asta?

Aruncă telefonul pe pat.

Sunt în cealaltă parte a camerei, stând cât de nemișcată pot și fiindu-mi groază de ce va urma și...

O, DOAMNE! Și-a dat jos prosopul de la talie, iar eu mă holbez la posteriorul alb și gol al lui Jesmond Knight și e foarte *jenant*. Nu pot să închid ochii, așa că întorc capul și...

O, DOAMNE! E și mai *rău*. Mă uit direct în oglindă și am o imagine frontală a lui Jesmond.

În sinea mea țip: „Pune niște haine pe tine!"

Se plimbă dintr-o parte într-alta a camerei, apoi se oprește în fața oglinzii și-și flexează mușchii brațelor. Apoi, face poza aceea de gorilă pe care o fac toți culturiștii: brațele arcuite orientate în jos, pieptul lărgit și toată chestia este atât de respingătoare, încât trebuie să-mi întorc capul în timp ce-i privesc mișcarea din colțul ochiului, ca să mă feresc dacă se apropie.

Cred că sunt în siguranță. Am găsit un colț lângă perdele, unul care nu este în calea lui (și e o cameră destul de mare). Pur și simplu nu mai vreau să mai văd nimic din goliciunea lui Jesmond Knight, mai ales când — *aaaaaa!* — se apleacă pentru a ridica o pereche de pantaloni scurți de sub pat.

Cumva, prin dezgustul meu, reușesc să-mi dau seama ce voi face în continuare. Am o șansă mică, dar e singura. Voi aștepta ca Jesmond să adoarmă, apoi îi voi fura telefonul și o voi șterge pe ușa din spate. Sau pe ușa din față — nu prea îmi pasă în clipa asta. Să fiu sinceră, cred că aș încerca să sar pe fereastră dacă ar însemna să nu mai fiu nevoită să-i mai văd fundul lui Jesmon Knight.

Apoi, îl aud pe Geoffrey scâncind în cuşcă şi simt cum fierb de mânie. Cum *îndrăznesc* să facă aşa ceva? Să răpească animale pentru recompensă? *Serios?*

Jesmond miroase aerul.

— Doamne, potaie, spune, mijind ochii la cuşcă. Nu prea miroşi.

Apoi tonul vocii se înmoaie uşor.

— Vrei să ieşi afară?

O, nu. Te rog, nu. Mă încordez în timp ce Jesmond deschide uşa cuştii, dar când Geoffrey iese afară pe cele trei picioruşe ale sale, mă ignoră şi adulmecă în schimb pe lângă pat.

Într-un târziu — spre marea mea uşurare — Jesmond îşi pune pantalonii de pijama. Nu mi-am dat seama că stau cu picioarele pe bluza de pijama întinsă pe covor. Se apleacă să o ridice şi, din cauză că stau pe o mânecă, trebuie să o tragă de sub greutatea piciorului meu şi e ciudat. Presupun că arată ca şi cum mâneca pijamalei a rămas lipită de podea cu gumă de mestecat sau ceva.

Are aceeaşi privire nedumerită pe care a avut-o tatăl său acum câteva minute când m-a auzit strănutând.

Ştiu că nu e niciun motiv pentru Jesmond să creadă că sunt în camera sa, invizibilă. Dar, spre deosebire de tatăl său, Jesmond măcar ştie că invizibilitatea e posibilă.

Stă în mijlocul camerei, ţinându-şi bluza de pijama şi holbându-se la podea, unde se pare că aceasta a rămas „lipită" de covor.

Îi urmăresc privirea şi văd la ce se holbează.

Pe covorul gros sunt întipărite două urme de picioare perfecte.

Capitolul șaizeci și nouă

Trec doar câteva secunde, dar mă simt ca și cum ar fi fost un an.

— Bună, Fată Invizibilă, spune cu surâs batjocoritor.

Își azvârle apoi bluza de pijama în direcția mea. Îmi atârnă de umăr preț de o secundă înainte de a cădea pe podea.

Jesmond înjură în șoaptă și ce se întâmplă după aceea e așa de brusc, încât abia mai pot ține pasul.

Se aruncă înainte cu ambele mâini întinse, iar eu o șterg într-o parte și mă mut lângă patul său.

— Știu că ești aici, șoptește el, iar ochii lui studiază covorul din nou după urmele mele.

Între timp, Geoffrey a terminat de mirosit și se ghemuiește îm mijlocul camerei, cu spatele arcuit, pentru a se ușura.

Jesmond vede acest lucru și e distras temporar.

— Nu, nu, nu. O, jigodie mică…

Cuvintele îi îngheață pe buze în timp ce-și dă înapoi piciorul pentru a ținti o lovitură, iar aceasta nu e chiar una mică. Va fi una mare. Pot să-mi dau seama după unghiul piciorului său că pune multă forță în spatele ei.

Iar eu nu pot să stau deoparte și să permit ca Geoffrey să fie rănit, așa că țip „Hei!" și-l împing pe Jesmond cu toată forța. Se răstoarnă, lovindu-se cu capul de masa de toaletă și împrăștiindu-și deodorantele și gelurile de păr.

Am numai câteva secunde să acționez. Mă aplec și-i apuc telefonul de pe pat. Jesmond îl vede cum se ridică înfiorător de pe pilotă și se chinuie să se ridice-n picioare când Geoffrey — micuțul, curajosul și nostimul Geoffrey — scoate un mârâit mic și furios și sare la gleznele lui Jesmond.

E exact diversiunea de care am nevoie. Fug din dormitorul său, trântesc ușa deschisă și cobor scările, urmată la câteva secunde de Jesmond, care strigă după sora sa și ne-njură pe mine și pe Geoffrey — care din nou sare la temnicerul său și-și înfige colții în piciorul lui Jesmond, făcându-l să țipe de durere.

Când ajung la capătul scărilor, ușa dormitorului lui Jarrow e deschisă și aceasta strigă:

— Ce dracu' se-ntâmplă aici? Încerc să dorm!

Dar aceasta observă agitația și probabil vede misteriosul telefon plutitor, așa că se alătură urmăririi.

Să ies pe ușa din față sau din spate?

Ușa din față e mai aproape, dar când aproape că ajung acolo, văd interfonul și tastatura pe care o folosesc pe post de chei și mă-ntorc repede, ferindu-mă de Jesmond, care a coborât scările urmărit de un terrier de Yorkshire furios cu trei picioare.

— Dă-mi-l, mârâie la mine, încercând să-și apuce telefonul, pe care-l vede plutind de-a lungul holului.

Încerc să mă feresc de el, covorul îmi alunecă de sub picioare pe podeaua lustruită, iar eu duc o mână în față, încercând să-mi recapăt echilibrul. Aceasta se izbeşte de vitrina cu căţei şi toată mobila se prăbuşeşte pe podea, care se umple de bucăţi mari de sticlă şi de căţeluşi de porţelan.

Sunt desculţă, dar nu-mi permit să-mi fac griji din cauza asta. Calc de-a dreptul pe cioburile de sticlă, gâtul spart al unul câine-lup irlandez îmi intră în călcâi, iar eu ies şchiopătând pe uşa de la bucătărie.

Până acum s-a alăturat şi Maggie acestei curse, dar încă nu şi-a dat seama pe cine să atace. Se decide să-l atace pe Geoffrey, care nu are de gând să tolereze aşa ceva. Micul câine cu inimă de leu deschide un foc de baraj cu schelălăituri, astfel încât, pentru câteva secunde, câinele mai mare, care l-ar putea devora probabil pe Geoffrey dintr-o îmbucătură, se retrage.

E tot timpul de care am nevoie şi ies pe uşa din spate, alergând prin grădină, urmărită mai întâi de un Jesmond Knight care înjură încontinuu, apoi de un terrier arţăgos care mârâie şi reuşeşte să-l mai muşte de câteva ori pe Jesmond de glezne, apoi de un câine demonic bălos şi masiv. În spatele lor aleargă Jarrow şi, ultimul dintre ei, Tommy, care ţipă:

— Ce se întâmplă? Jarrow? Jesmond? Cine a spart vitrina? Şi de unde a venit câinele ăstălalt?

Şi mai e şi Boydy.

Boydy? N-aveam nicio idee ce caută în grădina din spate, dar deja aleargă cu mine. Apăs butonul de deschidere al telefonului în timp ce alerg şi lumina ecranului îl ajută să ştie unde sunt.

— Hai, e o gaură în gard. Urmează-mă!

Acesta gâfâie, dar greutatea în plus nu-l opreşte.

Îl depăşesc, îndreptându-mă spre locul la care cred că se referă.

— La dreapta ta! ţipă.

În întuneric, pot vedea ce vrea să spună. Este o gaură între două tufe şi o bucată de gard distrusă şi, fără a mă uita în urma mea, trec prin ea, însă trebuie să mă opresc, pentru că nu-l pot lăsa în urma mea.

— Hai, Boydy! ţip prin gaură.

Aproape a ajuns şi plonjează la pământ, în timp ce Maggie, mârâind, face un ultim salt.

Boydy urlă în timp ce dinţii câinelui îi înţeapă blugii şi îl prind de dos. Văd cum se apropie Jesmond şi cum e pe cale să-l apuce pe Boydy de glezne când Geoffrey o ia din nou razna, de data aceasta apucând mâna întinsă a lui Jesmond. Acesta ţipă.

Îl iau pe Boydy de mână şi trag cât de tare pot prin gaură, în timp ce el îi cară picioare lui Maggie. Pentru o secundă, singurele sunete sunt cele ale celor doi câini care mârâie, apoi Maggie dă drumul din strânsoare ca să se pregătească de un nou atac.

Este exact ce-i trebuie lui Boydy. Disperat, aplicând o lovitură finală, acesta iese prin gaură. Am apucat un stâlp de gard şi iau poziţia unui jucător de baseball care aşteaptă ca mingea să fie aruncată.

Într-o clipită, capul lui Maggie iese prin gaură, iar eu, cu toată forţa pe care o am, o izbesc în cap cu stâlpul. Scoate un urlet insuportabil, dar încearcă să treacă prin gaura din gard, iar eu, în timp ce lovesc din nou, mă trezesc zicând:

— Îmi pare rău, Maggie, îmi pare rău.

Se scufundă în pământ şi eu trec printr-un moment oribil şi plin de groază crezând că am ucis-o, însă îşi ridică imensul ei cap şi se retrage, ameţită, bătută şi în-sângerată, dar în viaţă.

Schelălăitul lui Geoffrey continuă, dar se aude tot mai încet, pe măsură ce se îndepărtează de gard şi se îndreaptă înapoi spre casă.

Boydy stă întins lângă mine, dar, în loc să geamă, mă întreabă:

— Ai reuşit?

Dau din cap pentru a confirma.

Nu mă vede dând din cap.

— Ei bine, ai reuşit?

— Am rezolvat!

Îi pun telefonul în mână, iar el mai întâi zâmbeşte, apoi geme de durere. De cealaltă parte a gardului... nimic. Niciun ţipăt, nicio ameninţare. De fapt, nu e nimeni acolo.

— Au luat-o pe uşa din faţă. Vor ajunge aici în orice clipă, îi spun.

Capitolul șaptezeci

Boydy se ridică în picioare și amândoi ne cățărăm pe gardul din grădina vecinului. Am călcâiul inflamat acolo unde m-a împuns câinele de porțelan și mă aplec să scot un ciob din piele. Sângerează, dar nu rău.

Peste două minute, intrăm pe ușa ce duce spre curtea din spatele casei mele, șuierând și gemând, iar după un minut auzim pași tropăind pe aleea din spate.

— Locuiește pe undeva pe-aici. Una dintre casele astea, o aud pe Jarrow vorbind.

Dar cei doi nu știu care casă anume. Îi auzim trăgând de toate ușile caselor de pe stradă, dar niciuna nu se deschide și în niciun caz nu se deschide a mea.

Nu... ușa mea e bine închisă. Nu am de ce să-mi fac griji.

Singurul lucru pentru care trebuie să-mi fac griji se află chiar în spatele meu.

Buni. Stă pe treptele din spate cu Lady.

— Elliot? O, Dumnezeule, ce ți s-a întâmplat? Și unde e Ethel? M-am îmbolnăvit de-ngrijorare. Eram pe cale să sun la poliție. Ați văzut cât e ceasul?

Pentru o secundă mi se pare ciudat că mă-ntreabă unde sunt... apoi îmi aduc aminte.

Nu mă poate vedea.

Capitolul şaptezeci şi unu

Trebuie să-i recunosc meritele lui Boydy. Să minţi sub presiune. E un talent remarcabil să te pricepi atât de bine la asta la vârsta de treisprezece ani. Într-adevăr, povestea pe care o inventează este atât de deplasată, încât pur şi simplu stau acolo cu gura căscată şi invizibilă, urmărind cu câtă uşurinţă îşi debitează minciuna.

— A, sunteţi trează! O, bine — n-am vrut să vă trezesc. Ethel e bine, e doar puţin... indispusă şi s-a dus să se culce în camera noastră de oaspeţi.

Stau chiar lângă el când zice acest lucru, bineînţeles, iar privirea mea trece de la unul la celălalt.

— Ai face bine să intri, spune Buni.

Îmi dau seama că nu crede minciuna. Nu acum.

Îl urmez în bucătărie pe Boydy, prin uşa din spate, şi stau în colţ urmărind pe toată lumea. De data aceasta, Lady nu se sperie, deşi îi văd nasul ridicându-se când îmi simte, adulmecând, prezenţa. În schimb, se strecoară în camera de la intrare.

În lumină, se vede mai bine cât de grave sunt rănile lui Boydy. Spatele blugilor e sfâşiat şi îmbibat cu sânge.

— Dă-ţi hainele astea jos, îi porunceşte Buni. Te vom curăţa, iar tu-mi vei spune exact ce se întâmplă.

Până acum, am reuşit să ajung la vârsta de aproape treisprezece ani fără să fiu nevoită să văd posteriorul gol al vreunui adolescent. Acum văd două într-o singură seară.

Ce noroc pe capul meu.

— Cum s-a întâmplat asta? întreabă Buni cu un ton amabil.

Arată rău. Pe pulpa de sus sunt semne de muşcătură, iar fesa mare şi palidă e sfâşiată. Boydy se apleacă pe masa din bucătărie în timp ce Buni aduce nişte hamamelis şi vată. Acesta răspunde pe după umăr.

— Am fost atacat de un câine pe aleea din spate.

— Dumnezeule. Ar trebui să sunăm la poliţie! Un asemenea atac este foarte grav.

— Ăăă, nu… nu faceţi asta!

Sună disperat.

— De ce să nu sun, Elliot?

— Am luat-o, ăăă…

Sincer, pot să aud cum i se mişcă rotiţele în cap în timp ce gândeşte rapid.

— Am luat-o… pe o scurtătură, prin grădina cuiva, şi era un câine de pază!

Termină prin a părea foarte mulţumit de minciună şi continuă.

— Vedeţi, eu veneam să vă spun despre Ethăl, deoarece — of, ustură! —, deoarece mama mi-a spus să-mi asum responsabilitatea.

Bun. Deştept. Invocă ordinul unui adult responsabil.

— Responsabilitate pentru ce, Elliot?

— Cred că ea—de fapt, știu că ea—ăăă... a băut niște alcool. Auuuu!

Of, mulțumesc mult, Boydy. Mulțumesc de nu mai pot.

— Alcool? O, Elliot, o nu, nu, nu.

Acum știu că din toate lucrurile pe care i le-ai putea spune lui Buni, acesta e probabil cel mai rău, ținând cont prin ce-a trecut cu mama. Culoarea i s-a scurs din obraji și stă în picioare, ținând sticla de hamamelis și dând din cap dezaprobator.

— Îmi pare rău, doamnă Leatherhead. Era numai bere. Nici măcar nu i-a plăcut, apoi a vomitat și mama a dus-o să se culce.

— De unde a făcut rost de alcool? I-ai dat tu?

Buni își continuă tratamentul medical cu mai multă vigoare.

— Nu știu, doamnă L. Auuuu! Sincer, era numai ea. Aveam numai Sprite și Fanta. Îmi pare foarte rău. Trebuia s-o fi oprit. Auăleu!

Bine, mă gândesc. *Mă bucur că doare.* E suficient de rău că a mințit și-a spus c-am băut alcool. Pentru început, alcoolul e dezgustător. (Nu am consumat niciodată, dar am mirosit vin înainte și nu cred că-l voi bea niciodată. De ce ai bea suc de fructe expirat, adică ceea ce și este această băutură din câte-mi dau seama?) Și, în altă ordine de idei, de ce să alegi scuza *aceea*? Putea să-i fi spus c-am mâncat prea multă pizza. Știi tu, o felie în plus de pepperoni și ciuperci care a ieșit pe-afară și după-aceea am fost trimisă la culcare.

Problema lui Boydy este că are prea multă imaginație.

Buni a scos un plasture şi-l aplică pe muşcătura de pe posteriorul lui Boydy.

— Sincer, Elliot, sunt surprinsă şi dezamăgită. Credeam că eşti mai responsabil de-atât. Deşi apreciez că ai venit în persoană să-mi spui. Ei bine, eşti bandajat. E prea târziu acum, dar o voi suna pe mama ta mâine dimineaţă. Şi spune-i lui Ethel să vină aici înainte să meargă la şcoală.

Spre uşurarea mea, Boydy şi-a tras pantalonii şi se îndreaptă şchiopătând spre uşa din spate.

Buni stă cu spatele la noi în timp ce pune toate medicamentele la locul lor.

Boydy scoate telefonul lui Jesmond din buzunarul de la blugi şi-l ţine în faţa mea. Arată către telefon, apoi arată către mine şi face un gest de ştergere cu mâna.

Va şterge tot ce-i în telefonul lui Jesmond. Bine. Poţi face acest lucru fără parolă. De fapt, e cam singurul lucru pe care-l poţi face fără parolă: să-l readuci la setările din fabrică, să ştergi toate informaţiile salvate.

Apoi, ia telefonul meu şi-l aşază după prăjitorul de pâine, departe de raza vizuală a lui Buni.

— Vă mulţumesc, doamnă Leatherhead. Şi, ăăă... scuze.

— La revedere, Elliot. Închide uşa după tine.

Şi credeam că am avut suficientă agitaţie şi tensiune ca să-ţi stea inima în piept o zi întreagă. Ce urmează face ca tot ce s-a întâmplat înainte să semene cu o seară liniştită urmărind emisiunea *Plimbări la ţară cu Robson Green*.

Sunt încă în bucătărie, ţii minte, încercând să nu-mi pun toată greutatea pe călcâiul inflamat.

M-am hotărât. Acum a venit vremea s-o pun pe Buni la curent cu invizibilitatea mea.

Pot s-o dovedesc, pentru că sunt invizibilă.

Tocmai mă gândeam ce cuvinte să folosesc:

„Hei, Buni, îți amintești ce ți-am spus despre a fi invizibil?"

Dar încă mă simt puțin... ce anume? Timidă? Nu. Nu timidă, dar...

În fine, nu contează, pentru că Buni începe să discute cu cineva care — aparent — a fost în camera de zi de la bun început.

— E în regulă. A plecat. Poți intra.

Capitolul șaptezeci și doi

Și o face. Păpușa masculină a lui Buni, tipul de la intrarea din Priory View, vine în bucătărie și spune:

— Despre ce-a fost vorba acolo?

— Ethel stă acasă la un prieten. Nu se... nu se simte bine.

Este prima oară când apuc să mă uit bine la el de când l-am întâlnit la Priory View.

— Va trebui să o facem cu altă ocazie, deci? spune.

— Da. Poate poți veni mâine pe aici?

Păpușa masculină zâmbește larg: e un zâmbet plăcut.

— Desigur. Sună-mă.

Ultima dată când l-am văzut era îmbrăcat elegant: sacou, pantaloni călcați. Acum e doar în tricou și în blugi. Spre surprinderea mea, văd că brațele sale sunt foarte tatuate, ceea că mă face să stau pe gânduri. Cerneala pentru tatuaje nu e deloc pe gustul lui Buni. Sigur nu...

Apoi se întoarce. De sub tricou până la linia părului, șerpuindu-se până la gât, e alt tatuaj. O creangă răsucită de iederă veche, distinctă și inconfundabilă, pe care am mai văzut-o undeva înainte.

Îmi scapă un icnet, iar atât el, cât și Buni se întorc, dar fiecare probabil crede că celălalt e de vină.

De când mi-a dat prin cap chestia asta, totul începe să aibă sens.

Accentul. Nu e deloc un accent londonez. E unul din Noua Zeelandă.

E tot ce pot face — și vorbesc serios: e nevoie de TOT efortul meu — , să nu strig „Tată" ?

Dar nu pot uita că sunt dezbrăcată și invizibilă. Nu vreau ca tatăl meu să mă vadă așa pentru prima oară după zece ani. Dacă înțelegi ce vreau să spun.

O aud pe Buni zicând în dreptul ușii:

— Noapte bună, Rick.

Încă mă aflu în bucătărie și nu am mișcat un deget. Nici nu cred că am respirat. Inima îmi bate în piept cel puțin la fel de repede precum mintea mea și în *niciun* caz nu voi purta discuția despre invizibilitate acum.

Buni se întoarce să stingă lumina înainte de a merge la culcare. O lumină albăstruie vine dinspre ceasul digital de pe cuptor. E 11:45.

Aștept câteva minute ca Buni să se facă mai comodă în camera ei, apoi mă furișez la etaj și mă bag în pat cât de încet pot.

Un gând care nu-mi dă pace devine mai limpede acum: nu ar trebui să simt furnicăturile? Mâncărimea însoțită de o durere de cap ce anunță întoarcerea vizibilității mele?

Deocamdată încerc să nu mă mai gândesc la acest lucru. Sunt obosită. Vlăguită, mental şi fizic. Pe lângă asta, am altceva la ce să mă gândesc.

Tatăl meu? Ricky Malcolm?

Recapitulez totul din nou şi din nou. Schimbarea înfăţişării nu e un mister. Dintr-un tip cu dinţii strâmbi, cu părul lung şi roşcat şi cu o barbă lungă şi cu aspect murdar, într-un bărbat bărbierit, care ar putea fi un învăţător sau... orice în afară de un rocker rebel. Diferenţa e uluitoare, iar eu nu aş fi crezut-o dacă n-ar fi tatuajele.

În camera mea, îmi deschid încet laptopul şi îl caut pe Ricky Malcolm pe Google Images.

Iată-l: rockerul pletos.

Măresc o poză în care părul său este dat pe spate pe scenă, dezvăluind un tatuaj aflat pe gât. E fără îndoială aceeaşi persoană.

Şi-acum mă uit la ochii săi: acelaşi verde-cenuşiu. În această poză, se uită direct la cameră, iar eu o lărgesc şi mai tare, până încep să se vadă pixelii şi ochii săi au aceeaşi mărime ca-n viaţa reală. Rotesc poza până i se-ndreaptă ochii, iar eu mă holbez în continuu.

Este aceeaşi privire pe care mi-a aruncat-o când am discutat despre Lady la Priory View. S-a uitat intens în ochii mei, pentru că ştia. Ştia că ochii săi erau la fel ca ai mei şi că eu eram fiica sa.

De ce nu zisese ceva?

Stau aici şi e o parte din mine care ştie, fără nicio îndoială, că nu voi mai avea altă şansă să-i arăt lui Buni că sunt într-adevăr invizibilă. Da, am înregistrarea în care *devin* invizibilă — e chiar aici pe laptopul meu, clipul pe care l-am filmat în garaj. Dar va fi aceasta dovada? M-am uitat la el și, ei bine... nu sunt sigură.

Sunt pe cale să-mi închid laptopul când acesta anunță cu un piuit discret sosirea unui mesaj nou.

De la: thomasknight@ringmail.co.ul. Îmi trimite *Tommy Knight* e-mailuri?

Ei bine, nu. Sunt Jesmond și Jarrow care folosesc contul tatălui său.

F deşteaptă, Fata Invizibilă. Recunoaştem asta. Tu eşti cea care ai umblat pe laptopurile noastre la fel? Chestia e, Fata Invizibilă, de unde poţi şti tu că nu avem o copie a înregistrării?
Mi-ai furat telefonul. Îl vreau înapoi sau urc totul mâine pe YouTube.
Jesmond

E trecut de miezul nopții, însă cu toate acestea îi trimit un SMS lui Boydy cu e-mailul atașat.

Nu răspunde. O fi dormind. Pe burtă, presupun.

Sunt de una singură, iar dispoziția în care sunt nu e una care să mă facă să cedez în fața cuiva.

Așa că îi răspund la e-mail.

Merci pentru adresa de mail a tatălui tău. Îmi va prinde bine când voi dori să-i spun despre escrocheria ta cu câini şi pisici. Sau, poate, îi voi face o vizită în persoană să-i spun direct, după ce am anunţat poliţia, bineînţeles.
APROPO, nu te cred în legătură cu copia. Şi, chiar dacă aţi avea una, v-aş sfătui să o ţineţi pentru voi.
Ethel
X

Dau click pe *send*. Ce am de pierdut? Am un pre-sentiment că acesta e finalul întregii noastre afaceri.

Ar fi trebuit să ştiu mult mai bine.

Capitolul şaptezeci şi trei

Buni e încă trează. Aud uşa dulapului deschizându-se în timp ce extrage cutia de metal cu amintirile mamei.

Atunci ştiu că nu pot să o confrunt. Nu încă. E prea mult deodată să intru-n dormitorul ei şi să spun: „Salut, Buni. Uită-te la mine — sunt invizibilă. Şi, apropo, trebuie să discutăm despre conţinutul din acea cutie de metal, iar tu îmi poţi explica de ce m-ai minţit în toţi aceşti ani. „O, şi, apropo, trebuie să vorbim despre conţinutul acelui sertar mic de tinichea, iar tu trebuie să-mi explici de ce m-ai minţit în toţi aceşti ani. O, şi, apropo, acela era tatăl meu, nu-i aşa?"

Exersez — cel puţin ajung până în acel punct. Dar pur şi simplu nu mai pot s-o fac. Nu acum.

Stau întinsă în pat şi aştept mâncărimile şi durerea de cap.

Nu vin.

Nici până la miezul nopţii.

Nici până la două dimineaţa, când încă sunt trează şi Buni a pus totul deoparte şi s-a culcat.

Pe la patru dimineaţa sunt încă trează şi, în lumina slabă cenuşiu-verzuie a răsăritului ce intră prin fereastra mea, mă uit în jos să verific dacă am devenit cumva vizibilă fără mâncărimile și durerea de cap. Dar nu: încă sunt invizibilă. Păsările se trezesc afară.

E în regulă, îmi spun. *Doar le ia puțin mai mult să-și revină.*

La un moment dat, cad într-un somn ușor și agitat. Nu cred că visez sau, dacă o fac, nu-mi mai amintesc nimic din el.

O aud pe Buni cum se ridică și abia îndrăznesc să mă uit în jos să văd dacă încă mai sunt invizibilă.

Sunt invizibilă.

Sunt copleșită de o spaimă care e ceva mai mult decât atât. E ca și cum ai ști ceva, dar fără să-ți dai seama cum.

De acest lucru mă tem: că invizibilitatea mea e deacum permanentă. M-am jucat prea mult cu celulele care-mi formează corpul. Și-au pierdut abilitatea de a... de a ce? De a se regenera? De a-și reînnoi capacitatea de reflexie a luminii? De unde era să știu?

Exact. De unde era să știu? Ce mi-a trecut prin cap?

Și de ce, în momentele de stres, tot aud în minte vocea lui Buni?

„Ce-a fost a fost, Ethel. O persoană puternică nu geme și nu plânge, ci se ocupă de prima problemă care îi este la îndemână, apoi de a doua, apoi de a treia. Unii oameni fie abordează problema direct, fie fug de ea. Noi nu facem așa. Prima problemă la îndemână? Aceasta ar fi invizibilitatea mea.“

De fapt, am o problemă mai acută. După spusele lui Boydy, trebuie să vin acasă să mă schimb înainte de școală, după ce m-am făcut de rușine la petrecerea de ziua lui.

Buni, pe care o aud cum face ceaiul jos, mă va aștepta în aproximativ... o, cam acum.

Capitolul șaptezeci și patru

M-am furișat la parter și, în ciuda faptului că sunt invizibilă, furișatul e mult, mult mai greu decât ai crede. Lady e afară, în curtea din spate, făcându-și nevoile de dimineață. Tocmai i-am trimis lui Buni un SMS. Vreau să-i văd reacția.

Salut, Buni. Îmi pare rău pentru aseară. Știu că Boydy ți-a spus și nu a fost chiar așa de rău, dar îmi este foarte mare rușine. Prea rușinată ca să vorbesc cu tine momentan. Am uniforma cu mine. Ne vedem mai târziu. Cu drag, E xx

Am lăsat telefonul în capul scărilor. Apăs TRIMITE, apoi mă grăbesc să cobor și sunt aici în bucătărie, stând în pragul ușii când telefonul lui Buni o anunță că a primit un mesaj nou.

Stă la masa din bucătărie, îmbrăcată în hainele ei elegante de lucru și-și ridică telefonul în felul ei obișnuit, ca și cum cineva l-ar fi împroșcat cu ceva de nedescris.

Citește mesajul și își țuguie buzele, dar restul feței nu face nimic.

Apoi, degetele ei se mişcă pe ecran şi îşi duce telefonul la ureche. Mă sună… *iar eu mi-am lăsat telefonul pe scări.*

De îndată ce-mi trece prin cap acest gând, aud soneria telefonului tare, şi clar, şi Buni se ridică. Mă feresc din drumul ei în timp ce face paşi apăsaţi pe scări, unde se holbează la telefonul meu care sună fericit.

Ridicându-l, intră în camera mea, unde va vedea patul în care am adormit.

O, nu, o, nu. E din ce în ce mai rău. Buni coboară repede (eu sunt deja în bucătărie), apoi îşi ridică telefonul. După aceea îl lasă jos. Telefonul meu e în cealaltă mână şi ea se uită la el, apoi la al său — cu o expresie de stupefacţie pură acoperindu-i faţa.

Se întoarce pe hol.

— Ethel? strigă înspre scări. Ethel? Eşti acolo?

Sunt pe punctul de a spune pur şi simplu „Buni! Sunt eu! Sunt aici şi sunt invizibilă!", însă întreg comportamentul său a fost atât de alert şi fără nicio pierdere de timp. Sunt atât de înspăimântată că aş fi permanent invizibilă, încât nu pot să rostesc nimic.

Două minute mai târziu, şi Buni iese pe uşă cu telefonul meu şi cu al ei în buzunar. Lady e lăsată acasă miercuri, deoarece Carol, îngrijitoarea de câini, merge la facultate. Cred că Lady se obişnuieşte cu mine în variantă invizibilă. Nu s-a speriat nicidecum.

Trebuie să mă mişc repede.

Capitolul şaptezeci şi cinci

Dacă nu-mi fac apariţia la şcoală, doamna Moncour, şefa serviciului administrativ, va ajunge la Buni în aproape o oră pentru a afla unde sunt. Apoi, lucrurile vor începe cu adevărat să meargă rău.

Mai rău.

Nu mai merg dezbrăcată pe stradă. Nu mai fac faţă. Pentru început, stă să plouă şi, de asemenea, picioarele mă dor după ce am fugit azi-noapte desculţă şi am stat cu tălpile pe cioburi de câini de porţelan.

Aşadar, revin la deghizaj. Ciorap pe faţă, glugă trasă sus, ochelari pe nas, haină, pantaloni, pantofi...

Ies din casă cu capul în jos şi alerg spre şcoală. Pot să fac asta în opt minute.

Intrarea principală e plină de colegii mei, care nu mă observă în timp ce mă furişez pe partea cealaltă a străzii. Mai bine încerc intrarea din spate. Aşa. E mai puţin aglomerat.

De data aceasta, nu-mi fac griji legate de camerele de supraveghere şi, de asemenea, un nor de fum ieşind de deasupra tufei de rododendron îmi spune că în ceea ce am ajuns să consider a fi zona mea de schimb sunt nişte inşi care fumează.

Aştept un moment în care se răreşte şirul de elevi care se apropie de poartă şi apoi ajung. Apăs cu degetul invizibil pe cititorul de amprente. Nu am nicio idee cum de-l citeşte mecanismul, dar poarta se deschide. Nu trec prin ea şi nimeni nu observă nimic.

Aşa sunt înregistrată ca fiind prezentă. Azi am două ore de fizică şi există şansa ca domnul Parker să-şi dea seama că lipsesc, dar mai este, de asemenea, şansa ca acesta să nu vadă nimic...

Acasă, îmi dau jos deghizajul, mă-mbrac cu pijamale şi îmi iau papucii de casă. Pare mai puţin ciudat. Lady se apropie de mine şi chiar dă din coadă, ceea ce mă face să mă simt mai bine.

Mă aflu în faţa telefonului de acasă, cel care foloseşte linia fixă. Vreau să-l sun pe Boydy, dar Buni are telefonul meu şi nu-mi aduc aminte numărul lui. Între timp, am alt număr de descoperit.

Telefonul fix memorează ultimele douăzeci de apeluri efectuate, însă numai numerele apar pe ecranul mic. Trebuie doar să sper. Încep să sun la aceste numere, unul după altul, cu prefixul 141 înaintea fiecărui număr de telefon, ca apelantul să rămână necunoscut. Unii oameni nu răspund la acele tipuri de apeluri. Trebuie să-mi asum riscul.

0191 878 4566. Intră mesageria vocală.

— Aţi sunat la Reverendul Henry Robinson. Îmi pare rău că nu pot răspunde la telefon, dar vă rog să-mi lăsaţi un mesaj după semnalul sonor.

0191 667 5544...

— Bună, Diane la telefon...

Închid.

303

0870... nu, nu e un număr personal.

118 118... nu, acesta e serviciul de informații.

Ajung la al cincisprezecelea număr și nu am făcut niciun progres. Toți par să fie prieteni de-ai lui Buni sau mesageriile vocale sau numere de companii. La al șaisprezecelea și al șaptesprezecelea număr sună la nesfârșit, fără niciun răspuns.

Al optsprezecelea apel e la recepția școlii.

Al nouăsprezecelea este mobilul meu, pe care Buni trebuie să-l fi apelat.

Și ajungem la ultimul număr din memoria telefonului.

Un număr de mobil pe care nu-l știu. Îl văsusem de fapt listat pe afișaj și n-am îndrăznit să sun, deoarece voiam să fac totul metodic și deoarece avem emoții legate de ce s-ar întâmpla dacă cineva ar răspunde.

07886 545 377. Dacă mi-aș fi putut vedea degetele, le-aș fi privit tremurând când am apăsat *REAPELARE*.

Răspunde imediat.

— Alo. Richard Malcolm la telefon.

Tatăl meu.

Capitolul șaptezeci și șase

De ce să-l sun pe tata?

Ei bine, pe cine ai suna *tu* într-un caz de urgență? Știu, știu: mamele sunt grozave. De fapt, majoritatea mamelor pe care le știu sunt geniale când vine vorba de majoritatea urgențelor. Mama lui Tax Goodbody chiar l-a născut pe bancheta din spate a unui mini-taxi de la firma A-Z Taxi (de unde vine și porecla sa), iar mama lui Holly Masternak a fost paramedic. E doar faptul că eu, crescând și fără mamă, și fără tată, m-am gândit că ar trebui să am voie să aleg, și acum vreau un tată.

(Nu vreau să fiu insensibilă aici. Poate nu ai un tată. Înțeleg acest lucru și-mi pare rău, dacă este așa. Nu uita: până azi-noapte, nici eu n-am avut unul.) Mă gândesc la cei pe care îi cunosc și care nu au un tată, cum ar fi Hayley Broad. Tatăl ei a fost soldat și a căzut în Afganistan, iar ea își urăște tatăl vitreg.

Fără a mă gândi prea mult, pot să fac o listă de cel puțin cinci persoane pe care le cunosc și care nu au tată. Nu include tații vitregi: tații vitregi (în afară de cel al lui Hayley Broad) sunt și ei tați din câte văd. (În ceea ce îl priveşte pe tatăl lui Boydy, ei bine — e ceva putred acolo, sunt sigură, dar nu ştiu ce.)

Orice bărbat poate fi un părinte. Dar nu cred că orice bărbat poate fi un tată.

Iar eu vreau să-i dau tatălui meu o şansă. Încă nu ştiu ce s-a-ntâmplat între el şi mama, între el şi Buni, chiar între el şi străbunica mea — deoarece ea a avut ceva de-a face cu toată situaţia şi, o sută de ani sau nu, ea are de răspuns la nişte întrebări data viitoare când ajung pe la Priory View. Dacă stau să mă gândesc — ar putea fi mai curând decât se-aşteaptă.

Pot doar să presupun că el vrea să mă vadă. Nu-i aşa? De ce s-ar fi întors după zece ani de trăit ca un pustnic într-un loc care-i atât de departe de mine, încât numai dacă ar zbura în spaţiu ar fi mai departe?

Vreau să-i dau o şansă tatei pentru a mă ajuta în acest moment — cea mai dificilă perioadă pe care am o am de înfruntat până acum în viaţa mea.

Din acest motiv îl sun.

Capitolul șaptezeci și șapte

— Alo, îi zic când răspunde la telefon. Sunt Ethel. Ethel Leatherhead.

O pauză lungă.

— Știe bunica ta că mă suni?

— Ăăă… nu.

— Cum ai făcut rost de numărul meu?

Nu mi-am imaginat că lucrurile vor decurge așa, nu că mi-aș fi imaginat ceva. Mă așteptasem (mai degrabă sperasem) la un: „O, Doamne, fiica mea pierdută, ce bine e să-ți ascult vocea. M-a durut inima în fiecare oră în care am stat despărțiți…"

Nu mă așteptam la un soi de interogatoriu.

— Numărul tău? Era în memoria telefonului.

— Am înțeles și… Uite, situația asta e puțin ciudată, vezi tu…

— Ești cumva tatăl meu?

Aud un oftat prin telefon. Un oftat lung care pare să cuprindă regrete de zece ani vechime.

— Da. Și îmi pare rău pentru…

Îl întrerup. Scuzele sale pot veni mai târziu.

— Unde ești?

— Sunt într-un hotel din Newcastle.

— Cât de repede poți ajunge aici?

— Uite, ăăă… Ethel. Nu sunt sigur că bunica…

— Tată. E o urgență. Am mare nevoie de tine. Acum. Îți explic tot când ajungi.

Capitolul șaptezeci și opt

Când soneria se aude o jumătate de oră mai târziu, inima invizibilă îmi sare în pieptul invizibil, deoarece știu că el e de cealaltă parte a ușii și nu am nicio idee cum va reacționa când mă va vedea.

Pot să-l văd prin geamul bombat. M-am îmbrăcat în costumația mea știută: jacheta cu glugă, ochelarii, mănușile. Îi voi spune despre invizibilitatea asta, dar vreau să-l pregătesc cu grijă.

În caz că te gândeai, nu deschid ușa larg și nu mă reped să primesc îmbrățișarea sa primitoare. Nu e deloc așa.

Primul lucru pe care-l spun este: „O!"

Atât. Doar „O!"

Ar fi putut fi „O, Doamne Dumnezeule — de ce te-ai îmbrăcat așa?", dar nu e. Doar: „O!" (Deși cred că restul cuvintelor sunt cam împachetate în acea monosilabă.)

Stă acolo și abia dacă îndrăznesc să mă uit la el, dar o fac, iar expresia de pe fața sa este una de nedumerire totală.

— Intră, îi spun după o secundă sau două, iar acesta pășește în hol și mă urmează în bucătărie.

— De ce... ăăă. De ce, știi tu, hainele neobișnuite?

Stă așezat la masa din bucătărie, iar eu îi fac ceaiul în timp ce îi spun povestea, la fel cum ți-am istorisit-o ție, începând cu acneea, și cu solarul, și cu Dr. Chang Tenul Lui Așa Curat, și reiese că e un bun ascultător.

Stă acolo, ținând ceașca minusculă în mâinile lui mari și dă din cap, punând întrebări de încurajare, dar nu prea multe. Nu mă întrerupe când mă opresc, întrebându-mă ce urmează, dar mai devreme sau mai târziu pur și simplu trebuie să o spun.

— Și apoi am devenit invizibilă.

Îi studiez expresia feței cu atenție. Îmi dau seama că o folosesc ca un soi de test, pentru a vedea dacă va fi tatăl pe care-l vreau, iar eu știu că nu e chiar drept, dar așa mă simt și, cum Buni zice mereu: „Sentimentele sunt mereu sincere, Ethel, dar să vorbești despre ele prea mult e destul de comun. Modul în care ne ocupăm de ele contează.“

Dă din cap lent și bea o gură mare de ceai. Apoi scoate un pachet de gumă din buzunar, bagă una în gură și mestecă gânditor.

— Așadar... sub toate astea, ești... ești invizibilă, e corect?

— Da.

— Și nimeni nu știe?

— Boydy știe.

— În regulă. Dar nu și bunica ta?

— Nu.

— Îmi arăți și mie?

Vocea lui e atât de blândă, atât de liniștitoare, încât dau din cap aprobator. Ar fi putut să mă tachineze, ar fi putut fi sarcastic, iar eu ar fi trebuit să-i arăt oricum într-un acces de furie și de sfidare:

„Da? Vrei să vezi? Vrei să-ţi dovedesc? Ei bine, iată.“

Dar nu e aşa — nu e deloc aşa. Stă aşezat acolo, Ricky Malcolm, el, tatăl meu, şi are capul uşor înclinat într-o parte, mestecându-şi guma. E probabil sceptic, dar e evident interesat şi, mai ales, respectuos.

Ştiu că *acesta* este motivul pentru care nu i-am spus lui Buni. O iubesc pe bunica mea, desigur, dar ceea ce vreau — ceea ce am *nevoie* — este o reacţie calmă, fără judecată...

Fără învinuiri.

Încep cu mănuşile. Îşi înclină capul să se uite sub mâneci. Urmează gluga, dată pe spate pentru a dezvălui un gol unde ar trebui să fie capul meu, apoi ochelarii şi partea din picior a ciorapului.

E suficient. Nu vreau să mă dezbrac complet.

Îşi întinde mâinile şi îmi atinge capul uimit, iar eu îl ating pe spate. Apoi, cu cealaltă mână îmi atinge capul şi faţa, urmărind conturul nasului şi al urechilor, simţindu-mi părul şi obrajii, şi în tot acest timp nu zice nimic.

Mă uit la faţa sa chipeşă şi nu cred că în viaţa mea am văzut pe cineva care să arate complet frapat. Ochii verzi-cenuşii cu genele palide se tot mişcă dintr-o parte în alta în locul unde ar trebui să fie capul meu, înainte de a-şi îndrepta privirea unde crede că se află ochii mei. Trebuie să ghicească, dar are dreptate. Îi întorc privirea şi îi apuc ambele mâini peste masă cu putere, deoarece simt că aş vrea să plâng, dar în acelaşi timp nu îmi vine să fac asta.

Ochii lui sunt umezi, şi eu *chiar* nu vreau să plâng. Nu am nimic împotriva bărbaţilor care plâng. Nu e asta. Doar că nu vreau ca tata să plângă, cel puţin nu acum.

Se ridică și se îndreaptă spre jumătatea mea de masă și nu ne dăm drumul la mâini. Mă ridic. Vârful capului meu esta cam la același nivel cu bărbia sa. Apoi, își ridică brațele în jurul meu și-mi mângâie părul.

— Biata de tine, îmi spune în timp ce mă dizolv într-un hotot de plâns, absorbind suspine înghițite și văzând cum bluza se închide la culoare din cauza lacrimilor.

El nu plânge. Stă acolo nemișcat și sigur, mângâindu-mi părul și respirând normal. Pot să-i simt respirația cu miros de mentă.

— Va fi bine. Vom rezolva noi problema, așteaptă și vei vedea.

Foarte bine, Tata. Ai trecut testul!

Capitolul șaptezeci și nouă

— A rezolva problema, însă, nu înseamnă a acționa repede. Sunt unele chestii ce trebuie rezolvate.

Buni, în principal.

Și apoi unde vom merge? La spital? La poliție? E aceeași problemă pe care am avut-o când a început toată isprava aceasta și pe care am avut-o dintotdeauna.

La cine cauți ajutor când devii invizibil?

Însă, înainte de a face acest lucru, vreau câteva răspunsuri de la tata.

Suntem în camera lui Buni. Am coborât cutia de metal pe care Buni a așezat-o din nou în dulap, dar atenția lui tata a fost acaparată de altceva: o altă cutie chiar în spate, dar pe care tati poate să o vadă pentru că e mai înalt ca mine.

Cu grijă, o ridică și o ține ușor în mână. E o cutie de călătorie, una dintre acele cutii argintii cu margini rotunjite și cu colțare negre. Nu e mare — un cub de aproximativ 30 de centimetri pe fiecare parte.

— Aceasta a fost al mamei tale, îmi spune.

Stând la marginea patului lui Buni, deschide cutia. Înăuntru se află o grămadă de produse de machiat, cu pensule şi bureţi, şi tuburi colorate, şi rimeluri, şi fard de obraz şi, fond de ten.

— Aşa obişnuia să se transforme: Miranda Mackay devenea Felina, iar una ar fi ascuns-o pe cealaltă. Uneori o făceam eu pentru ea.

Tata vorbeşte încet.

Mă aplec şi ridic un recipient de fond de ten, machiajul de culoarea pielii ce reprezintă stratul de bază. Îl ating cu degetele, apoi mă uit la Tata.

Am avut oare aceeaşi idee în acelaşi timp? Sau s-a gândit la ea înaintea mea? Nu pot să-mi dau seama, dar zâmbeşte larg la mine.

— Hai. Facem asta împreună, îmi spune.

În câteva secunde, stau pe scaunul din faţa mesei de toaletă a lui Buni, cu tot conţinutul cutiei împrăştiat pe suprafaţa de lucru.

Fondul de ten se aplică primul cu ajutorul unui mic burete. (E ca şi cum ai aplica vopsea de faţă, dar nu atât de rece.) Puţin câte puţin, şuviţă cu şuviţă, faţa mea redevine vizibilă.

Nu e perfectă, evident. Pentru început, încă mai e un spaţiu unde capul şi părul meu ar trebui să fie, dar totuşi... funcţionează.

Încercăm ruj, dar arată ciudat pe mine. E ca şi cum m-aş îmbrăca precum un adult, aşa că alegem un fard de obraz care e pe deplin convingător.

Tata se pricepe la aşa ceva. Chiar amestecă o nuanţă mai întunecată pentru urechi. Găsesc un creion roşu maroniu pentru sprâncene şi gene.

Peruca de sclipici e caraghioasă rău, dar măcar acoperă spaţiul, şi acum au rămas doar ochii şi gura.

Ambele arată dezgustător şi înfiorător. Ochii sunt doar acele două găuri negre din cap. Dacă fac o cărare în perucă pe ceafă, se poate vedea chiar prin ea. În ceea ce priveşte gura, lucrurile nu stau mai bine. Nu pot să îmi machiez limba şi dinţii. Aşadar, ochelarii vor rămâne pe nas, iar gura nu o voi deschide nicicum.

Reflexia mea în oglindă arată fabulos. Ofer un zâmbet larg; care arată mai puţin impresionant, ca şi cum mi-aş fi perdut toţi dinţii.

Îmi machiez până şi mâinile. E o vopsea albă pe care o pun pe unghii.

Tata are un surâs emoţionat în timp ce mă priveşte cum îmi întorc capul pentru a vedea efectul din alte unghiuri.

— Arăţi exact ca mama ta, îmi spune, iar eu îmi dau seama că nu e un moment bun să-i pun întrebările pe care muream de nerăbdare să le pun.

Deoarece nu e ca şi cum totul e perfect deodată, îţi dai seama!

Nu zic: „O, tata a venit dintr-odată, aşa că acum voi trăi fericită până la adânci bătrâneţi, şi nu-i voi pune niciodată întrebări, şi vom avea încredere în el pentru totdeauna. Tra-la-la! Sfârşit."

Nu. Am nişte întrebări pe care, din câte văd, numai el le poate clarifica. Ei bine, numai el şi Buni şi străbunica, dar văzând că tata e singura persoană din apropiere, el va răspunde.

Respir adânc şi întreb:

— De ce ai fugit în Noua Zeelandă şi m-ai lăsat?

Capitolul optzeci

Locuiam cu Buni când a murit mama, deși nu-mi prea amintesc. După cum cred c-am spus — aveam doar trei ani.

— Mama ta mereu a vrut ce-i mai bun pentru tine, spune tata. Nu a putut să te îngrijească cum trebuie — nu cu turneele, înregistrările în studio și, ei bine, știi tu...

Nu știu. Nu chiar.

— Deci a mă avea în preajmă era... ce? Incomod?

Tata arată jignit și știu că am atins un punct sensibil.

— Încearcă „imposibil". Viața pe care o duceam amândoi nu era chiar potrivită pentru un copil.

— Și de ce să nu-ți schimbi viața?

Tata scoate un hohot de râs gros.

— Asta a spus și bunica ta. Îi plăcea succesul pe care-l avea mama ta, dar ura lumea în care se afla — divertismentul, show business-ul, muzica. Oamenii care erau geloși pe toate; oamenii care te înșelau. Trebuie să fii puternic ca să supraviețuiești. Cred că bunica ta s-a învinovățit pentru faptul că mama ta nu a fost mai puternică.

— Asta-i nebunie curată.

— Probabil. Dar toți suntem puțini nebuni. Dacă n-am fi, cât de plictisitoare ar fi viața?

Încă ne aflăm în camera lui Buni și, pe măsură ce tata vorbește, scoate decupaje și fotografii din cutie și le întoarce pe o parte și pe alta. Ajunge la decupajul cu mine și cu mama în ploaie și se uită lung la el.

— Spuneau că a fost o bețivă. O dependentă de droguri, am zis.

— Nu, spune tata. Nu mama ta. O, *toată lumea spunea* asta și — ei bine, a fost la un pas de asta. Dar, după ce te-ai născut, s-a reabilitat destul de bine.

— Și atunci de ce a murit?

— Atac de cord. Asta au spus doctorii. Ca să fiu sincer, cred că era destul de slăbită. Dar știi expresia „a ți se duce buhul"?

— Dacă ai o reputație rea, nu te mai poți dezlipi de ea?

— Așa e. Exact. Și nu a fost ajutată de singura persoană care ar fi putut face acest lucru.

A luat în mână felicitatea cu mesajul adresat lui Buni: *Dacă totul o ia razna, te rog să o iei pe Boo departe de tot și de toate.*

— Cine a fost acea persoană?

Sper din tot sufletul că nu va spune Buni. Nu aș putea să rezist dacă ar da vina pe Buni.

— Eu. Am dat-o în bară. Am fost jalnic, și pierdut, și complet incapabil să cresc un copil. Cum să spun... am încercat. Am spus că te voi întreține și că voi renunța la muzică, dar am venit beat în instanță și asta a fost tot. Bunica ta, Dumnezeu s-o binecuvânteze, a făcut *exact* ce i-a promis mamei tale că va face. Te-a dus departe de toate, ți-a dat un nume nou, o casă nouă, un *trecut* nou.

Totul se întâmplă cam repede, trebuie să recunosc. Nu sunt sigură că-mi place, dar trebuie să ascult în continuare. Vocea tatii e blândă și liniștitoare. Ceea ce-mi zice *nu* e blând și *nu* e liniștitor.

— Buni mi-a ales numele? îi spun.

Se uită la mine.

— Acu' și tu, arăt eu ca genul de tip care să boteze un copil Ethel?

Și apoi un zâmbet firav i se schițează pe buze, iar eu îmi dau seama că mă pune la încercare și zâmbesc.

— Nu chiar.

Mă uit la hainele lui obișnuite și la părul îngrijit.

— Dar nici nu arăți ca genul de tip care ar boteza un copil Tigroaica Pisicuța. În fine, cel puțin nu acum.

Îmi zâmbește, iar surâsul său se transformă într-unul rușinat.

— M-ai prins, îmi spune.

— Și cum trebuie să-mi spun acum? îi zic.

— Poți avea orice nume vrei. Eu și mama ta mereu ți-am spus Boo — ca pe felicitare.

O ridică.

— După fetița din *Monsters, Inc.* Mamei tale îi plăcea filmul acela.

— Și mie, îi spun. Ca nume, însă... e totul cam, nu știu, un nume de... showbiz. Nu-i așa?

Râde.

— Da. Eram acaparați cu totul de showbiz! Acum prefer Ethel.

— Serios?

Se uită la mine cu atenție, prin ochelarii mei de soare.

— Serios. Prefer.

E frumos să aud acest lucru, dar nu-l las să scape.

— Și acum? De ce ai apărut acum?

Se aşterne cea mai lungă pauză. Atât de lungă, încât mă-ntreb dacă tata mi-a auzit întrebarea.

— Tată?

Se uită la mine şi dă din cap.

— Te-am auzit. Doar că nu ştiu sigur dacă răspunsul meu e suficient de bun.

— Pune-mă la încercare.

— Mi-a fost teamă. Teamă că mă vei urî; teamă că mă vei învinovăţi. De îndată ce m-am îndreptat, mi-a fost clar cât de mult te-am dezamăgit. M-am gândit că ţi-ar fi mai bine fără mine şi, pe lângă asta, bunica ta a făcut o treabă atât de bună, încât nu erai chiar uşor de găsit.

— Şi cum ai reuşit să mă găseşti?

— Ştii ce, Ethel, cred că e cineva care poate să-ţi explice asta mai bine decât mine. Dar va trebui să ieşim afară.

Se ridică şi mai ia o bucată de gumă din pachet. Atunci, îmi dau seama: e gumă cu nicotină, folosită de unii oameni ca să-i ajute să se lase de fumat. Mă uit la degetele tatei: petele galbene sunt mult mai fade şi nu mai miroase a tutun învechit.

— Te-ai lăsat de fumat, îi spun.

— Fac ce pot mai bine, e tot ce-mi spune şi se apucă de mestecat din nou.

Mă ridic şi eu.

— Deci unde mergem?

— Mergem s-o vedem pe străbunica ta, îmi zice.

Capitolul optzeci și unu

Când intrăm în cameră, străbunica își întoarce către noi capul cărunt, uitându-se fix la tata, care zâmbește larg. Am adus-o cu noi pe Lady; e complet relaxată acum în prezența mea și se trântește imediat lângă picioarele străbunicii, care poartă papucii săi de casă.

— Dragă doamnă Freeman! De două ori în două zile, nu? spune tata. Arătați chiar foarte bine azi. În fine, mult mai bine decât v-ați putea aștepta la vârsta dumneavoastră.

Mă uit la tata îngrozită de... de ce? De tupeul său, presupun. Continuă în același mod: direct, tachinant, amuzant.

Chiar, dacă pot îndrăzni să spun, puțin *comun*.

— Am adus-o cu mine pe Ethel — sau cum știe acum că se numește, Tigroaica Pisicuța. Știe totul, așa că nu e cazul să văd că faceți un atac de inimă, nu cu ceasornicul dumneavoastră.

E accentul său de neozeelandez: cam exagerează cu el — acest tip fără pretenții, direct, care-ți spune totul pe față, care poate râde cu toată lumea. Nici măcar nu țipă la ea — vorbește clar —, iar străbunica nu pare să aibă nicio problemă în a-l asculta.

Și, știi ceva? Îi place *la nebunie*! Pot vedea acest lucru în privirea ei, în zâmbetul care se schițează în jurul buzelor crăpate și în culoarea care i-a revenit în obraji. Cred că și *roșește*.

Sincer, nu cred că cineva i-a vorbit așa străbunicii de ani buni.

Se poartă prietenos, amuzant și respectuos. Îi spune „doamnă Freeman". Vorbește cu ea *ca și cum ar fi normală*.

Ceea ce este, bineînțeles. Doar că este normală și foarte, foarte *bătrână*. Probabil uitasem.

Încă port ochelarii de soare și gluga peste peruca sclipitoare.

— Îmi pare rău pentru ochelari, străbunïca, îi spun. Am o infecție la ochi, adaug eu o explicație.

Însă ea abia își ia ochii de pe tata.

A luat cu el un iPad din torpedul mașinii închiriate cu care am ajuns la Priory View.

— Mă gândeam să-i arăt lui Ethel cum v-am găsit, spune tata, deschizând tableta și tastând rapid.

Câteva secunde mai târziu, pe ecran apare prima pagină a unui ziar: *Whitley News Guardian*.

Dând pagina mai în jos, degetele tatei se opresc la un articol și la o poză.

100 și nu se dă bătută!
Aniversarea unei centenare din comunitatea noastră

Doamna Elizabeth Freeman şi-a sărbătorit a o suta zi de naştere săptămâna trecută la Casa Rezidenţială Priory View, unde locuieşte de nouă ani. Un atac cerebral petrecut acum câţiva ani i-a afectat corzile vocale, însă angajaţii au anunţat că era „într-o stare de sănătate şi de spirit excelentă" când a venit ziua cea mare. Născută în timpul Primului Război Mondial — în timpul domniei regelui George al V-lea şi înaintea inventării televiziunii sau a zborurilor comerciale —, doamna Freeman a trăit în timpul mandatelor a nouăsprezece prim-miniştri, primul dintre aceştia fiind David Lloyd George. A primit un tort făcut de angajaţii de la Priory View şi un mesaj de felicitare de la Majestatea Sa Regina. În imagine apare cu fiica sa, doamna Beatrice Leatherhead, şi cu stránepoata sa, Ethel Leatherhead.

— Asta e? întreb cu scepticism. Asta e tot de ce-a fost nevoie?

— Tot ce-a fost nevoie? Vechea ei casă a fost transformată în apartamente, scrisorile s-au întors la destinatar. Am încercat odată să sun la toate căminele de bătrâni, dar Priory View nu era pe lista mea, deoarece e o „reşedinţă pentru comunitatea seniorilor". Timp de trei ani, de două ori pe săptămână, am căutat-o pe „Elizabeth Freeman" pe Google. Aveam o presimţire că avea să ajungă la o sută de ani, dar nu puteam să-mi aduc aminte exact când era ziua ei. Mai ştiam că, atunci când va împlini această vârstă, va apărea la ştirile locale. Aşa că am continuat să tot verific. Asta sau... ei bine... îşi face vocea mai mică, „un ferpar".

Se întoarce la străbunica mea şi vorbeşte din nou cu voce tare.

— Dar aveam încredere că o să trăiţi, nu-i aşa, doamnă Freeman?

Datul din cap al străbunicii pare să se intensifice (deşi e cam greu să-ţi dai seama uneori).

Tata continuă:

— Iar acea fotografie? Ei bine, bunica ta şi-o fi tăiat ea părul şi şi-o fi schimbat ochelarii, dar nu aveai cum să nu-ţi dai seama că e ea. Iar în ceea ce te priveşte pe tine: un bărbat şi-ar recunoaşte fiica oriunde!

— Şi te-ai întors?

Mă fixează cu ochii său cenuşiu-verzui.

— Am venit cu primul zbor, Boo. Era doar o chestiune de a o convinge pe bunica ta că sunt alt om acum şi că nu-i va trăda dorinţele mamei tale prin a mă lăsa să te cunosc.

În tot acest timp mă uit la străbunica mea, a cărei expresie s-a schimbat. Nu mai tremură, iar ochii ei sunt şi mai umezi decât în mod normal. Se uită drept la mine, iar mâna ei firavă pare să mă îndemne să vin la ea.

Dar nu mă mişc. Pur şi simplu nu ştiu cum să reacţionez. Adică, tata e drăguţ şi toate cele, dar îmi dau seama că această bătrână, practic închisă în propria minte timp de aproape un deceniu, m-a înşelat în tot acest timp. În toată bucuria de a-mi descoperi tatăl şi de a avea răspunsuri la cel puţin câteva dintre milioanele de întrebări pe care le-am avut, o furie tăcută se acumulează în interiorul meu.

Apoi, aud vocea lui Buni în spatele meu şi toată furia îşi găseşte ţinta.

— O, draga mea Ethel. Eram pe cale să-ţi spun, chiar eram şi... Dumnezeule, în ce eşti îmbrăcată?

Capitolul optzeci și doi

Deci aceasta este persoana căreia tata îi trimitea frenetic SMS-uri înainte să ajungem aici.

Buni continuă:

— Ethel, ești *machiată*?

Apoi îi spune tatei.

— Richard, cum de s-a ajuns aici?

Și, chiar dacă acum nu este momentul cel mai potrivit, iar circumstanțele nu sunt tocmai ideale, nu prea am de ales.

Sunt față în față cu trei adulți. Am doisprezece ani. Vârsta lor combinată trebuie să fie de aproape două sute de ani, dar mă simt ca și cum tot eu am cea mai bună logică, ca și cum tot eu fac ceea ce este corect.

— Cum? Cum ai putut să faci asta? îi spun blând și mă întorc să o includ și pe străbunica. Cum ați putut?

Probabil zeflemeaua de bărbat a tatei îmi dă curajul să le vorbesc atât de direct.

Buni nici măcar nu s-a așezat încă și nimeni nu vorbește în timp ce continui.

Practic șoptesc.

— Ştiaţi. Tu şi străbunica ştiaţi şi aţi convenit să-mi ascundeţi adevărul. Toată viaţa mea am trăit ca... *ca altcineva*. Şi voi ştiaţi?

Nimeni nu spune nimic, aşa că şuier:

— Cum aţi putut?

Vocea mea îşi pierde din calm.

Tata ridică mâna, încercând să mă calmeze.

— Linişteşte-te, Boo, îmi spune. E o femeie în vârstă.

Atunci ceva izbucneşte în interiorul meu. Se simte ca o izbucnire, ca un elastic întins care-ţi sare de pe deget. Tot ce am ascuns, toată tensiunea de care mă ţineam, toate momentele în care am vrut să-mi împărtăşesc secretul, dar nu m-am simţit niciodată în stare — totul pare să o ia razna cu un singur gest şi cuvintele blânde ale tatei.

— Nu-mi spune să mă liniştesc!

Îi spun mai tare.

— Şi *ştiu* că e o femeie în vârstă. Suficient de în vârstă să ştie mai bine, asta zic eu.

Mă uit la străbunica şi îi vorbesc direct.

— O sută de ani şi nu ai învăţat să nu minţi? Toată lumea crede că eşti doar o bătrânică drăguţă stând acolo învelită cu şalul tău, dar nu eşti mai brează decât ceilalţi. Doar pentru că nu poţi vorbi? Crezi că asta e o scuză?

Tata s-a ridicat în picioare acum.

— Boo, ajunge.

Are dreptate, bineînţeles. A fost urât. Dar acum, că am început, e ca şi cum trebuie să continui.

— Ajunge? Nici măcar nu am început. Şi nu-mi mai spune Boo. Numele meu e Ethel. Şi îmi *place* numele meu! Numele meu — acel nume care apare pe certificatul ala stupid, care e falsificat!

Acum țip, iar expresia străbunicii arată că e oripilată, dar nu am terminat. Simt asta.

Îmi îndrept furia spre Buni.

— Ai văzut asta? îi spun, dându-mi jos ochelarii pentru a arăta orbitele goale ale ochilor mei. Dar *asta*? îmi deschid gura și mă întind spre Buni. Asta sunt *eu*! De ce ești așa de îngrozită? A fi invizibilă e prea „comun" pentru tine? Sau e „vulgar"? Ei bine, nu-mi pasă — *asta* e ce se întâmplă și m-am săturat să mint! M-am săturat să mă ascund!

Îmi dau jos peruca sclipicioasă, iar Buni își duce mâinile la gură în timp ce suspină terifiată.

Capitolul optzeci și trei

Sunt pe val și nu cred că mă pot opri, chiar dacă aș vrea. Mă îndrept spre chiuveta din camera străbunicii, unde, ca întotdeauna, se află o cutie cu cremă Nivea. Scot capacul și îmi îndes degetele înăuntru, mânjindu-mă cu un glob de cremă pe față.

— Boo? Ethel? Chiar cred că trebuie să vorbim despre asta.

Vocea tatei nu e puternică și îmi dau seama că e foare îngrijorat.

— Gândește-te la bunica ta, da?

Îl ignor. Vreau să-i răspund ceva de genul „De ce să mă gândesc la ea? M-a transformat în cineva ce nu sunt", dar nu pot, fiindcă-mi șterg viguros de pe față tot machiajul, lăsând pete roz-maronii pe prosopul de mâini al străbunicii.

Și gata. Dau jos peruca, jacheta cu glugă, blugii, pantofii și stau în fața lor.

Se holbează șocați. Preț de cinci, zece secunde.

Pur și simplu.

Complet.

Uluiți.

—Asta sunt eu! le spun într-un final. Nu vedeți? Sunt un nimic—un mare nimic. Și știți ce? Cred că prefer ca totul să fie așa. Cel puțin ăsta este adevărul.

Mă verific în oglindă și îndepărtez ultimele urme de machiaj, în timp ce tata bâjbâie prin preajmă și spune lucruri cum ar fi:

— Boo. Gândește-te la ceea ce faci.

Săraca străbunica arată înspăimântată. Buni s-a așezat într-un scaun jos și se uită drept înainte, clipind intens.

Mă gândesc la ceea ce fac. Mă gândesc că, dacă invizibilitatea aceasta este permanentă, va trebui să mă obișnuiesc cu ea. Iar mai multe minciuni nu mă vor ajuta.

Lady s-a retras în colțul îndepărtat al camerei, speriată de vocile ridicate.

— Vino, Lady, spun mai domol și, chiar dacă nu mă poate vedea, s-a obișnuit cu mine deja și vine unde mă aflu. Îmi place că este măcar o persoană în cameră (dacă o pui la socoteală pe Lady, iar eu o cam fac) căreia nu pare să-i pese dacă sunt vizibilă sau invizibilă.

Mai am câțiva pași până la ușă când o văd pe Buni ridicându-se și respirând șubred. Ceea ce-mi spune e aproape prea încet ca să se poată auzi, însă în următoarele patru cuvinte se află mai multă tristețe decât am auzit vreodată.

— Am pierdut o fiică.

Iar eu, când aud acest lucru, vreau atât de mult să mă duc să o îmbrățișez pe Buni și să aud că totul va fi în regulă. Stau în pragul ușii și sunt pe cale să fac un pas înainte când o asistentă plinuță se lovește de mine și țipă suprinsă. Sunt azvârlită într-o parte și singura cale să trec dincolo de ea este prin coridor.

Lady e cu mine. Asistenta se panichează. Mâinile ei m-au atins.

— Vai! Am atins! Am atins ceva, pe cineva!

S-a instalat haosul, iar noi fugim.

Un minut mai târziu ne aflăm pe plajă, uitându-ne la marea indigo, iar eu mă simt foarte, *foarte* confuză.

Nu numai că am țipat la o femeie de o sută de ani și am ieșit din viața tatălui meu proaspăt descoperit ca un adolescent răzgâiat dintr-un serial TV. Mai e și faptul că — în toată situația asta — am ignorat faptul că propria bunică a suferit în secret aproape zece ani. Cuvintele lui Buni, „Am pierdut o fiică", se tot repetă în mintea mea.

La asta poți adăuga faptul că sunt înspăimântată de faptul că invizibilitatea mea pare să fie permanentă.

De asemenea, sunt slăbită și obosită și îmi aduc aminte că nu am mâncat de azi-noapte. Nici nu m-am gândit la așa ceva, dată fiind îngrijorarea, entuziasmul, frica și furia și în jur de câteva miliarde de emoții pe care le-am simțit în ultima jumătate de zi.

Dar... da! Acum, că mă gândesc la acest lucru, sunt sută la sută înfometată și însetată.

Mă întorc să mă uit la Priory View și văd Nissanul Micra închiriat de tata ieșind pe alee și grăbindu-se de-a lungul țărmului, cu Buni pe locul pasagerului.

Știu că m-am aprins prea tare și, fără să gândesc, ridic brațul și fac din mână.

Fiind invizibilă, gestul nu-i bun de nimic.

Văd cum mașina tatei se întoarce de-a lungul șoselei de pe coastă.

Ştiu că nu voi fi în stare să fac asta — sau orice altceva — de una singură. Mă uit la mâna pe care am ridicat-o, la oja pe care am pus-o pe unghii; încă e acolo. Pe fiecare mână se află cinci discuri lucioase care sunt aproape — dar nu complet — invizibile.

Mă întorc cu spatele la mare şi mă aşez pe o bancă de lemn.

Voi fi Fata Invizibilă. Pur şi simplu nu poţi păstra un secret ca acesta. Minciunile şi înşelătoria lui Buni, pentru a mă ţine departe de lumea celebrităţii, au fost în zadar.

Deoarece, numai dacă voi trăi ca un pustnic în totalitate, fără să ies afară, fără să mă întorc la şcoală, voi fi cunoscută… Titluri de ziar. Documentare. Experimente de profil înalt. Cercetări medicale. Cărţi.

Deja văd titlurile din presă:

Fiica pierdută a unei vedete decedate este un mister medical

Fata invizibilă — Moştenirea incredibilă a nefericitei cântăreţe. Aţi văzut-o pe fiica Felinei?

Ethel Leatherhead sau Tigroaica Pisicuţa „Boo" Mackay? Beatrice Leatherhead sau Belinda Mackay? Miranda sau Felina? Oricum, cui îi pasă cine e cine? Nici eu nu ştiu sigur că ştiu.

Mă simt ca un nimeni — ceea ce e ciudat. Ciudat, pentru că obişnuiam să *cred* că mă simţeam ca un nimeni.

Acum ştiu că sunt.

Capitolul optzeci şi patru

Mâncare, mâncare, mâncare. Uau, mi-e foame. Mintea mea se învârte oricum, iar eu mă simt destul de ameţită.

Opţiuni:

1. Să mă întorc la Priory View şi să-mi petrec timpul în bucătăria lor. E destulă mâncare acolo, dar cum aş putea face rost de ea? Şi, presupunând că aş face rost de un sendviş sau ceva, cum l-aş mânca? După cum am văzut prima dată când am băut ceai, chestiile din stomacul meu rămân vizibile pentru o scurtă perioadă până sunt — ce? „Invizibilizate"? Asistentele şi îngrijitoarele sunt în permanenţă aici şi peste tot în Priory View. Chiar nu e o opţiune viabilă.

2. La plajă este o cafenea, dar se pun aceleaşi probleme.

3. E destulă mâncare acasă, iar asta e singura mea alegere, aşa că traversez strada şi aştept în staţia de autobuz.

La fiecare jumătate de oră, pe faleză trece un autobuz, care merge până la Stăvilarul Seaton. Când vine primul, uşile din faţă nu se deschid, deoarece nimeni nu aşteaptă în staţie şi şoferul nu mă poate vedea. Uşile din mijloc se deschid şi un bărbat într-un scaun cu rotile este împins afară de soția sa. Am suficient loc să mă strecor pe lângă ei, ținând în mână zgarda lui Lady.

Dar, înainte ca ușile să se închidă, unul dintre pasageri zice:

— Mă scuzați, domnule șofer! E aici un câine care a intrat de unul singur!

Îl văd pe șofer cum deschide ușa mică a cabinei sale și se îndreaptă pe culoar înspre noi.

Nu aștept; în schimb, o trag de zgardă pe Lady și cobor, în timp ce pasagerii și șoferul se uită în urma noastră, zâmbind la un câine care poate să intre și să iasă cu tupeu din autobuz.

Peste jumătate de minut, stau și aștept din nou, privind autobuzul în zare.

Drumul pe jos durează o oră și ceva, iar eu sunt obosită și slăbită, dar nu am încotro. Ca să le fie mai ușor picioarelor, cobor pe cărarea asfaltată și ajung pe plajă, unde încep să merg. E prima zi toridă de vară, iar Lady fuge prin valuri pentru a se răcori, și până și pescărușii par să se plângă de căldură.

Merg mai repede spre Culvercot și spre biserica de pe coastă, care are vedere spre mare. Nimeni nu observă urmele care apar pe nisipul ud sau cele zece semicercuri minuscule formate de unghiile mele translucide pe care le-am dat cu lac și care se mișcă deasupra lor.

Ce va face tata acum?

A promis că mă va ajuta. Pot avea încredere în el?

Să fiu sinceră, nu prea mai am de ales.

După-amiaza pare să fie și mai călduroasă și pot simți broboanele de sudoare adunându-se pe frunte.

Dacă le pot simți, asta înseamnă că cineva le poate vedea. Mă uit în jos și un luciu vag de transpirație ia conturul corpului meu. Trebuie să mă feresc de căldură. Scrutez plaja și scara lungă cu trepte de piatră ce duce spre biserică.

Dacă spun o rugăciune, e numai una dintre acelea care se zic în liniște și în mintea mea, și fie rugăciunea e ascultată, fie doar am noroc: biserica e deschisă. Eu și Lady pășim în interiorul răcoros și întunecat — atât de răcoros, încât mă apucă tremuratul de la trecerea bruscă din zăpușeala de afară. Sunt singură. Biserica miroase a ceară de lustruit lemnul și a tămâie, iar eu mă simt în siguranță în timp ce stau într-una dintre stranele din spate. Lemnul e rece sub posteriorul meu. Căldura și înotatul au obosit-o pe Lady, iar aceasta se întinde sub o strană.

E plăcut aici în umbră. Cred că o parte din oboseala mea se datorează faptului că nu pot să-mi închid ochii cum trebuie și să alung lumina zilei. Poate, mă gândesc, acele clipiri pe care le facem zilnic sunt o modalitate de a ne odihni ochii de la lumină?

Am fost în această biserică de o grămadă de ori cu Buni. Ea spune că-i place datorită „liturghiei", care cred că se referă la cuvintele folosite în slujbă. E un cuvânt vechi, ca și „rob" și „roabă" — la fel cum oamenii care nu merg niciodată la biserică mereu cred că e. Buni a spus odinioară, foarte convinsă, că nimeni nu interpretează imnuri religioase la chitară, ceea ce cred că e păcat, dar Buni nu e de acord.

În timp ce stau acolo, mă aplec, odihnindu-mi capul pe mâinile împreunate și îmi amintesc cuvintele unui lucru pe care îl spuneam în Biserică atunci când mergeam cu Buni. E ca o rugăciune, dar nu chiar, deoarece nu spui „amin" la sfârşit. Toată lumea o spune laolaltă:

Cred într-unul Dumnezeu, Tatăl Atotţiitorul, Făcătorul cerului şi al pământului, văzutelor tuturor şi nevăzutelor...

— Pune-l acolo, Linda, pe masa aceea. Mulţumesc, dragă.

M-am scufundat în gânduri şi nici măcar nu le-am auzit intrând, deşi uşa, ferecată, e grea. Mă uit în jurul meu şi acolo se află două doamne pe care le recunosc, dar nu le ştiu numele. În fine, o cunosc pe una dintre ele, pentru că am auzit cum o cheamă: cea mai tânără e Linda.

Fiecare duce în braţe o cutie de carton pe care o aşază pe o masă, chiar în spatele meu.

Mă holbez la Linda, deoarece o *ştiu* de undeva. Când vorbeşte, îmi pică fisa.

— Aoăleu, ce grea-i! Tre' s-am grijă să nu mă dărâme!

Accentul Geordie, bronzul: e doamna de la Bronz de Geordie. Dezpachetează cutii de săpun, şi pungi de paste, şi franzele...

— Ai face bine s-o laşi în cutie, Linda. Trebuie să le ducă oricum în sala bisericii.

Toate lucrurile se întorc în cutie, iar eu ştiu exact ce este: e banca de alimente a bisericii, unde oamenii le donează mâncare săracilor.

Vreau să mă duc după Linda şi să-i arăt că sunt invizibilă. Să-i arăt ce s-a întâmplat după ce am folosit solarul pe care mi l-a dat. Nu e ca şi cum m-aş mândri sau ceva; e doar că va trebui să mă obişnuiesc să fiu invizibilă şi ea va fi un bun punct de plecare? Poate?

În orice caz, prea târziu. Au plecat, uşa închizându-se în spatele lor cu o bufnitură înăbuşită, iar eu sunt din nou singură în biserica lipsită de zgomot.

Cutiile sunt pe masă, iluminate de o rază ce vine printr-unul dintre vitraliile colorate. Îţi spun sincer, dacă am fi într-un film, un cor de îngeri ar fi aici cântând: „Aaaaa-aaaaa-aaaa..."

Pâinea e primul aliment la care mă reped. E brună, are gust de alune şi e delicioasă. Majoritatea lucrurilor din cutii nu-mi prea sunt de folos: pungi de făină, ouă crude şi legume (deşi mănânc un morcov, care este bunicel) şi conserve care au nevoie de un deschizător. Găsesc o conservă de fasole care are pe capac un inel de care poţi să tragi, aşa că o deschid şi încep să mănânc fasolele cu pâine. În cealaltă cutie se află o pungă de mere. Mănânc cu lăcomie, vărsând lucruri pe jos şi, când mă pregătesc să muşc zdravăn dintr-un măr, uşa bisericii se deschide din nou.

Scap mărul pe jos şi mă ascund în spatele stranei, dar apuc să văd cum mărul se rostogoleşte pe pardoseală, spre Linda, care ţine-n braţe altă cutie. Ascunsul e ca o reacţie instinctivă. De fapt, nu e nevoie să mă ascund, pentru că sunt invizibilă, dar mă bucur că o fac, deoarece, privind în jos, văd o bucată de mâncare „neinvizibilizată" plutind la nivelul stomacului.

Linda pune cutia jos şi se holbează mai întâi la măr, apoi la masă. Cealaltă femeie vine în urma ei un pic mai târziu, ţinând în braţe două pungi mari de supermarket.

— O, Doamne, uite-aci! spune Linda.

Cealaltă doamnă nu spune nimic.

— A venit către mine mărul. A căzut şi s-a rostogolit.

— Ei bine, cine a umblat la mâncare? Am fost la ma-șina ta și înapoi, Linda, atât.

— Poate mai sunt aci, Maureen.

— Trebuie să fie unul dintre băieții de la cor, spune Maureen, apoi își ridică vocea.

— Mâncarea asta-i pentru oamenii săraci, nătângi mici ce sunteți! strigă aceasta.

Cuvintele declanșează un ecou în biserică: „*Nătângi... nătângi... nătângi...*"

— Probabil s-au pitit pe undeva, spune Linda și în-cepe să mărșăluiască pe culoar, uitându-se în stânga și-n dreapta de-a lungul stranelor.

Deja m-am îngrămădit sub banca de lemn și Linda nu vede în umbră ciudata umflătură de dumicat lichid.

— Tu ai fost? o aud zicând, iar inima îmi sare în piept.

Însă ea e la câteva strane depărtare de mine, aplecată.

— Am găsit făptașul, Maureen. E un câine aici!

Aud cum Lady lovește pământul cu coada.

— Ei, ștrengărițo, ce cauți tu aici?

Maureen spune:

— Cine-ar lăsa un câine în biserică?

Stau aici până când Linda și Maureen se decid să o lase pe Lady unde este, gândindu-se că probabil e câi-nele organistului sau altcuiva, și pleacă după câteva minute, ciripind vesele despre un câine care ar fura mâncare de la familiile sărace și despre cum vor vorbi cu Reverendul Robinson.

Mă târăsc de sub strană și sunt terminată. Sunt is-tovită. Sunt obosită de la alergat și de la ascuns, de la mințit și toate cele.

Ridic una dintre pernele mici care sunt folosite pentru a îngenunchea și o așez pe post de pernă. Mă întind pe bancă în întuneric și încerc să adorm, dar nu pot, pentru că nu pot închide ochii. Găsesc o carte de imnuri religioase și o așez deschisă pe fața mea, iar aceasta blochează o mare parte din lumină.

Poate, după ce mă trezesc, totul va fi bine.

Capitolul optzeci şi cinci

Aud orga pornind.

Organistul trebuie să fi intrat ca să exerseze. Îndepărtez cartea de pe faţă şi mă uit împrejur. Razele de lumină ce pătrund prin vitralii s-au mutat în interiorul bisericii.

Nu pot să-mi dau seama cât e ceasul, dar trebuie să fie mult mai târziu. Cutiile de mâncare au dispărut de pe masa din spate, aşa că ştiu că cineva a intrat. Lady încă doarme sub strană.

Merg încet în josul culoarului larg al bisericii, în faţă, spre altar, în timp ce îmi vin în cap fragmente din slujbele la care mergeam cu Buni.

Chiar ştiu fără a ghici că bucata pe care o interpretează organistul e Bach. E *Toccata şi Fuga în D Minor* de Bach. Sincer, pariez că ai recunoaşte-o şi tu dacă ai auzit-o.

Nu e ca şi cum mă simt religioasă sau ceva. Nu am vreo mare revelaţie şi nici nu sunt „pătrunsă de Sfântul Duh", cum a zis Suki Kinghorn după ce s-a dus într-o tabără cu biserica şi nu mai contenea să vorbească despre „noul ei prieten cel mai bun" Iisus. (O vreme, gemenii Knight au tachinat-o pe seama „prietenului ei invizibil", lucru pe care-l credeam puțin răutăcios, cu mult timp înainte ca ideea unui prieten invizibil să devină mai reală decât mi-ar fi plăcut.)

E mai mult decât dacă mi-aș aduce aminte. Mă uit în sus la sculptura imensă cu Iisus pe cruce agățată deasupra altarului. Când eram mică, mă speria. E pictată și are sânge pe mâini și pe picioare, iar eu îmi aduc aminte de povestea lui Iisus când a murit și a înviat și îmi mai aduc aminte cum credeam, de când eram mică, ce puțin probabil era lucrul acesta.

Bineînțeles, acest lucru a fost înainte de a deveni invizibilă, ceea ce nu aș fi crezut nici eu că era posibil când eram mică.

Asta sunt eu? Sunt o fantomă în viață?

Mă uit la mine: la corpul meu invizibil care nu are nicio umbră, ca vampirii din filme.

Pot să-mi trăiesc astfel viața, *întreaga viață?*

Capitolul optzeci și șase

În afara bisericii este lumină, dar temperatura a scăzut puțin pe măsură ce s-a mai înserat. Nu e nicio briză, dar cel puțin nu voi mai transpira. În largul mării, un nor de furtună ia amploare, iar aerul este atât de gros, încât pare să înăbușe sunetul traficului pe faleză.

În spatele meu, prin ușa groasă, organistul încă interpretează muzica de Bach, care provoacă ecouri în capelă. Mă uit spre ceasul mare de pe zidul lateral al bisericii. E aproape nouă, ceea ce este bine, deoarece...

Nouă?

Ora nouă?

Adică ora *nouă* seara?

Mă uit lung la ceas și ascult orga înfundată, apoi văd indicatorul de minute arătând numărul doisprezece. De îndată ce o face, un gând îmi trece imediat prin minte.

Boydy.

Aprinde lumina.

Aprinde lumina *în seara asta.*

Am promis. Nu mă va ierta niciodată dacă nu voi fi acolo. Niciodată în viața mea. Cum am putut să fiu atât de egoistă, de prostuță și de nechibzuită?

Săracul Boydy. Și-a pus tot sufletul în acest proiect, a cheltuit bani, a riscat să se facă de râs și acum?

Mi-a *spus* că va fi în seara asta. A invitat o grămadă de lume: jurnaliști și în special echipe de televiziune. Am încercat să-i spun că nu cred că acesta ar fi genul de eveniment la care oamenii ar participa — să-și tempereze așteptările, știi tu —, dar, tipic pentru Boydy, nu a vrut să asculte. Toate acestea fac să fie și mai important ca măcar să particip.

Acum l-am dezamăgit, iar acest lucru nu este ceea ce fac prietenii. Nici nu pot zâmbi la surpriza mea în timp ce realizez că Boydy e acum prietenul meu: un prieten adevărat, genul de prieten pe care nu vrei să-l dezamăgești, pentru că tu știi că el nu te va dezamăgi *pe tine*. Am fost atât de absorbită de problemele mele, încât am uitat lucrul pe care-l plănuia de luni întregi.

Fără telefon mobil, nu-l pot suna ca să-i cer scuze, sau să-i spun unde sunt, sau să-i spun toate aceste lucruri:

Voi fi acolo.

Dacă fug.

Dacă fug de aici până la Farul Sfânta Maria, pot să ajung acolo până la ora nouă. Cât am de parcurs? Trei kilometri? Patru? Nu am fugit atât de departe niciodată. Dar acum voi începe. Lady tropăie entuziasmată lângă mine, iar acțiunea ritmică de a pune un picior neîncălțat în fața altuia e cam hipnotică.

În curând, trec de mica și haioasa sală de jocuri și de restaurantul de tandoori din Culbercot, pe unde drumul face un cot și o ia spre plajă și spre promenadă.

Cinci minute mai târziu, respirația mea e profundă, dar stabilă.

— Vin, Boydy, șoptesc în sinea mea.

Culvercot se sfârșește cu un panou pe care scrie „Bine ați venit în Whitley Bay". Farul se află în zare, alb, pe un fundal tot mai întunecat al cerului. Trec de cupola mare a sălii de dans Spanish City, care este închisă cu scânduri, și alerg pe lângă piscina Valuri, care e frecventată de niște inși îngâmfați și, surprinzător, Lady se ține după mine. (De obicei, nu pricepe comanda „la picior", dar acum e ca un câine dus la școala de dresaj. Probabil crede că, dacă va alerga înainte, nu va fi în stare să mă vadă din nou.)

Am aranjat totul. Nu vreau să-i stric efectul lui Boydy. Voi aștepta până termină chestia cu lumina. Atunci le spun oamenilor cine a făcut lucrul care trebuie. *Atunci* va fi momentul când eu le voi spune oamenilor cine e acolo. Bănuiesc că *cineva își va face apariția*.

Fug pe lângă oamenii ieșiți la o plimbare de seară. Respir greu și icnit. Zgomotos?

Pur și simplu nu-mi mai pasă. Știu că oamenii se întorc surprinși de sunetul picioarelor mele lovind pietrele pavate, de gâfâitul meu, dar, în orice caz, mă mișc mai repede, pentru că știu că nu mai e timp. Abia îmi mai simt picioarele, iar eu trebuie să pășesc pe nisip și să merg în jos de-a lungul cărării, spre plajă, unde alergatul e mai lent, dar mai puțin dureros.

Abia am ajuns acolo. Cinci sute de metri mai mult. Patru sute?

Că să continui, mi-l imaginez pe Boydy —cu o mutră jignită când își dă seama că nu voi fi acolo pentru marele său moment — și traversez pietrele pentru a ajunge pe digul ce duce spre insulă, tăindu-mă încă o dată în partea de jos a piciorului cu o scoică ascuțită ca un brici, dar eu fug în continuare.

— Boydy! strig. Așteaptă!

Ca și cum m-ar putea auzi pe deasupra muzicii pe care o pune în sistemul său audio pe care l-a meșterit acasă! Ascultă Felina la maxim. Bineînțeles că face acest lucru. Pentru că e exact ceea ce am nevoie.

„Aprinde lumina,
În seara asta vreau dragostea ta.
Vreau să te văd, să te văd în seara asta..."

Fluxul se retrage, dar încă mai e apă de o parte și de alta a digului.

Sunt suficient de aproape acum, ca să-i văd în lumina soarelui care apune. E un grup de oameni, dar nu mulți: poate vreo șase. Aceștia sunt toți care au venit?

Boydy stă deasupra tuturor pe niște trepte și se uită de-a lungul digului. Se uită să vadă dacă vin. Sunt sigură de asta.

Muzica se sfârșește deodată, în felul în care atât de multe cântece de-ale mamei se sfârșesc: o coardă zbuciumată și două bătăi de tobe—bum-bum.

Lady s-a hotărât evident că nu mă va pierde și aleargă în față spre grup.

— Sunt aici! Vin! țip și gâfâi de oboseală. Sângele îmi zvâcnește în urechi.

Mulțimea mică se întoarce spre sursa zgomotului.

Apoi, apare o lumină și vine înspre mine. Mă întorc șocată și farurile mașinii se îndreaptă amenințător spre mine de-a lungul digului. Tata e la volan și Buni lângă el.

— TATA! țip sau cel puțin cred că țip.

Nu prea știu. Știu că e ultimul lucru pe care-l aud.

Evident, el nu mă vede.

Simte însă impactul produs când mașina se ciocnește de mine. Tot ce vede sunt stropii care sar în toate părțile când ricoșez de pe mașină și mă izbesc de luciul apei.

THE WHITLEY NEWS GUARDIAN
FATA DE LA FAR, ÎNCĂ ÎN STARE „GRAVĂ"

Doctorii de la Spitalul General North Tyneside au afirmat azi-noapte că Ethel Leatherhead, fata de doisprezece ani implicată într-un mic accident rutier pe digul farului din Whitley Bay miercuri seară, era încă în stare „gravă".

Șoferul mașinii, domnul Richard Malcolm, este tatăl lui Ethel. Bunica sa — fosta soacră a domnului Malcolm, doamna Beatrice Leatherhead — se afla în mașină când aceasta a lovit-o pe fată la 9:00 seara și a aruncat-o în mare.

Martorii care au ajutat la dramatica operațiune de salvare se adunaseră pe Insula Sfânta Maria pentru o ceremonie neoficială „Aprinde lumina". Un coleg de școală al lui Ethel — Elliot Boyd, treisprezece ani, din Woolacombe Drive, Monkseaton — plănuise să realizeze o „reaprindere" artificială a farului scos din funcțiune.

La câteva momente înainte ca lumina să fie aprinsă, aceştia au auzit strigăte de ajutor din partea domnului Malcolm. Elliot Boyd s-a aventurat în apa adâncă până la talie, unde colega sa se afla cu faţa în jos, aparent moartă. Elliot, având un certificat obţinut la un curs de prim ajutor, a tras după el trupul inert şi l-a dus într-un loc sigur, unde i-a făcut respiraţie gură la gură până au ajuns paramedicii, cincisprezece minute mai târziu.

Încă nu s-a stabilit de ce Ethel nu era îmbrăcată cu absolut nimic la momentul accidentului.

Un purtător de cuvânt al Serviciului de Ambulanţă din North East a afirmat: „Ethel este foarte norocoasă că trăieşte. A fost, din toate punctele de vedere, moartă când ambulanţa a ajuns la ea. Nu avea puls şi nu respira."

A fost dusă în ambulanţă, unde paramedicii au efectuat defibrilarea de urgenţă — administrarea unui şoc electric controlat pentru a stimula inima.

Inspectorul Maxwell Ford de la Inspectoratul de Poliţie din Northumbria a declarat: „Acesta a fost în mod clar un accident tragic, iar poliţia nu îl va pune sub acuzare pe Malcolm. Suntem alături de Ethel şi de familia sa."

Consiliul local din North Tyneside, care deţine Farul Sfânta Maria, a răspuns ieri presiunii publice şi a retras o declaraţie anterioară invitând la acţiune împotriva domnului Boyd pentru încălcarea proprietetăţii.

„Fără acţiunile rapide şi altruiste ale lui Elliot Boyd, Ethel ar fi murit cu siguranţă la locul accidentului. În lumina eroismului său, nu vom aplica nicio sancţiune", a declarat primarul din North Tyneside, Cllr Pat Peel.

Reverendul Henry Robinson, vicar al Bisericii St. George din Culvercot, din a cărei congregaţie fac parte Ethel şi bunica sa, a ţinut aseară la locul accidentului un serviciu religios în aer liber, la care au participat enoriaşii şi elevii din

Academia Whitley Bay, unde învață Ethel. Acesta a afirmat: „Vă rog să vă rugați pentru Ethel. Este o fată minunată, cu un zâmbet încântător, iar noi vrem să se recupereze pe deplin."

Capitolul optzeci și șapte

Lucruri pe care le observ când deschid ochii:
1. Nu sunt acasă

Asta e. Asta e tot ce observ.

Lumina mă stânjenește, așa că închid din nou ochii.
(Când închid ochii se face întuneric, dar eu nu observ
asta. Nu la început.)

Capul mă doare. Pieptul mă doare. Totul doare.

Nu știu cât de mult trece până deschid din nou ochii,
dar, când o fac, iată ce observ:
1. Încă nu sunt acasă.
2. Afară e întuneric. Pot vedea o lumină portocalie
   prin jaluzeaua pe jumătate închisă, dacă îmi întorc
   ochii într-o parte.
3. Uitându-mă în cealaltă parte, văd un bărbat stând
   pe un scaun. Are capul plecat.
4. Bărbatul acela e tatăl meu.
5. Sunt din nou vizibilă.

Capitolul optzeci şi opt

Aflu că tata şi Buni au stat cu mine la spital până mi-am recăpătat cunoştinţa, fără să plece de la căpătâiul meu.

Capul spart, două coaste rupte, vânătăi pe tot corpul, stop cardiac. Acela este un atac de cord.

Am fost moartă când Boydy şi tata m-au scos din apă.

Am fost lovită de o maşină, aruncată în apă în stare de inconştienţă, m-am înecat şi am suferit un atac de cord.

(În caz că te întrebai — şi ştiu că eu aş face asta —,nu am avut o „experienţă la un pas de moarte" şi nici nu am văzut ce se întâmpla în timp ce pluteam deasupra scenei şi nici nu m-am simţit atrasă spre o lumină puternică sau ceva de genul. Nu-mi amintesc nimic.)

Aşadar, am fost moartă de-a binelea, am dat colţul.

Însă acum stau în pat.

Mă doare tot.

Buni şi tată au rămas la spital până m-am „stabi-lizat", stând pe rând la căpătâiul meu sau dormind în camera pe care spitalul o are pentru rudele victimelor accidentate.

Buni plânge mult. Arată cu douăzeci de ani mai bă-trână. Tot spune:

— Îmi pare rău, Boo. Îmi pare rău. Îmi pare atât, atât de rău!

Tata spune că şi lui îi pare rău, însă nu plânge. În schimb, mă apucă de mână, uneori puţin prea tare, dar nu mă deranjează.

Cred că îşi cere iertare, pentru că m-a călcat cu maşina, ceea ce nu e vina lui de fapt.

Buni zice că-i pare rău pentru toată viaţa mea.

Asistentele vin şi pleacă.

Doctorii îmi bagă lanterna în ochi, îşi şoptesc chestii şi mă-ntreabă lucruri precum „Cum te cheamă?" pentru a verifica dacă creierul meu este în regulă.

Nimeni nu a menţionat invizibilitatea mea.

Bine.

Capitolul optzeci și nouă

Peste câteva zile, Boydy a venit să mă viziteze, iar eu ajung în agonie, deoarece mă face să râd și am niște coaste rupte.

Îmi aduce flori! Niciodată nu mi-au fost aduse flori și am un sentiment plăcut pentru asta.

— Ești bine, Eth? îmi zice, cu o expresie solemnă. Le-am șterpelit pentru tine. Un tip de pe coridor a murit, iar eu m-am gândit că n-o să le ducă lipsa.

Mă holbez la el.

Păstrează o față senină, dar nu pentru mult timp.

— Glumesc! Am renunțat la porția zilnică de gogoși ca să-ți cumpăr astea.

Acest lucru mă face să râd. Se amuză pe seama lui, pe seama mea, de tot și de toate, și, de îndată ce încep să râd, încerc să mă opresc, pentru că doare, dar nu pot și gem atât de tare, încât una dintre asistente intră fugind, certându-l pe Boydy, care s-a servit cu o banană din vasul cu fructe de la capătul patului meu.

Sunt în propriul salon de spital, nu un ambulatoriu, probabil pentru că abia am ieșit de la terapie intensivă, iar tata s-a ridicat și ne-a lăsat singuri.

Boydy se aşază pe pat, curăţă banana şi ia o înghiţitură mare.

— Mă bucur c-ai supravieţuit, Ethăl, spune el cu gura plină. Dacă ai fi dat colţu', ar fi fost mare tărăboi. Se pare că sunt un erou. Cu plăcere!

Simt cum mă apucă din nou râsul.

— Nu! îi spun.

— Nu, vorbesc serios. Oamenii se uită la mine puţin diferit. Nu sunt numai grasul cu gură mare din Londra.

Se opreşte şi se uită la mine în timp ce îşi termină banana.

— Ştiu ce spun, ce au crezut. Nu sunt prost. Dar sunt doar eu. Ăsta sunt eu. Puţin zgomotos, puţin băgăreţ. Nu pot fi altcineva. Dacă nu-ţi place, e greu.

— Dar mie îmi place.

Zâmbeşte larg.

— Da, bine. Ai tu gusturi proaste, n'aşa? Mănânci strugurii ăia?

Asistenta se întoarce cu un termometru şi cu un păhărel de calmante. În timp ce-mi ia temperatura, Boydy se ocupă de struguri, aruncând boabele şi prinzându-le cu gura.

Termină strugurii şi ia ceva din buzunar: telefonul mobil al lui Jesmond Knight.

— În seara asta, se întoarce din excursia cu şcoala. Am curăţat telefonul ăsta cum ştergi fundul unui bebeluş.

— Stai puţin, Boydy. E furt, nu-i aşa? Adică, tu practic i-ai furat telefonul.

Boydy rânjeşte.

— Eu? Vrei să spui „noi". Şi, pe lângă asta, e furt doar dacă intenţionezi să deposedezi permanent pe cineva de propietatea sa. Eu doar am împrumutat acest obiect. Mă gândeam că-l voi strecura prin cutia poştală în drum spre casă.

Când asistenta pleacă, Boydy îşi trage scaunul lângă mine şi se apropie.

— Deci... au găsit ceva? Doctorii? Ceva ciudat? Nişte bucăţi din tine lipsă sau invizibile?

Dau din cap.

— Nu le-ai spus?

Iar dau din cap.

— De ce aş face asta? Nu are nimic de-a face cu accidentul.

— Dar e motivul pentru care tatăl tău nu te-a văzut. E motivul pentru care s-a întâmplat.

— Şi, când am murit, am devenit din nou vizibilă. La fel ca lacrimile mele, ca starea mea de rău, ca sângele meu. Nu e nicio dovadă. Tot ce a mai rămas e acel vârf de pudră. Încă-l mai ai, nu?

Liniştea sa zice tot.

Într-un final, murmură:

— Era în buzunarul de la pantaloni. Îi aveam pe mine când am sărit în apă să te iau. A fost luat de ape.

— Tot? Dă din cap.

Nici măcar nu sunt furioasă. Dimpotrivă, sunt uşurată.

Oamenii care mă cunosc cel mai bine ştiu adevărul.

Toţi ceilalţi? Ei bine, „afirmaţiile extraordinare cer dovezi extraordinare". Mă întind crispându-mă după laptop şi îl deschid. Sunt pe cale să-i arăt lui Boydy înregistrarea pe care am făcut-o ultimei mele aventuri în invizibilitate, când îmi aduc aminte că sunt dezbrăcată în ea. Nu vreau să-l stânjenesc, aşa că derulez până la momentul în care stau întinsă pe solar, când lucrurile nu sunt chiar atât de evidente.

Nu e chiar o imagine *rea*. E clară, şi bine încadrată, şi toate cele. Doar că lumina strălucitoare a razelor ultraviolete ale solarului creează un fel de aură înceţoşată în jurul meu, încât, când dispar, e...

— Nu e prea convingător, nu? spune Boydy, părând posomorât. Poate fi cu uşurinţă un efect special făcut în casă.

— Nu ar convinge pe nimeni.

Apoi zâmbesc.

— Dar noi ştim adevărul.

Capitolul nouăzeci

În afara salonului meu se aud voci şi, după câteva secunde, intră trei fete îmbrăcate în uniformă şcolară. Kirsten Olen, Katie Pelling şi — dintre toţi oamenii de pe lumea asta — Aramynta Fell.

Fetele au fost trimise, în chip de delegaţie, din partea clasei domnului Parker, pentru a-mi aduce o felicitare de însănătoşire grabnică semnată de toţi colegii mei care nu sunt în excursia la centrul de aventuri din Districtul Lacurilor.

Nu sunt suficiente scaune în camera mea, aşa că ele şi Boydy împart spaţiul de pe pat şi cele două scaune disponibile.

Kirsten şi Katie se comportă ca şi cum totul e în regulă şi aşa a fost dintotdeauna.

Şi, de fapt, asta-mi convine.

Însă e ceva ce mă deranjează la Aramynta. Nu pot să pun degetul pe ce-ar fi. Se comportă amabil chiar şi cu Boydy.

Se comportă… suspect, presupun. În mod clar, nu vrea să fie acolo, iar acest lucru e separat de faptul că mereu a fost cel puţin rece faţă de mine, dacă nu complet

355

ostilă. E ceva ce mă roade în privința asta, o amintire care încearcă să iasă la suprafață, însă nu prea pot să ajung la ea.

Vorbim despre domnul Parker și despre prestația lui Boydy, care a făcut furori la Whitley are Talent, iar acesta se preface că e misterios și spune că nu poate dezvălui secretele trucului său, când Katie spune:

— Ai fost aproape. Tu l-ai văzut, nu-i așa Mynt?

Mynt.

Atunci îmi amintesc. Conversația lui Jesmond din dormitorul său, când plănuia cu Aramynta să revendice rescumpărarea pentru Geoffrey.

Pur și simplu îmi iese pe gură.

— Mulțumesc că ați venit. Dar, înainte de a pleca: Aramynta? Câți bani ai primit ca recompensă de la bătrâna doamnă Abercrombie?

Și știu că am prins-o — nu după ce a spus, ci din culoarea din obraji, care este cel mai aprins roz pe care l-am văzut vreodată pe fața cuiva.

— Eu… eu… *ce?*

Niciunul din ceilalți nu are vreo idee despre ce vorbesc — nici măcar Boydy. Îi spun ce am dedus în legătură cu rolul Aramyntei ca „observator", livrând ziare gratuite și pliante cu mâncare la pachet și identificând casele cu animale de companie care pot fi ușor luate de Jesmond și Jarrow și ținute până când se oferă o recompensă. Iar dacă nu se oferă vreo recompensă, e ușor pur și simplu să ducă înapoi câinii pe care i-au furat.

Inventez pe măsură ce zic totul, dar știu că am dreptate.

Aramynta nici măcar nu încearcă să nege. Doar se uită la podea.

— Gemenii se întorc în seara asta, nu-i aşa? continui. Atunci, dacă nu vrei să mă duc la poliţie — şi voi face acest lucru, îţi promit —, îi vei restitui banii doamnei Abercrombie.

— Tu... tu nu ai nicio dovadă, spune Aramynta.

Pot totuşi să-mi dau seama că îi este frică.

— Ba da, avem, nu-i aşa Boydy?

Boydy — care până în acest moment m-a urmărit frapat — închide uşa şi prinde viaţă. Bagă mâna în buzunar şi scoate telefonul distinctiv cu dungi roşii şi albe al lui Jasmond Knight şi cu o siglă a unei echipe de fotbal pe el.

— Avem, spune fără a ezita.

Se ridică în picioare şi li se adresează cu vocea sa de avocat, ca şi cum ar fi în instanţă.

— Recunoaşteţi acest telefon mobil? Bineînţeles că da — îi aparţine lui Jesmond Knight, nu-i aşa?

— *Nu-i aşa?*

Trebuie să-mi muşc obrazul ca să mă opresc din a zâmbi. Pot vedea unde bate. E genial.

Aramynta dă din cap.

Boydy porneşte telefonul şi formează un număr.

— O, bine, spune, prefăcându-se că vorbeşte singur. FaceTime pare să meargă. Bună, Jarrow. Ce mă bucur să te văd şi să te aud!

Pe ecranul mic al telefonului se află Jarrow Knight, arătând şocată. Se pare că e în autobuzul şcolii. Mai sunt alţi oameni în jurul ei, dar singura persoană pe care o zăresc este Jesmond, care-şi aduce faţa aproape de camera telefonului şi mârâie:

— Acela e telefonul meu, Boyd? Tu, prietene, eşti *mort.*

Dar Boydy rânjeşte foarte încrezător.

— Nu cred, Jezza, prietenul meu vechi.

Continuă cu vocea sa de avocat.

— Vezi tu, chiar în acest aparat am găsit o grămadă de probe. SMS-uri, jurnalele de apeluri, ce vrei tu, toate ducând la concluzia fermă că mai multe infracţiuni au fost comise — cele de a obţine bani prin înşelătorie şi de a de ţine un animal în captivitate, încălcând Legea Animalelor Domestice din 1968. Toate dovezile indică un caz de *prima facie* în care autorii infracţiunii mai sus menţionate sunt domnul Jesmond Knight şi sora lui geamănă Jarrow, domiciliaţi pe Bulevardul Legăturii numărul patruzeci, Whitley Bay.

Se opreşte şi arată dramatic cu degetul în direcţia Aramyntei.

— Iar *dumneavoastră*, domnişoară Aramynta Fell, sunteţi complice la această infracţiune şi, în consecinţă, veţi fi pusă sub acuzare.

E un bluf — un mare bluf —, dar e suficient.

Aramynta s-a albit la faţă.

Pe ecranul telefonului, Jarrow îşi muşcă adânc buza de jos şi clipeşte des.

I-am prins.

Boydy se întoarce la telefon, pe care-l ţine în stilul unui selfie, astfel încât Jarrow şi Jesmond pot vedea scena cum trebuie.

— Adică, puşi sub acuzare dacă nu se obţin toţi banii obţinuţi din înşelătoria menţionată mai sus şi nu se înapoiază victimelor în termen de o săptămână.

Boydy se apropie de telefon.

— Caz închis. Vedeţi voi cum vă descurcaţi, da?

Se uită la ceas.

— Mynt? Queenie Abercrombie poate fi prima. Ai o oră la dispoziţie până o sunăm să ne asigurăm că s-a făcut tranzacţia. Ai înţeles? Repede, repejor.

Aramynta dă din cap şi practic o zbugheşte din cameră.

Boydy îşi întoarce faţa din nou înspre telefon şi renunţă la vocea elegantă.

—Vorbesc serios, Jarrow, Jesmond. *Toţi* banii să fie înapoiaţi sau toată lumea va afla—începând cu tatăl vostru. Vei primi în seara aceasta telefonul prin poştă, dar nu te îngrijora—am făcut back-up la toată informaţia. Pa-pa!

Fără a aştepta un răspuns, acesta închide apelul.

Katie şi Kirsten au urmărit tot schimbul de replici cu o uimire crescândă.

— Ce vacă! spune Kirsten.

— Niciodată nu mi-a plăcut de ea. Chiar deloc, adaugă Katie.

Capitolul nouăzeci și unu

După ce pleacă fetele, îl întreb pe Boydy:

— Tot ce-ai spus despre informația pe care-ai găsit-o pe telefon…

— Mmmm?

— Blufai?

— Nu în totalitate. Dar, știi tu cum e când vine vorba de a blufa, Ethăl. Am învățat de la cei mai buni.

Nu am idee la ce se referă, însă voi afla în curând.

Trei săptămâni mai târziu

Capitolul nouăzeci și doi

Am ieșit din spital, dar încă mă doare tot corpul și am copci pe scalp.

Tata a închiriat o casă în **Monkseaton**. Vrea ca eu și Buni să ne mutăm cu el.

Ca să fiu sinceră, cred că vrea ca *eu* să mă mut cu el și a întrebat-o pe Buni din politețe, dar sper să accepte. Va fi distractiv.

Într-un final, a trebuit să o rog pe Buni să nu mai spună că-i pare rău.

A făcut exact ce a rugat-o mama să facă. Pentru binele meu, a îndurat să trăiască zece ani sub numele de Beatrice Leatherhead, în loc de numele său adevărat, Belinda Mackay. Și-a făcut griji în fiecare zi că cineva ar recunoaște-o sau ar face legătura dintre ea și „Felina".

A convins-o pe străbunica să fie părtașă la minciună, bazată pe promisiunea că îmi va spune adevărul când voi fi „suficient de mare". Însă, până atunci a fost atât de cufundată în propriile minciuni, încât nu se mai putea dezlipi de ele.

Am crescut sub numele de Eathel Leatherhead, iar asta sunt cine sunt. Nu am crescut ca „Boo Mackay (sau

363

Malcolm? Cine mai știe?), fiica prinţesei tragice a muzicii pop, Miranda „Felina" Mackay", iar acest lucru nu mă deranjează prea tare.

Cine ar vrea să fie *atât* de vizibilă?

Iar dacă Buni n-ar fi mințit, ce ar fi fost diferit?

Mama tot nu ar fi fost aici. Acest lucru nu s-ar fi schimbat.

Tata nu și-ar fi recuperat „anii pierduți", cum îi numește, și tot s-ar fi întors.

Aș fi crescut la Londra, dar știi ceva? Am fost acolo într-o excursie cu școala o dată și nu e chiar așa de impresionant. Nu e nicio plajă, niciun pescăruș, niciun far.

Și nu ar fi niciun Boydy, un prieten adevărat care mă face să râd în fiecare zi.

Voi trece pe la el mai târziu. M-a invitat prin acest SMS:

Domnul Elliot Boyd o invită pe
Domnișoara Leatherhead
La o seară cu o cină și cu o revelație
8 iulie, 7.00 seara

Cină, „o revelație"?

Ce naiba?

Capitolul nouăzeci şi trei

Ajung acasă la Boydy la şapte şi, când răspunde la uşă, s-a schimbat din uniforma şcolară (ceea ce e ciudat pentru el) şi este îmbrăcat cu o cămaşă albă, deşi poartă haine de vară. Arată lucios, ca şi cum tocmai a făcut o baie.

Când intru pe uşa din faţă, izbucnesc în râs, deoarece văd două lumânări aprinse pe masa din sufragerie, deşi afară este încă lumină.

— Boydy! Pentru ce sunt lumânările? zic şi râd, apoi mă strâmb puţin, fiindcă încă mă mai doare când hohotesc.

— O, acestea? Nimic. Eu, ăăă... cred ca mama le-a lăsat pe-aici pentru vreun client sau ceva de dinainte, asta e.

— Unde e mama ta? Mă duc să o salut.

— O, e ăăă... plecată.

Se poartă evaziv sau emoţionat. Poate e nervos din cauza revelaţiei, orice ar putea fi aceasta. M-aş aştepta ca eu şi Boydy să ne apucăm să ascultăm nişte muzică sau să ne jucăm cu Xbox-ul, sau să ne uităm la televizor, însă acesta a deschis uşile franceze ce duc spre terasă (care—acum, că stau să mă gândesc—sună *mult* mai grandios decât e în realitate, deoarece este de fapt o zonă mică, pavată, a grădinii din spate).

Îmi aduce suc natural cu gheață și respiră adânc.

— Nu ești singura care are secrete, știi, Eth?

Se joacă puțin cu mâinile.

Îl aștept răbdătoare. Îmi dau seama că nu e ușor pentru el.

Atunci, îmi spune că tatăl său, avocatul barosan din Londra, execută în prezent o condamnare de șapte ani pentru fraudă, în Închisoarea Durham.

— Uau, zic eu, ceea ce pare puțin ciudat când îmi iese pe gură, dar asta e ceea ce simt.

— Dar asta nu e tot.

Nu se uită la mine când îmi spune asta, iar următorul lucru pur și simplu îl spune așa, cu una cu două.

Mama sa e bipolară, iar el îmi explică imediat că este vorba de o boală mintală care înseamnă că uneori ești nebunesc de energic, până la punctul de a fi maniac, iar uneori teribil de obosit și de deprimat. Uneori nu poate lucra și, o dată, a fost chiar și internată în spital.

— Când a fost asta? întreb, dar cred că deja știu răspunsul.

— Când am început să-mi petrec timpul cu tine. Aveam nevoie de cineva care să... nu știu. Să nu fie oribil cu mine. Cu mama plecată, erai cam singura persoană.

Îmi beau sucul în liniște. Chiar nu știu ce să spun.

Într-un final, sparge tăcerea.

— Contează? îmi spune.

Cred că am o privire inexpresivă.

— Contează că tatăl meu e un escroc și mama-i...

Se gândește un moment.

— Că mama-i instabilă psihic?

— Contează? Bineînțeles că da! Adică, sunt toate lu-
cruri destul de importante.

— Nu, ceea ce vreau să zic e... contează pentru tine?

Și atunci pricep ce vrea să zică.

— Nu, Boydy. Asta nu înseamnă că te plac mai puțin.
Toți avem obstacole de traversat, însă toți avem mijloa-
cele să le depășim.

Strâmbă puțin din nas, neîncrezător.

— E ceva ce spune bunica mea, îi explic.

— Fir-ar. Credeam că ai devenit gravă sau ceva de genul.

Apoi vorbește. Vorbește despre boala mamei lui (care
s-a declanșat acum câțiva ani), despre disperarea tată-
lui său când a văzut că firma sa de avocatură începe să
piardă bani și despre mica înșelătorie care s-a dezvoltat
într-o fraudă mare. Procesul tatălui său a avut loc exact
când mama sa era internată în spital...

— E un tip de treabă, spune Boydy despre tatăl său.
Ți-ar plăcea de el. El... a făcut niște alegeri proaste, însă.

— Și acum tu ești la comandă? îi spun.

— Ei bine, când mama e bolnavă, trebuie să fiu.
Acum e bine. Îl vizitează pe tata. Așadar, ți-e foame? E o
rețetă nouă pe care o încerc.

Atunci, îmi dau seama de ce e un bucătar atât de
priceput. Deoarece trebuie să-și gătească singur când
mama sa nu e prin preajmă.

Simt ca și cum îl văd într-o lumină cu totul nouă. E ciu-
dat și agitat, însă, pe tot parcursul cinei, pe care insistă să
o luăm la masă, și nu dintr-o farfurie așezată pe genunchi,
cum e metoda noastră obișnuită. E o mâncare din carne
de vită, care e delicioasă, iar eu tot exclam „Mmmm, deli-
cios" și chestii de genul, însă el tot absent e.

Într-un final spune:

— Ethăl?

— Boydy?

— E ceva ce am vrut să-ți spun.

— Da?

Sunt în gardă acum, deoarece credeam că toate revelațiile s-au încheiat. Ce îmi va spune? O, stai puțin. Cu siguranță nu. *Sigur nu?*

Ridic mâna și spun.

— Boydy. Oprește-te aici. Sper că nu o să mă „inviți în oraș" sau ceva de genul?

Se așterne o pauză lungă, timp în care Boydy se holbează la mine. Umerii i-au căzut și pare puțin trist.

— Nu fi prostănacă, îmi spune într-un final. Nu voiam să te întreb nimic de acest gen. Adică, suntem cei mai buni prieteni, da? Îmi place să fiu prietenul tău și ar fi păcat să distrugem asta, nu-i așa? Adică, să riscăm prietenia noastră prin... prin... Nu, nu aveam să te-ntreb asta. Țțț, sincer, Ethăl. Drept cine mă iei?

Ei bine, e destul de emfatic. Pfiu.

— Ce aveai să mă întrebi atunci?

— O, ăăă...

Se gândește preț de un minut. Și-a pierdut trenul gândirii.

— Ai vrea niște budincă?

— Asta era tot?

— Sorbet de lămâie. Toată aroma la jumătate din calorii.

Boydy e un bun prieten.

Dar asta e tot ce suntem. Doar prieteni.

O săptămână mai târziu

Capitolul nouăzeci și patru

Se pare că tatăl lui Boydy nu a fost genul de avocat care pledează în instanță. Mai mult genul de avocat care stă toată ziua în spatele calculatorului, ocupându-se de lucruri precum taxele și o chestie numită „contabilitate judiciară digitală", pe care nici nu pot să încep a o înțelege.

Închisoarea sa nici nu e genul de celulă cu bare de metal și cu muncă silnică. Se numește „închisoare de categoria C" și îi sunt îngăduite vizitele, un calculator, internetul și chestii.

Ceea ce înseamnă însă că va investiga plata pe care am făcut-o unei bănci din China — Hong Kong, de fapt — pentru Dr. Chang Tenul Lui Așa Curat, de dragul lui Boydy.

Boydy i-a spus că eu am făcut plata (cu cardul lui Buni) și nu am primit niciun bun, așa că nu trebuie să explicăm toată povestea cu invizibilitatea. Domnul Boyd — Pete — spune că există două rezultate posibile ale unei investigații inițiale.

Primul e că este o companie mică ce-și schimbă băncile, conturile, dar își păstrează sediile și adresele de IP. Aceste companii, spune el, sunt destul de ușor de găsit.

A doua opțiune implică o companie mult mai mare care face tot felul de tranzacții internaționale, închizând și deschizând conturi în diferite bănci tot timpul, cu multiple adrese false și care cumva nu lasă nicio urmă în lumea electronică — pentru a fi cu doi, trei, patru pași înainte de oameni ca el. Adesea sunt imposibil de găsit, mai ales fără o echipă mare și — în acest caz — fără vorbitori fluenți de mandarină și/sau cantoneză. Pete nu vorbește niciuna dintre aceste limbi.

Dacă ar fi prima variantă — iar Pete spune că e optimist —, există o șansă ca noi să obținem mai mult din acel amestec ciudat.

De asemenea, este prieten cu un coleg de pușcărie care vorbește și mandarină, și cantoneză și care spune că ne va ajuta.

Atunci ce vom face?

Cine știe?

Capitolul nouăzeci şi cinci

E aproape finalul semestrului şi mi-aş fi dorit să spun că ceva cumplit li s-a întâmplat lui Jesmond şi Jarrow, dar nu au păţit nimic. Au fost însă amândoi *foarte* cuminţi. Nu au mai apărut afişe pe stâlpi. Nu se mai vorbeşte despre acea înşelătorie şi orice popularitate pe care au avut-o pare să se fi evaporat.

Doamna Abercrombie şi-a primit înapoi banii de recompensă.

În ceea ce-i priveşte pe ceilalţi? Aramynta îmi spune că şi ceilalţi şi-au primit banii, aşa că va trebui să am încredere în ea.

Presupun că e un rezultat bun.

Nu am spus nimănui despre faptul că Felina e mama mea, deşi nu vreau să fie un mare secret.

Încă mă gândesc ce să fac în legătură cu numele meu. Ethel Leatherhead nu e numele meu real: sunt Tigroaica Pisicuţa „Boo" Mackay.

Deşi ce e real şi ce nu e a fost pus sub semnul întrebării în ultima vreme.

Iar tenul meu? Mult mai bine, mulţumesc.

Mult mai bine.

Peste încă două săptămâni

Capitolul nouăzeci şi şase

E ziua mea mâine, a treisprezecea zi de naştere.

Nu a mai plouat de săptămâni bune deja. Legătura devine galbenă şi uscată, iar seara fără nori e un violet adânc, neted şi infinit.

Am fi făcut acest lucru mâine seară, când e de fapt ziua mea de naştere, dar tata trebuie să zboare înapoi în Noua Zeelandă, să rezolve ceva, aşa că sărbătorim cu o zi înainte.

E o petrecere de ziua mea de naştere? Nu chiar. Nu am vrut să fie o petrecere — e mai importantă decât atât.

Mai ales că ar fi cea mai ciudată listă de invitaţi la o petrecere de treisprezece ani, toţi adunaţi pe o stâncă mare şi plată, sub far.

Sunt prezenţi următorii:

- Eu, evident.
- Buni.
- Lady.
- Boydy, cu mama sa şi cu tatăl său, care a obţinut o permisie de o zi de la închisoare, când ai voie să-ţi vizitezi familia. (E de treabă. Practic, o variantă mai bătrână şi mai grasă a lui Boydy, fără niciun aspect de infractor. Mama lui Boydy e zâmbăreaţă şi timidă.)

- Doamna Abercrombie și Geoffrey. (Știu, dar trebuia s-o invit, pentru că voiam ca Buni să aibă o prietenă acolo — și, în fine, e mult mai drăguță cu mine, acum că Geoffrey nu mai mârâie la mine. Ar fi și mai drăguță dacă ar ști că datorită mie și-a primit înapoi banii de recompensă.)
- Reverendul Henry Robinson.
- Kirsten Olen (Căreia i-am spus acum de mama mea / Felina, dar nu de invizibilitate. Nu încă.)
- Același tip de la *Whitley News Guardian* care a fost la ziua de naștere a străbunicii. (Statutul de erou local al lui Boydy va fi amplificat, iar acesta va deveni și mai înfumurat, dar nu mă mai deranjează la fel de mult acum.)
- Și, din toți oamenii, domnul Parker și o doamnă veselă numită Nicky, pe care ne-a prezentat-o ca fiind partenera sa. (Nu aș fi ghicit că domnul Parker ar fi genul de persoană care să aibă o prietenă. Se pare că domnul Parker este un admirator secret al farurilor. I-a spus lui Boydy că poate împrumuta pupitrul de mixaj al departamentului și amplificatoarele, iar acesta chiar s-a dus la școală în perioada vacanței pentru a le ridica. Mi s-a părut un lucru mare, dar domnul Parker l-a numit „un simplu fleac pentru un tovarăș farofil"). Nimic și nimeni nu par a fi cum arată la prima vedere.

Boydy pășește de sus în jos, arătând emoționat. S-a tuns săptămâna trecută și și-a dat jos puful de pe bărbie, care arată mult mai bine și, de fapt, nu prea mai are bărbie dublă sub tot acel puf. De asemenea, și-a cumpărat niște haine noi. E drăguț. E ca și cum s-a îmbrăcat pentru ocazie. Nu sunt prea sigură de cămaşa cu imprimeuri, ca să fiu sinceră, dar măcar hainele noi îi vin. I-am găsit o şapcă de paznic de far pe eBay (Cine ştia că există asemenea lucruri? Eu nu.), pe care o adoră.

Mai trebuie să sosească un musafir. Tata s-a dus să o ia pe străbunica de la Priory View. În mod obişnuit, toţi rezidenţii sunt în pat până la ora nouă, iar cei de acolo nu erau deloc bucuroşi să o lase să plece.

— Să o lăsaţi să plece? l-am auzit pe tata vorbind cu ei la telefon. O ţineţi prizonieră, sau ceva de genul, sau e un musafir plătitor?

Asta a rezolvat problema.

Numai că au întârziat. Ceea ce nu ar fi o mare problemă în mod normal, dar digul va fi sub apă în aproximativ douăzeci de minute şi vom fi blocaţi pe Insula Sfânta Maria peste noapte.

Toţi ne uităm îngrijoraţi de-a lungul digului şi până la parcare, sperând să vedem farurile venind spre noi în amurg.

Tata nu ar rata acest moment, nu-i aşa?

Port tricoul mamei, cel care încă miroase a ea puţin. Ştiu că asta i-ar schimba mirosul, dar cumva nu mă deranjează. Nu în seara asta.

— Uite-i! exclamă Boydy, indicând spre perechea de faruri care se-ndreaptă spre noi, iar eu răsuflu uşurată.

Lângă tati se află străbunica, o făptură minusculă pe scaunul pasagerului. Când maşina se opreşte la capătul scărilor, lângă stânca plată mai pot vedea o persoană, un bărbat, stând pe bancheta din spate.

— Cine-i? o întreb pe Buni, dar ea n-are nicio idee.

Avem deja un scaun cu rotile pregătit, iar eu îl împing spre mașină pentru a o ajuta pe străbunica să iasă afară.

— Stanley? spun când mă apropii și văd cine e bătrânul din spate.

— Da, chicotește tata. Străbunica ta n-a vrut să vină fără iubitul ei, nu-i așa domnule Freeman?

Străbunica zâmbește larg și dă din cap aprobator în timp ce se face comodă în scaunul cu rotile, apoi îmi afișează zâmbetul ei emoționat și spune:

— Bună, dragă.

Tata preia scaunul cu rotile în timp ce eu mă duc în spate și îl ajut pe Stanley să iasă din mașină. E plăpând, dar se ține bine pe picioare.

— Bună, Boo, îmi spune cu vocea sa subțire de om bătrân. Am auzit totul despre tine. Mă bucur foarte mult să te văd.

(Doar după aceea mă întreb ce a vrut să spună cu asta. Era o aluzie la invizibilitatea mea? I-a spus străbunica? În orice caz, sunt surprinsă să descopăr că nu mă deranjează.)

— Să ne rugăm, spune Reverendul Robinson.

În timp ce ne strângem mâinile și murmurăm Tatăl Nostru, îmi țin ochii deschiși și mă uit în jur la oamenii adunați.

—Tatăl nostru care ești în ceruri...

Bătrânul Stanley stă în spatele căruciorului străbunicii și-i așază șalul de lână. Străbunica nu și-a închis ochii, dar în schimb se concentrează asupra unui punct îndepărtat în largul mării. Buzele ei se mișcă în timp ce mimează cuvintele care îi sunt cunoscute.

Doamna Abercrombie l-a așezat pe Geoffrey pe pământ și acesta e mult mai fericit, adulmecând în jurul unei băltoace cu pietre, alături de Lady.

Kirsten e responsabilă cu muzica şi stă în spatele pupitrului de mixaj.

Toată lumea spune „Amin" şi intervine apoi un moment de tăcere, în timp ce o pereche de pescăruşi răspunde puternic deasupra capetelor noastre.

— Suntem gata? întreabă Boydy.

— Stai aşa, stai aşa! îi spun.

Scot din buzunar un pachet de jeleuri Haribo şi îl deschid, înclinându-l în palmă. Le împart, câte unul la fiecare persoană.

— Unii dintre voi vă veţi aduce aminte că acestea erau preferatele mamei, spun, iar toţi au un zâmbet trist pe măsură ce mestecă.

Tata trebuie să îşi scoată din gură mai întâi guma cu nicotină.

Îi fac un semn lui Kirsten, care împinge în sus o manetă. Cântecul mamei răsună, bogat şi tare:

„Îmi luminezi viaţa când te zăresc,
Iar tot ce vreau e să fiu cu tine...
Aprinzi lumina din mine –
Hai, iubitule, aprinde lumina!"

Când mama ajunge la „aprinde lumina", Boydy apasă butonul de la prelungitorul care se-ntinde în susul farului, iar lumina unui milion de lumânări acoperă suprafaţa plată a stâncii, vărsându-şi razele din partea de sus a farului îmbrăcat cu sticlă la optzeci de metri deasupra noastră.

Se luminează toată plaja.

Se luminează marea.

Se luminează toată planeta, se pare.

Stanley aclamă, aplaudă și strigă:

— Bravo!

Și toți ceilalți fac la fel.

Buni se apleacă spre punga de pânză și îmi înmânează vaza sculptată din alamă pe care am văzut-o în dulapul ei în ziua în care m-am dus să cotrobăi. Pare ca și cum a trecut o viață de atunci și, într-un fel, așa a fost.

Miros tricoul pe care-l port, apoi desfac capacul.

În timp ce melodia mamei continuă să cânte, iar oamenii își mănâncă dulciurile, eu țin în mână urna, pentru a permite cenușii să se verse, iar conținutul este imediat purtat de vânt înspre mare. Una sau două particule de cenușă au căzut lângă stânci, iar un val le ia imediat. În câteva secunde, nu mai rămâne nimic în aer sau pe pământ.

Mă uit în jurul meu. Toată lumea plânge. Nu tare, nu în hohote, dar Buni își șterge ochii și până și tata are o expresie ciudată pe față, ca și cum se chinuie să nu plângă. Boydy are acel zâmbet de-a-ndoaselea pe care l-am mai văzut înainte.

Lady s-a așezat pe stâncă și privește în largul mării.

Spun că „toată lumea plânge" — ei bine, toată lumea, mai puțin eu.

Eu? Eu zâmbesc!

Totul este bine; totul este perfect.

Tata a venit în spatele meu și mă stânge de umeri, iar Buni îmi ține mâna.

— Pa, mami!

Îi spun asta și fac semn de rămas-bun cu cealaltă mână.

Atunci, mă decid că voi fi Ethel. Ethel Leatherhead. Porecla familială: Boo.

Asta sunt eu.

Nimeni nu a observat că digul e acum complet sub apă. Va fi o noapte interesantă.

Sfârşit

Pentru comenzi şi informaţii, contactaţi:
GRUPUL EDITORIAL CORINT
Departamentul de Vânzări
Str. Mihai Eminescu nr. 54A, sector 1, Bucureşti, cod poştal 010517
Tel./Fax: 021.319.47.97; 021.319.48.20
Depozit
Str. Gării nr. 11, Mogoşoaia, jud. Ilfov
Tel.: 0758.053.416
E-mail: vanzari@edituracorint.ro
Magazin virtual: www.edituracorint.ro

ISBN: 978-606-793-760-2

Format: 16/54x84;
Coli tipo: 24

Tiparul executat la: